文學、文獻與文創
——陳天授65作品自選集

陳添壽 著

蘭臺出版社

從文學、文獻到文創的學思歷程

1951年我出生在台灣南部的嘉南平原，我可以確定先祖在這地方定居下來的時間，應該是在19世紀初我玄祖的這一代，然後下傳高祖到曾祖父的這代，已經是1860年，正是清朝統治台灣的被迫開港通商。這時候我們陳家的先祖，在嘉南平原這地方的下茄苳堡安溪寮，經過了一百多年的闢地辛苦生活，已累積有了初具規模的厝地和田產。雖然，在我曾祖父的時期曾將先祖遺留下來的家產，分由我祖父的三位兄弟和一位養子繼承。

巧的是我的曾祖父、祖父都只活了43歲。我們這一家系，得再經我父母親的辛苦持家，養育我們兄弟姊妹9人，不但省吃儉用，好不容易存了一點錢，待有機會，就陸續又購回了部分的厝地和田產。現在我父母親雖然已經把厝地和田產分割給了我們四位兄弟，但是我仍然將父母親當年持有的祖厝庭園命名爲「拙耕園」，祖厝則以「安溪書齋」稱之。

我在「拙耕園」與「安溪書齋」生活了將近25年的時光，直到我在台北工作，生活安定下來。廣闊嘉南平原孕育了我的人生重要階段，我在那裡出生、成長，和接受教育；而我們的家又是一個大家庭，或許是受到成長環境的影響，我在待人處事上，總會是想與人爲善；我也不愛強出風頭，也不太懂得拒絕別人，對外界事物的回應又極易感傷，養成我的喜歡閱讀與書寫習慣。

在本書開始的【壹、文學與紀事篇】，我特別寫了一篇〈我的青春我的夢—記大學時期文青歲月〉，記述了我在大學

時期的參與文學性活動，和嘗試評論性創作的歷程。我把這時期發表的作品分爲散文評論類、圖書館學類，和抒懷詩選類等三類，我把它附錄在這裡，讀者也就不難發現我這些作品的青澀，因而諒解我在這一時期對社會的憧憬與不成熟，凸顯了我大學時期是位充滿理想、浪漫，多愁善感、愛好文學創作的青年，也形塑了我日後崇尚仁愛爲本的人道主義者，嚮往陶淵明《五柳先生傳》所言：「靜少言，不慕榮利。好讀書，不求甚解；每有會意，便欣然忘食。」的閱讀生活境界。

【壹、文學與紀事篇】另外收錄的〈1945~1949吳新榮的文學創作〉，原篇名爲〈戰後台灣初期治安與文學關係之探討—以1945~1949吳新榮爲例〉，是我於2015年11月17日發表於中央警察大學通識教育中心舉辦的「警察與通識教育學術研討會」，也是繼我在蘭臺出版社於2012年出版《台灣治安史研究—警察與政經體制關係的演變》一書之後，所發表有關於台灣「治安文學」的書寫。我會發表這一方面的論文，除了累積我撰寫《台灣治安史》的素材之外，或許與我近年來，酷好法國大文豪雨果（Victor Hugo）的作品有關，特別是從他1862年小說《悲慘世界》（The Miserables）改編的歌劇和影片。

【壹、文學與紀事篇】中，我還特別收錄有〈中國東北的文化紀事——城市踏查之11〉、〈哈爾濱731部隊遺址的文化紀事——城市踏查之12〉、〈澎湖「山東流亡學生」的文化紀事——城市踏查之13〉等三篇有關城市文化的紀事，主要是延續2013年蘭臺出版社幫我出版了《文創產業與城市行銷》。該書共收錄了我所到過天津、北港新港、湄洲莆田廈門、青島台兒莊、寧波奉化、上海、首爾慶州、東京箱根、福州安溪、漳州泉州等10篇的城市踏查。這些城市是我藉由應邀參加研討會，所記述下來近似「旅遊文學」的作品，未來如果再有這城市踏查的機會，我當繼續留下我這人生難逢的雪泥鴻爪。

本書第二部分的【貳、文獻與檔案篇】，首先我收錄的〈見證台灣政治民主化歷程——「台灣省議會史料總庫」活動紀實〉、〈繼《台灣警政發展史》之後——參加「警察通識教育圓桌論壇」有感〉、〈清治台灣方志文獻治安記述〉、〈日治時期台灣治安文獻與檔案〉等四篇刊登在《警大雙月刊》的短文，也都與我研究台灣治安史議題有關的文獻探討。

另外的〈論檔案與文獻的整合應用〉與〈清治台灣紀遊檔案與文獻〉則分別是我參加由中國檔案學會在哈爾濱舉辦的「2013年海峽兩岸檔案暨縮微學術交流會」，與由中華檔案暨資訊微縮管理學會在台北舉辦的「2014年海峽兩岸檔案暨微縮學術交流會」所發表的論文，更是我在2015年出版《警察與國家發展——台灣治安史的結構與變遷》一書中，有關治安史研究方法與檔案文獻的探討。

本書第三部分的【參、文創與管理篇】，〈文創產業發展導論〉的內容，是選自於我在台北城市科技大學講授「文化創意產業」的參考資料，主要是用來補足《文創產業與城市行銷》一書，在緒言上有關論述稍弱的部分。〈話說管理與溝通行銷〉則是我於1997年1月18日應台南縣文化中心之邀，原以〈話說管理—兼談工作中的人際關係〉爲題的講稿，嗣後全文刊載台南縣文化中心出版的「文化講座專輯9」，《人生贏家》。回憶這次的返鄉演講，讓我真備感壓力與榮幸，因爲是在我老家新營的關係，我看到許多親戚好友趕來聽我的講演，講稿嗣後彙集出版在「文化講座專輯9」的演講者中，我的名字更是與多位名作家並列。

【參、文創與管理篇】還收錄我在《台灣商報》〈全民專欄〉，以「文創漫談」一系列的專欄式散文，發表〈文創產業政策的政治經濟學省思〉、〈以創意整合生活產業的飲食文化〉、〈以流行音樂文創紀念兩位名家〉、〈「寡婦樓」被夷平的文化感慨〉、〈吳家舊宅的「府城歷史之窗」〉、〈「古蹟仙」林衡道的在地文創底蘊〉、〈詩品文學生命的文創效益〉、〈文化中心與文創園區〉、〈金曲獎頒獎與彩色派對粉塵爆的兩樣情〉、〈台北二二八紀念館與典藏台灣歷史文物〉、〈傳統大木作建築藝術的傳承〉、〈策展平台的締造文創風華〉、〈明華園的表演藝術〉、〈清華大學「月涵堂」的文創意涵〉、〈江蕙與台灣流行音樂〉等15篇。在此，我要感蘭臺出版社謝盧社長瑞琴的引薦，和葉淑貞、劉彥伶主編的協助，讓我的文章得以有機會在這一專欄繼續發表。

本書第四部份的【肆、陳天授65主要作品目錄】，是從我自有作品發表以來的彙整，檢視這一作品目錄尚非完整。回顧我一路走過的65個年頭，自己覺得非常慚愧，我實在拿不出優秀的紀錄。但是我還是要在此，感謝在我書寫旅程上，同路照顧過我的親朋好友、我的服務過單位、我的長官，還有社團刊物，讓我的作品有發表機會。

我應該特別提出來感謝的是，曾經邀請我寫專欄的大華晚報副刊吳娟瑜、台灣日報副刊郁馥馨、中央廣播電台節目主持人仇桂芬，以及幫我出書的黎明公司羅愛萍等朋友，承蒙她們不厭其煩地潤色我的作品，感謝她們不斷的鼓勵與支持，讓我從文學、文獻到文創的學思歷程，增添了不少光彩。在往後的日子裡，我仍將自我勉勵，善用自己能夠在有限的歲月裡，繼續完成自己書寫的心願。

我很喜歡閱讀陳慶元教授的《東吳手記》，也非常欣賞該書的圖文設計。所以，我的這本書有意保留【貳、文獻與檔案篇】與【參、文創與管理篇】中，原附有當時發表在刊物上的一些照片。但現在雅婷主編和我，都發現這些翻拍照片的效果不盡理想，我決定把它們拿下來，希望將來重新整編出版時再行補上。

陳添壽 謹識

2016.01.08於台北城市大學圖書館

目次

壹、文學與紀事篇

貳、文獻與檔案篇

參、文創與管理篇

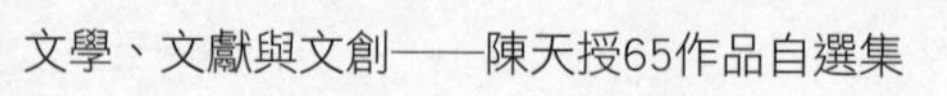

肆、陳天授65主要作品目錄

壹、文學與紀事篇

我的青春我的夢

——記大學時期文青歲月

我是在1970年進入輔仁大學，就讀於圖書館學系。回溯我在進入大學之前的學生時代，當我考上老家附近的省立後壁中學時，它原是嘉義女中分部，但也招收男生。我那時候進入就讀的教育制度還未實施省辦高中、縣辦初中的政策。所以，我剛進初中一年級的時候，我家二姊也在這所學校唸高中三年級。

或許是二姊受到大學聯考的壓力，忙於專心準備功課，未有閒暇時間閱讀課外刊物；也或許我才剛入初中的還在懵然無知階段，我回想那時段，實在想不起來我曾經讀過哪些與文學有關的書籍或期刊。我現在所能記憶的，只有是在第二年秋天，二姊的北上唸書之後，到了學校放寒假返家的時候，二姊從台北帶回來的有關文學書籍。這一機緣是啓蒙我閱讀課外讀物，尤其是帶給了我接觸文學的開始。

以後，我不僅看二姊買回來的文學書籍，我自己也開始買《三國演義》、《水滸傳》、《紅樓夢》等古典小說；加上，當時二哥每次從外工作放假回來，也總會帶他喜歡閱讀的雜誌，如《文壇》、《讀者文摘》之類的書刊，我都會很高興，但也會擔心二哥一收假，就會把雜誌帶走，我總會想盡方法，甚至於囫圇吞棗將它看完。當然我最期待的是當他們收假回學校和工作崗位，能夠將這些書刊留下來。

從此，我也慢慢養成了喜歡閱讀文學作品的習慣，我也開始嘗試自己騎著腳踏車，到離家較近的新營鎮，繞著街道處處找文具店、書店或書局，總希望找到自己喜歡的書，有時身上沒有錢，或錢不夠，我也只能站著翻閱，無奈地又把書放回原處。然而，畢竟新營這地方只是個小鎮，不能滿足我想要多接觸文學作品的慾望，也讓我興起想要離開鄉下的老家，出外求學、闖天下的念頭。

高中聯考時，我沒有報名新營區的考試，一心想去有府城之稱的台南市，開開眼界，真羨慕那地方城市的進步，認爲古城一定會有我更多想看的書刊。所以，高中聯考我選擇了台南區的高中聯考。結果成績放榜，我並未能如願進入位在台南市區的南一中、南二中，而是分發到新化的台南一中分部。這所學校也是我進入的那一年，不再隸屬台南一中，而已改稱省立新化高級中學，而且男女同校。

當我得知分發在這所學校的時候，我根本還不知道新化到底在哪裡？更不知道怎麼去學校？雖然，當時我未能考上台南市區的學校，自己難免有點失望；又一想到交通問題，我必須和我大哥唸台南縣新化農校的初中部、二哥唸台南市南英商職的高中部一樣，每天一大清早4、5點，從後壁安溪寮，我們鄉下習慣稱呼的頂寮家裡，至少得走20分鐘，才能到達同是位在安溪寮，我們稱呼下寮的設有台糖運送貨、客兩用火車的搭車站牌，我們當時稱這台糖火車爲小火車，搭上這小火車到新營下車，再走約15分鐘到新營火車站，轉搭南下我們所稱縱貫線的大火車到台南，如果是要到新化農校，或新化高中，就必須先在途中的新市火車站下車，再轉乘台南客運汽車才能順利到達新化鎮區的學校。

我對於大哥唸新化農校初中部時期的情形，完全陌生而完

全沒印象，因爲我和大哥的年齡相差12歲；而二哥大我10歲，同樣他念嘉義華南商職初中部時的上學情形，我也都沒印象，可是後來二哥到台南市唸南英商職高中時的情形，我已快唸小學的年紀了，所以我對二哥每天一大早通勤，母親爲他準備早餐，有時我被叫醒，必須在家庭院等叫賣小販來時，幫忙買醬菜；而下午二哥放學輾轉搭車回到家裡，都已經是晚上8點，如果放學晚些，或是碰上轉車時間沒有銜接好，則都是要在深夜才能到家。這種一大清早出門，到深夜才返家的學生通勤辛酸，有時候我都已經先上床睡覺，還會被父親與他對話的聲音吵醒，這情景一直到現在都還會深刻地常常浮現我的腦海中。

對照之下，家人對我實在太愛護了，父母親完全不考慮當時全家經濟本已夠沉重的負擔，還讓我可以在學校的附近租屋寄宿。我現在也記不起當時是誰帶我去到我之前從未曾去過的新化，而且可以找到這戶可以租住的人家。何況這地方，一直到現在我都非常清楚記得，而且還特別懷念這棟滿新潮的洋式水泥建築，屋主還在這棟房子的左側，蓋了一排連著有3間的水泥小平房，每一間可以租給二個學生，總面積約有200坪，主屋前種有一叢竹林，右側小平房前則種有幾棵的楊桃樹。

當我看到這園林美麗景象，比起我安溪寮老家的鄉村環境要來得清幽，我馬上喜歡上這地方，幸好在最右側小平房還剩有一空床，室友也同我一樣是高一新生。這是我生平的第一次離開父母親身邊，遠離家人，獨自在外生活，有些時候還是會想念家人，特別是在星期例假日，留下沒有返鄉的同學，一起搭伙的人數少了，有時房東男主人會跟我們同桌用餐。就我一個從小完全在鄉下長大的小孩而言，對於當時居住環境和飲食菜餚，我都滿意極了，唯一感到不能適應的就是我的鄉愁。

我的室友姓吳，他老家就在我家安溪寮鄰近的白河，通常我們會在吃過晚餐後，走到屋前不遠處的一條大排水溝，沿著溝邊小徑散步，印象最深的是我們會買新化盛產的紅甘蔗，邊吃邊聊，稍解思鄉的情緒之後，才回來準備功課。談起功課，當時我真羨慕隔房的高二學長，他姓田，唸的是乙組人文藝術類，每次遇到學校月考，大家都在努力準備考試的時刻，我總是發現他神情悠哉地在桌上仍然擺放著《文星雜誌》和文星書店出版的叢刊。我的喜愛課外書籍和文學接觸，也就是在這個時期受到他更大的啓蒙和激發。這一學期可真讓我大開眼界，大量接觸文學的階段。

但是高一這一上學期的在外地求學下來，我仍然未能克服我的離家鄉愁，以及適應班上同學大都是來自台南市區的都市生活思維，雖然當時我已感覺城鄉差距的存在，但還沒深刻感受到我給父母親帶來的經濟壓力。可是我仍決然決定參加轉學的插班考試，回到由台糖公司爲其子弟設立位在新營的南光中學。父親在烏樹林糖廠服務，我是台糖子弟，所以對南光中學倍感親切，真有回到家裡的溫暖感覺；而且我從家裡出發，獨自騎著腳踏車到學校上課，途程不到30分鐘。只是高一只有兩個班級，等到學期快要結束，學校開始調查學生升上高二以後的分組意願，而我最想唸的還是乙組，這時我注意到省立嘉義中學的招收轉學生，興起我再次轉學的決心。所以在那一年的暑假，我準備了轉學考試，也讓我錄取我早期未能參加嘉義中學初中聯考的心願。

省立嘉義中學在嘉義地區可比在台南地區的南一中，一年前我未能如願台南一中的心願，總算是勉強達成。這時我又面臨要通勤與寄宿的兩難問題，如果我要通勤，從老家安溪寮到

嘉義可不比到新營，騎腳踏車就可以抵達學校。到嘉義中學上課，我是可以從家裡附近搭公路局汽車，大約40分鐘可以抵達嘉義市火車站，但之後的再步行到位在山仔頂的嘉義中學也需要25分鐘的路程。所以，嘉義中學的通勤生，是可以免參加上下午的升降旗典禮，但是我選擇了在嘉義市區的寄宿。

我會想要在嘉義市區寄宿最主要有兩個原因促成，一是當時有位與我同時插班錄取嘉義高中的南光中學同學，他姓馬，家住在新營，我受到他的極力遊說；二則是我自已也想嘉義市畢竟是個進步的城市，我可以到書局買到我喜歡的書。在這兩個因素之下，雖然開學在即，我們還是在市區一起租了房子。等到上學經過一兩個星期，我們發覺騎車到校都還要發去15分鐘左右，而且吃飯很不方便。第二個月，我們就搬到離學校較近的地方住了下來，後來卻發現房東的小孩每天晚上都要練琴，我們又覺得很吵，加上不能搭伙，於是住滿一個月之後，我們又搬了家。這次總安靜得住了下來，同時也在隔壁的住家搭伙，就這樣住到高二下學期結束。

接著暑假開始，由於我的室友唸自然組，我們準備考試方向和作息時間已出現顯著不同；而且我喜歡逛書店買書的習慣，也讓我選擇與和我同班念社會組的同學住在一起。所以，我就與我的同班同學，他姓蔣，家住虎尾，我們一起租住在一棟日式的林務局宿舍，我滿喜歡那種有樹的庭院環境，但是不能搭伙，所以暑假一結束，我只好決定與這位同學一同搬到他高一時同學的家，雖然離學校較遠，但是同學的媽媽讓我們搭伙。

在這住的地方，由於那是一大排剛建好的販厝，我們的房間又在樓下，與對面房子的聲響也多會產生相互干擾，所以每逢星期六、日放假，我如果未返回老家安溪寮的話，也就選擇到附近的國民小學教室看書。雖然已是高中的最後一年，同學都已經加緊準備大學的聯招考試，可是我還是關注《嘉中青年》的文章登載，我也特別喜歡與愛好文學的同學來往。我印象最深刻的是有位唸自然組的同好，他家住在東門附近，他是道地的嘉義市人，家裡是專做年糕生意的，他帶我去過他家，也帶我到他熟悉嘉義市區可以買到好書的舊書攤，我們還有過爲爭購郭沫若翻譯歌德作品《少年維特之煩惱》的趣事。

大學聯考放榜，我的這位姓蔣室友考上成大，而我就是在這不知把握時間的愛看閒書，和讀書不努力求甚解的狀況下，上天給了我初次考試落榜的教訓。沒有學校可去，同時失去看閒書的正當理由，讓我意志消沉，父親爲我在台糖公司找了一份臨時工，我工作不到一個禮拜，我就難於接受這性質工作，我想當時我一定傷透了父母親的心。最後家裡的人決定讓我上台北補習，希望我明年能考上大學。

台北對我而言，猶如我當年對台南新化的陌生。第一次上台北來，如果我沒有記錯的話，應該是我的三姐夫帶我上來的，我們一開始找不到住的地方，只好勉強住在他朋友在市場做生意的閣樓，又髒亂又吵雜。這時我有位租房子在杭州南路的表姊，他幫我和後來也上來台北補習的莊姓鄰居，一起住到她租房的隔壁。

我的這位表姊，當時她已是離開學校，留在台北工作。她一直擔心我們不能適應陰冷潮濕的台北冬季，果不出其然，我們這兩位來自溫暖南台灣，要準備聯考的鄉巴佬，總算勉強捱到農曆年的課程結束返鄉。可是我在台北補習的這一段日子，因爲我表姊也喜愛文學，她告訴我有個牯嶺街專賣舊古書的地名，雖然當時我心情低落，身上也沒有多餘的錢可以購書，但是我還是去逛了我嚮往已久的枯嶺街舊書攤。

這一年的在家過年，是一個令我難過又難忘的年。好不容易春節過後，同村裡的一位國小同學，他姓陳，原本考上屏東農專，也正準備重考，而且他高中畢業的學校是台南二中，他對台南市的住宿環境非常熟悉，可是我們租的房子卻是在比較郊區的一戶農莊新蓋的房子，離補習班上課的教室較遠，晚上下課回到住屋的地方，有些地段還要經由郊區的稻田小徑，非常不方便。住滿一個月之後，我就搬到南市友愛街，那是我嘉義高中要好同學的姊夫家，樓下早期是經營印刷的，樓上讓給我們住，除了我這位林姓同學之外，也包括已經成爲成大學生的我高三時期蔣姓室友。

住在友愛街時的距離聯考最後三個月，我和林姓室友完全是投入備戰狀況，我是不敢再多看閒書了。我自己警惕自己，再考不上大學，我不但有負家人的期望，我也就要入伍當兵了。我到現在還清晰記得我在臨考試前的一二個星期，我做最後衝刺的時刻，我是強忍著牙痛，到西藥房買止痛藥，咬緊牙根的拚了命，最終收到的成績單，我的分數達到標準，確定有學校可讀。

可是塡志願卡的時候，我的第一志願是塡台大哲學系，塡到輔仁大學的時候，我還是以哲學系優先，這時候我二姊分析當時圖書館學系熱門的情況，畢業後比較不用擔心就業的問題，後來我想了想唸圖書館學系也不錯，同樣是在文學院，而且也可以滿足我想多看書的求知慾望，所以我改塡了圖書館學系排在哲學系前的順序，分發的結果，我確定進入了輔仁大學的圖書館學系。

1970年代台灣戒嚴體制時期的威權統治，台灣追求民主化和自由化的呼聲雖然出現，但是當時國家處在一黨獨大的氛圍，所以，民間社會要求改革開放的成效有限。尤其在大學校園裡，學生大部分並不熱衷於社團活動，帶有政治色彩的活動更讓大家避之唯恐不及，一心想要出國留學的風氣普遍存在。可是偏偏我就是一個熱心於社團服務的學生。

大二、大三我都參與了社團，諸如圖書館系學會的會長、《輔大新聞》刊物的編輯。比較值得回憶的是在我擔任圖書館學會會長期間，除了負責出版學會的《圖書館學刊》之外，還特別選擇《文星叢刊》的出版物，分別由系上同學利用暑假假期擔綱撰寫提要，同時也創辦《耕書集》的刊物，提供同學練習撰寫書評發表的園地。以下我附錄了我在《圖書館學刊》創刊號的卷首語〈我們的方向—走進圖書館〉、和〈文星叢刊書目提要中的《胡適選集》評論〉，以及《耕書集》的〈《胡適留學日記》底透視〉等文章。

參與《輔大新聞》校刊的編輯工作，讓我有機會跨出圖書館學系，而與化學系的蔡社長、社會系的周總主筆、哲學系的蘇總主筆、歷史系的蔡採訪主任、經濟系的葉經理，大家一夥人一起辦刊物。辦了幾期之後，因為刊出的部分文章內容對當時時局有所批評，而未能被接受，導致主辦刊物的成員被迫改組，我們這一夥人也就被解散了。而我的〈開拓凜然新氣勢〉一文，雖然決定刊載，並已排好版面，總編輯最後也只好還我，他已經校對好的底稿，給我留作紀念。

1999年1月8日的《聯合報》，我閱讀周總主筆發表的《夢迴輔仁》中有段回述的感性文字，部分內容如下：「在校期間，我擔任《輔大新聞》總主筆，經常撰寫社論，大膽建言。

時值七十年初期，國家多難，學子沸騰，我對退出聯合國、保釣運動、中日斷交等事件多所著墨，自不免批評當道。」周學長的文筆流暢、措字用詞得體，令人敬佩叫絕，只是對《輔大新聞》當時的改組實情似乎稍嫌含蓄。

1973年6月12日改組後的《輔大新聞》第100期，已改由歷史系的吳姓同學擔任社長，以及別系林姓同學擔任總編輯、羅姓同學擔任總主筆、郭姓同學擔任經理。我雖已不續任編輯，但仍受邀寫稿，當期發表的〈請賜給農民精神食糧〉一文，亦不改書生批評時政的本色。同時，我轉向校外工讀的第一份工作就是在一家雜誌社，我猶記得當時適逢全球第二次石油危機，我寫了一篇〈挺立於能源風暴中的台灣〉，被選用爲該期的社論。後來因爲該雜誌社遇到些財務問題，我就不願意繼續留下來。

不過，這兩件不是很愉快的經驗，卻是我大學爲圓文學創作之夢的小插曲，同時我也正式告別標榜「自由主義者」，在台北縣新莊輔仁大學的「輔園」生活。但之後我的文學夢仍然一直未斷，包括我的出國進修，和到大學的擔任專任教職，也都讓我青春時期的築夢得以實現與踏實。我如今重讀我自己45年前大學階段的作品，對照當前社會環境，雖然顯得有些過時和不成熟，但是回溯當時的時空背景，我自嘆何以能有此勇氣寫了這些文章，並且投稿登載在時下的刊物。

現在我將這些文章略作修改，但盼能留下當年的原意與豪氣，除了自己回憶之外，也能有助於大家了解當年台灣在戒嚴時期下的大學生思想與生活點滴。

以下，我將這一大學時期發表在《輔大圖書館學刊》、《輔大新聞》、《輔大青年》，乃至於當時批評政府最力《大學雜誌》的轉載文字，除了刊載於《輔大新聞》的〈理想中的大學校園〉與〈大學生與國家現代化〉二文，已經收錄在我2013年9月所出版的《文創產業與城市行銷》之外，其餘各篇我依其內容的性質，分爲【散文評論類】、【圖書館學類】和【抒情詩選類】等三大類，這是我青春時期編織與追求的理想，也爲我自己平凡的一生，記下大學時期狂熱追求文藝青年夢想的回憶。

第一類【散文評論類】有7篇，〈學術研究在台灣〉（附錄一）、〈《胡適留學日記》底透視〉（附錄二）、〈開拓凜然新氣勢〉（附錄三）、〈請賜給農民精神食糧〉（附錄四）、〈不爲也！非不能也！〉（附錄五），和大學畢業後發表的〈資訊服務〉（附錄六）、〈立法資訊與議事功能〉（附錄七）等。

第二類【圖書館學類】有8篇，〈從三院圖書館到聯合目錄編製之芻議〉（附錄八）、〈我們的方向一走進圖書館〉（附錄九）、〈文星叢刊書目提要中的《胡適選集》評論〉（附錄十）、〈論大學教育與大學圖書館〉（附錄十一）、〈台灣公共圖書館的出路在哪裡？〉（附錄十二）等五篇，大學畢業後發表的〈從管理觀點探討當前我國圖書館組織〉（附錄十三）、〈圖書館的公共關係〉（附錄十四）、〈讓圖書館成爲民眾大學〉（附錄十五）等。

第三類【抒情詩選類】有8篇，是我未曾發表過的詩作，這些都是我的情感抒發之作，也是我自許在文青時期的嘗試之作，不怕見笑的在這裡附錄出來。主要是想除了自己可以重溫舊夢之外，也爲自己保存在這段歲月裡的心底刻痕。

【散文評論類】（附錄一）

學術研究在台灣

—刊於1972年11月16日《輔大新聞》第94期

中西文化論戰停止後，臺灣的學術界又歸於寧靜。十年來，我們已沒法再看到這種熱鬧的場面，也沒法再呼吸到這種火藥性的味道，更無法再滿足我們判斷求知的知識慾望。在論戰中打滾的諸位先生，大家各自搖搖頭，嘆嘆氣，帶著滿臉羞愧、惱怒的面孔，揚長而去，再度回到狹窄的天地裡。扛著孔夫子招牌的先生，招牌越扛越起勁，拿著講義上台的教授，講義越變越黃，高喊科學文明的傢伙，仍然沒法把我們帶上太空，於是大家在失望之餘，沉默了，沉默得死掉，大家對「學術」這玩意兒不再感興趣。閉戶造車，老死不相往來，形成今天臺灣學術界的慘淡景象。老的一代不爭氣，年青有志作學問的，無路可循，在黑暗無光的陋室中摸索，見不到陽光，呼吸不着新鮮空氣。底下我就診斷出臺灣目前學術風氣不振的病因，而後對症下藥，提出藥方。

一、不幸的遭遇

老的一代，總是愛在閒暇之餘，嘴裡叨著煙斗，躺在沙發上，對著年青人說：「啊！你們這一代的青年人，真是夠幸福的，沒有經過戰爭的洗禮，過的日子平平安安，又能安安靜靜的在學校裡讀書。」無可否認的，今天我們過的日子是挺舒服，吃的是挺奢侈，住的是挺豪華，但是我們的腦袋卻是一片空白。我們，可料想當一個學生，他從書堆裡鑽出，而後嘆聲道：「三十年代的資料，怎麼都找不着」，這時他的心情是夠沉重的，他有志研究學問的興趣就爲之大減。

大家都知道，三十年代的思想高潮，在中國歷史上，是唯一有資格與諸子百家思想比美的。政府的退據臺灣，使得我們沒法很順利的找到有關三代十年的真實資料，對三十年代的人物，我們感到模糊不清。雖然有些較幸運的學者，他們的著作能在臺灣重印，諸如中華書局的重印飲冰室叢書，胡適紀念館的搜購胡適之著作，文景書局的重印梁漱溟著作，但終歸有限。

不幸的如章太炎，顧頡剛，劉師培等人的完整著作，我們就設法全部過目。對於左派作家作品更不用談了。如此一來，對於研究的學術風氣大受影響。又如因特殊因素，有些書不得不列爲禁書，也難怪較着名的學者，他們都定居於國外。我們爲了挽回這不幸的遭遇，除了在臺灣廣印以前大陸出版過的書籍外，更希望政府當局能放寬禁書的尺寸，或許如此，能有助於我們學術研究的風氣。

二、出版商的短見

無疑地，出版商與學術風氣的好壞有着密切的關係，一本書的是否值得出版？價錢的定價高低？均操之在出版商的手中，而在出版商的心目中，純以利益爲出發點的居多，他們根本不考慮出版的書籍內容好壞，學術性的價值多少？難得有一本較學術的書籍，則價錢的昂貴，令人搖頭嘆止。他們難道不知道書生自古都是窮苦而落破的嗎？試問一個學生，當他好不容易看著一本自己喜愛的書時，可是書的價格，使得他不能把它占有已有。出版商不能與讀書人站在一致的立場，共同來爲學術文化盡一已之力；相反地，却站在剝削敵對的角色，如此何能提高人們讀書的風氣，如何能促進我們文化的進步呢？

最近，在臺灣有一件最可喜的現象，就是全國性的書展，和書城、書屋的設立，我們承認出版商的此一構想，給了我們在買書方面的不少便利。但是我們要提醒參加書展或設立在書城、書屋的出版商，他們能注意到書展的內容和減價的程度。年年的書展，總不能都是那幾本老書，減價的程度八折、七折和普通書店的賣書價錢一樣。如此一來，人們何必老遠乘車，浪費車錢而來買書呢？

三、缺乏嚴正的書評

出版商無法以超俗的眼光出版書籍，故所出版之書籍，須經書評家的過濾，透過書評家公平客觀的介紹給讀者，讓讀者能對於這本書的了解和認識，而滿足讀者的求知慾望。人人出版好書，人人寫好書，人人看好書，學術風氣自然提高。在美國有Best Books和Book Review Digest等期刊，是專門寫書評的雜誌，尤其是Book Review Digest它每年約載書評有五千種之多；又如在英國的Time Literary Supplement，它每星期出版一次，學術性的書評包羅最富。反觀我們臺灣，對於書評極不重視，至今仍然沒有一本專門寫書評的雜誌出現，二十年前《新思潮》雜誌，特別將書評列入專題，但經營很不容易。在臺北市出版的《書評書目》雜誌，它的內容範圍有限，尤其是只針對介紹國內出版界給在國外的華人知曉，而未能採取全面性的。書評的撰寫責任，學術界人士應負起。但是我們不敢苛求，而且書評制度也不是一天就能培養出來的，我們只希望出版界能如電視上的電影街一樣，把每月、每週出版的新書，透過大眾傳播的功效，帶至人們的腦袋中。

四、目錄的編撰

寫過論文或研究報告的人，一定都了解到目錄，對於資料的應用，有不可言語的重要性。當你研究一門學問時，須要藉著目錄的功效，而知道與此門有關的書，到底有多少，而且書是藏在何處？因為一個圖書館不可能蒐藏所有你所需的圖書，你一定要透過聯合目錄，而後順利找着你所需要的資料。這對於一個研究學問的人，有很大的幫助。目前在臺灣有目錄的編撰，是國立中央圖書館和臺大圖書館的期刊雜誌的目錄，但只限於期刊雜誌。我們希望在不久將來，能有全國圖書目錄，每月出版新書的目錄和各圖書館藏書的聯合目錄。

五、對知識的漠視

這一點乃是最嚴重的現象，人們對於求得知識的多寡，並不熱衷，只求功利主義，社會人士對於研究學問的人，不屑一顧，學術文化不重視，政府發給薪津，不夠來買書，生活成問題，於是教授們不得不兼課，日夜奔馳於外，為生活奔波，那有心情研究學問。教授地位不受尊敬，人們否定知識的價值，如此還能稱為學術研究嗎？

我們對臺灣學術研究風氣所以不振的原因，提出了五點，而其中以第五點，為最重要的癥結。假若今天研究學術的人，能被重視，能被尊敬，大家觀念有所改變，則其他四點皆可迎刃而解，臺灣的學術研究風氣那有不振的道理呢？

【雜文評論類】（附錄二）

《胡適留學日記》底透視

—刊於1973年2月16日《耕書集》第八期

○、前言

研究一個人的思想，絕不是單憑一篇文章就能包括得了，何況對這位「歷史性的問題人物」更易感到棘手。楊承彬先生光是對胡適的政治、哲學思想的探討，都已各成一本書。所以若說我對胡適做整個的探討，則我豈敢。因此我不得不聲明，這篇文章只是試圖從《胡適留學日記》裏尋出他在留美期間的畫像，以及他日後所受的基本影響。《胡適留學日記》乃是胡適留學於美國時所記，民國五十八年一月臺灣商務印書館印行，共四冊。

一、中國古代哲學方法之進化史

胡適留美期間（一九一〇至一九一七）所寫的日記，最容易使我們感受到是「讀書勤」，汲汲於學問的追求，若是一天不看書，他「反覺心身無着處，較之日日埋頭讀書尤難過也」。（頁三）他盡力走進洋人的心靈，讀英文、德文、拉丁文，還學朝鮮文，發憤非懂得日文不可。但他更努力作個「中國人」，他可沒有讀「洋書」，就忘了左傳、荀子、老子、隋書、易經。所以七年努力結果，終於寫成一篇不令人失望的博士論文〈中國古代哲學方法之進化史〉，或者稱〈先秦名學史〉。

胡適這篇博士論文，對他在民國八年二月出版的《中國哲學史大綱（卷上）》有非常大的幫助。這一本以西方科學方法來寫的中國哲學史爲中國學術界開一新紀元，影響了學術界人士，而登上哲學史中的「開山」地位。雖然有人批評這本書錯誤頗多，只有墨子一篇較爲精密。

梁任公有云：「講墨子荀子最好，講孔子莊子最不好，總括一句，凡關於知識論方面到處發現石破天驚的宏論，凡關於宇宙觀、人生觀方面，什九很淺薄或謬誤」，不過他却又讚美道：「我所批評的，不敢說都對，假令都對，然而原書的價值並不因此而減損，因爲這書自有他的立腳點，他的立腳點很站得住，這書處處表現出著作人的個性，他那敏銳的觀察力，緻密的組織力，大膽的創造力，都是不廢江河萬古流的。」

由此可知胡適的留學時代，對古今中外學問的專研，總歸沒有白費。不管《中國哲學史（卷上）》寫得理想不理想，錯誤不錯誤，能以西方的科學方法來寫中國哲學史，做中國哲學史的先鋒，這偉大的功勞是不可被抹煞的。

二、文化上的世界主義者

現代大部份人一談到胡適便與「全盤西化」連想爲一，這是一個很大的問題，胡適主張中國須要改革爲民主，科學，現代化這是無法否認的，但他是否完全反禮教、反儒學則有待商榷。胡適留美期間在思想上頗受韋蓮司・艾迪斯（Edith Clifford Williams）的影響，他使胡適領悟出思想是沒有國界的，沒有「東方」和「西方」的差別。

所以，這使以後的胡適對於中西文化所持的見解，是爲金耀基先生所稱的「文化上的世界主義者」。我個人對於胡適的認知，也認爲胡適不是個「完全西化」者，而只是一個「充分世界化」者。他在工業、科學、政治制度方面則主張「全盤西化」，但是對於中國文化問題則不然，他主張將中國傳統文化給與「重新的估價」，擷取精華，適合時代潮流，以融和西方文化，而產生一種「世界性的文化」。

三、康南耳傳

胡適當「洋學生」時，對教育問題極爲注意，他拿中國的教育與外國作一比較，對於我們教育的不如人，頗多感慨，有「吾他日能生見中國有一國家的大學可比此邦之哈佛、英國之康橋、牛津，德國之柏林，法國之巴黎，吾死瞑目矣」（頁五六六）之語。這對中國的高等教育是寄與極大的期望，而他也並沒有只在作「夢想」這偉大日子的來臨。他指出了中國「其習工程者，機械之外幾於一物不知」（頁四六二）和「放棄官能之教練，誦讀習字之外，他無所授」（頁八五六）的教育缺點，而對他幼年音樂，美術興趣的被抑制，而感到惋惜。

所以，他認爲「教育之宗旨在發人身所固有之材性，目之於視，耳之於德，口之於言，聲之於歌，手之於衆技，其爲天賦不可放廢之材性也，豈可一概視爲小道而聽其荒殘廢哉」（頁八五七）。他也注意到教育方法「首在鼓舞兒童之興趣，今乃摧殘其興趣，禁之罰之，不令發生，不可謂千古一大謬哉」（頁八五七）。以後的日子，他一心一意要作教育的改革，希望看到一所「像樣」的大學，以爭取「學術的獨立」。

所以，他在大局動盪的民國三十六年提出了「爭取學術獨立的十年計畫」。後因局勢紛亂而未受人注意，以至無法付諸實施。但是我們由此即可了解胡適對於中國教育前途的問題，一直寄予莫大的關切和期望，無怪乎他願意替獻身教育的康南耳先生作傳了。

四、世界主義

在此我必須宣稱胡適所主張的「世界主義」，乃是與 國父同路線的「民族主義的世界主義」，而不是「變相」的世界主義，他曾爲自己的世界主義作一界說：「世界主義者，愛國主義乃柔之以人道主義者也」（頁一四〇）。他也念及「羅馬所以滅亡，亦以統一過久，人有天下思想而無國家觀……乃至於羅馬之滅亡」（頁一一〇）。雖然胡適一生中很少從事於真正的政治生涯，但是他始終關心政治，他認爲關心政治是他的責任，是他的義務。國家需要他時，他總是要挺身而出，幫助國家和人民作一抉擇。是常道者諍友，是百姓的發言人。

胡適一生崇尚自由，成爲民主的鬪士，這不得不歸功於留學期間所受休曼（Jacob Gould Schurman）的「大同主義」（頁四二六）、威爾遜（Woodrow Wilson）的「民族自決」，和易卜生（Henrik Ibson）「世界主義」政治觀的影響。這影響一直左右了他後來對政治的態度。

《留學日記》最使我感動莫過於胡適的關心政治和愛國的熱忱，他絕不願意看到自己祖國遭人惡意中傷，或無理批評。他充分表現出身爲中國人應有偉大愛國情操。他寫中國社會風俗真詮，針對洋人所著的中國風俗制度一書作爲辯護（頁一〇三）。並致書康南耳大學圖書館館長Harris 君，論添置漢籍事（頁八三）。對於不關心國事者，罵得體無完膚（頁一一四）。

五、新思潮

我之所以用「新思潮」這三個字，是因爲胡適曾爲「新思潮」作一定義，他說：「新思潮的根本意義只是一種新態度，這種新態度可以叫做「評判的態度」。評判的態度，簡單說來，只是凡事要重新分別一個好與不好。仔細說來，評判的態度含有幾種特別的要求：

（1）對於習俗相傳下來的制度風俗，要問：「這種制度現在還有存在的價值嗎？」

（2）對於古代傳統下來的聖賢教訓，要問：「這句話在今日還是不錯嗎？」

（3）對於社會上糊塗公認的行爲與信仰，都要問：「大家公認的，就不會錯嗎？人家這樣做，我也該這樣做嗎？難道沒有別樣做法比這個更好，更有理，更有益的嗎？」

我覺得他這種態度可用來爲他在留學期間對中國「舊的社會還沒破壞，新的時代尚未建立」的社會作一寫照：他爲冬秀放棄「三寸金蓮」而感到興奮，並希望他能在家鄉提倡放足運動，爲全鄉除此惡俗（頁三九〇）。又批判中國家庭制度以嗣續爲中堅，而造成六大流弊（頁三九〇）。公然主張「無後」，及「遺產不留子孫」（頁三九二）。

持「無後」之說，是希望沒有妻室來連累，而能勉盡自身最大力量，對社會有所貢獻。持「遺產不留子孫」之說則在革除兒女依賴父母之惰性，使之能有獨立作爲。這種主張在當時中國傳統社會無異是一聲晴天霹靂。要是胡適不當「洋學生」的話，或許對於中國傳統社會的改革，就沒有那麼大的貢獻了。

六、價值

《胡適留學日記》共四冊，前小半部純粹是日記性質，而後則爲劄記性質。是一個中國青年留學生七年的私人生活、內心世界、思想演變的赤裸記載。他自己記他打牌；記他吸紙烟；記他時時痛責自己吸紙烟，時時戒烟而終不能戒；記他有一次忽然感情衝動，幾乎變成一個基督教信徒；記他一個時期常常發憤要替中國的家庭社會制度作有力的辯論；記他在一個男女同校的大學住了四年，竟不曾到女生宿舍訪過女友；記他愛管閒事，愛參加課外活動，愛觀察美國的社會政治制度，到處演說，到處同人辯論；記他友朋之樂；記他主張文學革命的詳細經過；記他思想信仰的途徑和演變的痕跡（自序頁五）。所以，我們可由此四冊的《留學日記》的價值得一歸納：

（1）具有史料價值：在日記裏，胡適共花去十張紙，記宋教仁被刺案中的秘密證據（頁二〇〇至二二一）、記日英盟約全文（頁三四九）、記歐洲的大戰禍（頁三二四），這不都是屬於有價值的史料嗎？

（2）啓發作用：胡適之所以成爲偉大的哲學家，外交家，這成功決不是出於偶然，而是磨練出來的。在《留學日記》裏，我們處處可以看到胡適參加演講，聽人演說，主持「世界學生會」、「國際政策討論會」、「政治研究會」，這些形形色色的社團活動，對他往後的工作裨益甚大。最顯明的例子，是對我們現代青年光是胸懷遠大抱負，而不善參加社團活動，具有極大的啓發作用。

（3）創作「劄記」之風氣：胡適一生中以勸人寫「傳記」出名，可是他自己却只有一部《四十自述》，雖然這不能算是一部成功的傳記。直到現在我們仍無法看到一部真正成功而完整的中國偉人傳記，我們深信不久的將來會有，但是我不得不提醒一個想寫一部好傳記的人，學學胡適平時記劄記是不可缺乏的。

現在我引用胡適的一句話作爲本篇文章的結尾，以互勉我們現代的青年能多記劄記。胡適說：「要使你所得印象變成你自己的，最有效的法子是記錄或表現成文章。」

【散文評論類】（附錄三）

開拓凜然新氣勢

—《輔大新聞》未刊稿

這個時代，已不再是屬於被壓抑窒息的時代；這個時代也不再是單爲少數特權集團利益着想的時代；這個社會也不再是保守封閉的社會；這個國家更不再是可以允許保持沉默的國家。這個時代該是人類發揮大腦袋，大智慧，大氣魄的時代。對整個國家，對整個社會乃至於全世界人類，負有安危關鍵的知識份子們，是否能夠創下屬於他們自己的大時代；是否能夠在這歷史上留下屬於他們自己不朽的事蹟，這都是有待於知識份子們，自己努力去奮鬪，努力去開拓這凜然的新氣勢。

新氣勢之一：批評精神

對現今的社會，我們老是感覺欠缺什麼？在知識份子的面孔上、心坎裡，總是表露出一股苦惱，似乎對中國五千年來的文化價值，無法下定論；似乎對整個中國的政治前途，感到茫然；似乎對上、下兩代之間所存在的道德觀念，感到懷疑；似乎對教條式的理論教育，感到不敢苟同；似乎對自己所熱愛的國家，報效無門。可是這一群知識份子們，仍始終噏着嘴也不哼聲，他們像啞吧吃着黃蓮，有苦說不出。我們認爲這癥結的所在，就是目前在我們的社會裡，缺乏一種所謂「批評的精神」和「被批評的雅量」。

大多數知識份子對所謂的「真理」認識不夠清楚，也認識不夠澈底，他們不曉得「真理」是可以拿出來見陽光的。他

們不慣於用大腦袋，他們對理性的判斷不敢興趣，他們對於國家的改革建設不敢參與意見，他們對於政治的革新，不敢加以批評，他們只默默地在黑暗中過活，以觀望和幸災樂禍的態度，在陋室裡自嘲；他們怕講話，他們怕萬一話講得過火或偏差，他們怕萬一愛國的情緒達到最高漲，他們萬一發生不幸的困擾；他們畏首畏尾，他們怕萬一有一天頭上飛來一頂「帽子」；他們更怕萬一有一天贏得一個「思想有問題」的頭銜。

他們不曉得批評的風氣，言論的開放自由，是需要大家拋頭顱、灑熱血去爭取的；他們只想要坐享其成，他們只欣賞「前人種樹，後人乘涼」的論調；他們壓根兒就沒有「我不入地獄，誰入地獄」的實幹精神；他們認爲國家只是屬於少數人的國家；他們不管政府所實行的措施是否合乎百姓的需要；他們不去衡量政府所實行的政策，到底有沒有針對百姓的利益。

在文化上，他們怕做傳統下的叛徒，他們缺乏理性的判斷，他們一味地盲從，對於習俗相傳下來的制度，他們不敢問：「這種制度現在還有存在的價値嗎？」對於上一代遺傳下來的聖賢教訓，他們不敢問：「這句話在今日還不錯嗎？」對於社會上糊塗公認的行爲與信仰，他們不敢問：「大家公認的，就不會錯了嗎？人家這樣做，我也該這樣做嗎？難道沒有別樣做法比這個更好、更有理、更有益的嗎？」

假若有一些稍具腦袋的人，他們具有強烈的愛國熱忱，他們具有時代意義的使命感，他們具有以天下爲己任的抱負，他們具有「寧鳴而死，不默而生」的認識，他們爲國家的前途而憂心如焚，爲促進國家的進步而勇於批評，但是却常被囿於政府在執行措施上的偏差，而有所膽怯，在「識時務爲俊傑的心態下，不得不有所畏縮。

試問：「會叫的不叫，要叫的不得叫，我們社會的批評風氣如何能形成，如何能有助於國家的進步呢？」批評的風氣，是要在政府與知識份子之間取得協調，知識份子有批評的勇氣，政府有被批評的雅量，共同來維護，共同來促進整個國家的進步，共同突破彼此之間的沉默僵局，一起攜手來創造時代的歷史文明。

新氣勢之二：政治清白

在政治革新的呼聲中，要以中央民意代表的競選問題，掌聲最響。在人人謂民意代表爲進階官運的必經過程之時，多少所謂「青年才俊」，多少所謂「財神爺」，多少無路可走的「教書匠」，無不都往這狹路裡擠，人多手雜，手雜把戲多，競爭的場面，也就最爲精彩。精彩歸精彩，競選總要有個勝敗，勝者歡欣鼓舞，夜夜好眠；敗者哭哭啼啼，日日不得安寧。假若競選者，所受的教育不夠成熟，而且當選志在必得，則在競選過程中所生弊病，則不可謂不大矣！所以，我們大氣勢之二不得不高喊：「政治清白」、「政治清白了」。

所謂「政治清白」，顧名思義就是指人在從事政治的生涯中，不要沾上了任何的污點，相形之下從事於政治生涯的人，都能懍持大道德，依法依理，不玩弄手段，保持政治清白。譬如執政者，應該如何來避免只爲少數人的利益着想；又如在選舉方面，如何來防止賄選的情形發生，如何來使監察制度臻於合理；如何使監察小組超乎黨派；如何使監察小組的組織成員，避免以機關團體的代表爲骨幹；如何使投開票所的監察員，能由候選人共同選派；如何使助選員的素質提高；如何來禁止軍公教人員的參與助選；如何使投票率提高；如何來加強對人民的民主政治教育。

又譬如在政黨政治方面，如何來輔助在野黨，如何使在野黨能真正發揮在野黨的效用；如何來促使在野黨踴躍參與政治活動；如何來保障在野黨的地位；如何來加強在野黨對選舉的信心，使在野黨能夠以黨名義出來競選，免得讓人打開選舉公報時，看到的只是有黨派與無黨派的人士競選，而讓外界人士對於臺灣所實行的政黨政治有所誤解。政治要清白，政治的空氣要新鮮，是需要大家共同來保持的；政治的清白與政治的革新前途息息相關，政治革新的前途更是與國家的命運相輔相成。

新氣勢之三：社會良心

人與人之間，最大的痛苦莫過於彼此之間的誤會和不諒解，我們常常聽到：「我做事情，只要對得起良心，則可矣！」對得起良心，就是敢向自己負責任；同樣道理，對自己負責任的人，也必定能對他人負責。然而，在現今我們這個社會裡則不然，到處有謊話，有詐欺，有貪污的事件發生；也就是說在我們這個社會，根本沒有社會良心的存在。商人與農人間，商人爲營利不擇手段，剝削農人的農產價格，不講生意道德。

政府官員與小市民間，未能打成一片，政府官員十足的官僚作風，傲氣凌人；毫不知在民主體制下之國度，官員只是小市民的「公僕」，是爲小市民們來作事情，不是專拿小市民的血汗錢。試觀今日各縣市政府與警察局的辦事處，樓聳雲霄，登樓梯難如上青天，小市民爲辦件小事，登入此龐然大物，不知從何辦起，一不小心，都有滑倒摔死在樓梯口的可能。小市民有事情找他們，視如小市民故意找麻煩，敷衍塡塞，公文旅行，重重疊疊，不知下文，何能談上便民。觀念不清楚，沒有公德心，欺詐百姓，貪官污吏，敗壞社會風氣。在這社會裡，更有個怪現象，就是富者家財萬貫，窮者一貧如洗，三餐不濟。

尤其在最近幾年，臺灣正邁向工業社會，農村破產，到處洋溢着資本家的氣息。每一年只要冬天一到，報紙上就出現有冬令救濟的消息，我們真搞不清楚，這些被救濟的窮人，他們是不是只在冬天窮，其餘日子則生活安逸；我們也真想知道，他們被救濟以後的心理狀況，到底是真正感受到社會的溫暖，還是會更加重他們自卑感的產生；爲什麼有些人能居高樓，有車有女人，有剩餘財力救濟他人，爲何有些人偏偏要接受他人救濟？其咎在自己本身或在政府當局，我們也就想不通了。

結語

我們相信，而且也始終相信，一個國家的前途，繫於社會的風氣，而社會風氣則繫於人心的振靡。在今日，我們要我們的國家有朝氣，有邁向光明前途的遠景，有開放的社會，有言論批評的自由，有民主的政黨政治，有大道德的社會習尙，都必須我們有開拓凜然新氣勢的偉大精神。而開拓凜然新氣勢，除了上面所提到三項之外，最重要還要有知識份子們的大覺悟。如何來拋除己見，如何來共同創造國家的新境界，是值得所有的知識份子深思的。

【散文評論類】（附錄四）

請賜給農民精神食糧

—刊載於1973年6月12日《輔大新聞》第100期

近幾年來，農村經濟的不景氣是眾人有目共睹的事，有關各鄉鎮圖書館的建立，乃是政府在解決農村問題方面，比較不受重視的一環。記得蔣經國院長在一次演講會上，曾經呼籲大專青年同學，能夠回到自己的家鄉，以自己所學，貢獻鄉里，共同負起建設農村的責任。蔣院長語重心長的一席話，多麼富有遠見。可是現有的環境似乎尚無法達到蔣院長的理想，因爲如果大專青年同學，都樂意回到自己的鄉里，加入建設的行列，很顯然地這些大專青年同學，將面臨一項新的困擾，就是對於接受新知織，新觀念的環境有限。

因爲目前我們各鄉鎮，依統計資料顯示，臺灣目前只有鎮立圖書館一所，鄉立圖書館二所。在如此「文化沙漠」的臺灣農村，我們能夠保證幾年後，這批受過高等教育的青年，他們所保有的思想，能免於落伍的厄運？我們的答案是肯定的，在這日新月異的時代裡，人類一天不接近書本，一天不接受新觀念、新思想，則將被世界的潮流所淘汰。縱使大專青年不回到自己家鄉，參加農村建設的行列，鄉鎮圖書館的設立也勢在必行。

因爲臺灣的教育水準日漸普及，日漸提高，人民也較懂得對於知識的追求，而圖書館則是能滿足民眾對於知識追求的寶庫。通常我們在圖書館裡，可放些報章、雜誌、通俗小說以及有關農業知識的介紹，不但是提供人民平日休憩的場所，而且能夠增進農民對農業方面的知識，對於農業技術的改進，有很大的幫助。今日我們覺得農村的經濟須要拯救，而我們也希望政府當局能夠重視這方面的問題。

其次，關於鄉村都市化的問題，我們也不可忽視，國父孫中山先生在民生主義中昭示我們，都市須要鄉村化，而鄉村須要都市化。今天，我們都市鄉村化，政府在這方向的努力，成績效果不差；然而對於鄉村都市化的問題，則未見端倪。近年來，雖然一再有「社區」建設的推廣，可是所實行受惠的地區，仍屬有限。尤其所謂「社區」的建設，似乎只側重在環境衛生的整理和改善、道路的建設、自來水的設立等措施，對於鄉村建立娛樂場所的構想，則未受普遍性的重視。

農民的生活是夠辛苦的、夠單調的。在他們農暇休憩的日子裡，他們是不敢奢望有入住大飯店，進歌廳，看一流電影院的夢想，可是他們也和普通人一樣，在精神上希望有輕鬆和休憩的康樂活動，而目前農村可以充當舉行娛樂活動的場所幾乎沒有。自從電視事業興起後，雖然減低了農民對於娛樂場所的迫切需要，可是對於電視節目的不能合乎口味，使得他們不得不重新找一精神的寄託。圖書館的不能設立，已使他們在知識上大感貧乏，再加沒有娛樂的去處，只好養成他們太陽一落山就上床睡覺的陋習，此尚屬上者；至於下者呢？三五成群打牌消遣，久而久之，難免發生賭博風氣，造成傾家蕩產，甚至兇殺案件，此乃一社會大問題。

政府最近一連串爲解救臺灣農村經濟問題的措施，是令人興奮的，何況在臺灣目前還是以農民的人口比率占最高。換句話說，能夠解決了農民的生活問題，也就解決了臺灣地區人民的生活問題。當然啦！不可否認的，臺灣農村經濟問題的解決，也就等於臺灣農村所存在的問題解決，但這並不能說是絕對的。

所以在本文裡，我們就臺灣目前農村經濟以外的，有關農民在精神上，情緒上疏導的問題提出討論。我們期望政府在加強農村的經濟問題外，也能和農民在精神上所遇到的問題一併解決，如此，我們相信政府在解決農村經濟問題上，會具有更重大的意義和收穫。

【散文評論類】（附錄五）

不為也！非不能也！

—刊載於1973年5月12日《輔大新聞》第98期

輔大讀書風氣，久爲人所詬病，究其原因，則一言難盡；然而我們若能深加思索，則學校圖書館的種種措施，亦是輔園讀書風氣不好的原因之一。基於「愛之深，責之切」的愛校動機。在此，我們願意建議學校，針對圖書館裡所存在的問題，提出討論。我們相信學校在人力、財力允許的範圍內，必能妥爲改善，俾有助於輔園的讀書風氣，則輔園是幸，輔大人是幸。

一、期刊閱覽室的設立

在輔大新聞第九十三期和九十四期，連續出現兩封有關建議學校圖書館設立期刊閱覽室的讀者投書。我們不曉得學校是否注意到這個問題。看報紙是每位同學每天所必需要的課程，學校圖書館對於報紙的處理，依我們的觀察，並不很重視。自然科學和社會科學兩個圖書館，我們姑且不去談它，因爲至少這兩個圖書館對於報紙的處理，要比人文科學圖書館來得好些。人文科學圖書館根本就沒有報紙，文學院的學生看報紙，並不是在圖書館，而是在文學院二樓的走廊上，白天倒是無所謂，沒有燈光的問題。但是我們若認真地去追究，文學院二樓所放置報紙的時間，只止於下午五時。換句話說，文學院的學生晚上看不到報紙，而且學校也沒訂晚報，縱使訂了，文學院二樓晚上也不適合學生在那兒看報。堂堂一所大學，居然圖書

館裡連一份晚報也沒有，那來談「期刊閱覽室」呢？

由於人文科學圖書館，報紙是分設在文學院二樓，沒人整理看顧，往往在下午抽空去看報紙的同學，不但發現有些報紙已被撕破，有些壓根兒不見蹤影。由這個問題，我們又牽引出報紙的蒐藏問題，同學有時寫論文或查資料，得賴於過期的報紙引證，但有時求助於圖書館却不可得，同學無不苦惱萬分。

我們知道學校圖書館有蒐藏整套的報紙，但那是以一年爲單位，譬如今年是民國六十二年，圖書館裡所收藏的報紙也只能止於民國六十一年，至於查民國六十二年所發生的事情，則有其難題矣！過期報紙沒法適當處理，同樣地，過期的雜誌亦遭受同樣的下場，由於沒有「期刊閱覽室」，人文科學圖書館的現期期刊雜誌，也只好屈身於專門放置參考書的參考室。至於過期的期刊則「居無定所」，部份流於地下室書庫，部份流於人文科學圖書館三樓。同學若想翻閱過期的維誌，亦與想翻閱過期的報紙，遭受同樣地困難。基於這個原因，我們希望學校能速設立「期刊閱覽室」，將現期的報紙、期刊雜誌，和過期的報紙、期刊雜誌放在一起，如此一來，同學們看報紙，翻雜誌，寫論文，查資料則方便多矣！

二、Browsing room的構想

Browsing room乃目前美國圖書館事業中，最爲人所重視的問題之一。所謂 Browsing room，在臺灣尚無好譯詞，暫譯爲「娛如室」，乃負責供應飲料點心，提供讀者休息、談論的場所。我們不敢奢望學校圖書館有「娛如室」的設立，享受買飲料、點心和休憩的方便，但我們却迫切希望學校圖書館，能有「討論室」的設立；雖然人文科學圖書館有點類似「娛如室」的構想，如在圖書館的地下室設有研究生活動中心，使研究生

能夠自由地談笑、撞球，比賽桌球。

但我們在缺乏有「討論室」的前題下，我們很嚮往圖書館裡能將剩餘的空間，設立「討論室」，讓在圖書館看書的同學們，在發生問題之餘，能至「討論室」開懷討論問題，解答疑問。以人文科學圖書館爲例，在圖書館的二樓，有部份是剩餘的小空間，我們則可利用此空間，提供給同學們，作爲討論功課的場所。以免使同學們因在自修室裡討論問題，而影響到其他同學的看書情緒。

三、書庫開放

對於學校圖書館書庫的開放，學校可說已盡力給同學方便了。但是在此，我很願意又提出幾個有關同學進入書庫的小問題，給校方作爲參考，譬如人文科學圖書館，對於學生進入書庫看書的人數，限制最多只能二十九名，假若超過這個人數，想進入書庫看書的同學，則得等書庫裡那看書的同學，其中有一名出來，其他同學方能依次遞補之。以人文科學圖書館書庫的空間來說，大可不必有此限制。又進入書庫的同學，非以學生證爲憑不可，想憑借書證進入書庫看書的同學，通常是不被通融的，我們認爲此措施，頗爲不當，同學們上圖書館看書或借書，通常身上只帶了借書證，而忘了帶學生證。我們不知人文科學圖書館，是否能夠考慮放寬進入書庫人數的限制，和憑學生證進入書庫的約束。

又如社會科學圖書館，本來就是採用開架的方式，同學進入閱覽室，也就等於進入書庫，對於進入的同學，就可不必憑學生證了。人文科學圖書館進入書庫之所以要憑學生證，乃因進入人文科學圖書館的書庫，路徑較爲曲折，不得不繳給學生證，至於社會科學圖書館，既然爲開架式，則可不必多此一舉了。

四、借書冊數太少

第八期的輔大青年，有一篇陳天授同學寫的「論大學教育與大學圖書館」，其中一表格是列臺灣目前各大學圖書館允許學生借書的冊數，我們輔大圖書館，規定學生最多可借五冊，其實不然，文科學圖書館言之，學生允許借書一次只限三冊。若法、商、理、外語等學院學生的話，則只能借兩冊。試問一個大學生，平時借書限制三冊倒無所謂，但若遇到要寫論文報告，勢必得向同學借借書證，而後上圖書館才能借超過三冊以上的圖書，此對學生讀書寫作的情緒，大爲影響。學校是否可仿效臺灣大學，學生一次借書最多，可至十冊。

又學校圖書館規定借書期限，只能爲二星期，而且續借只能一次，時間限一星期，總共時間不過三個禮拜。假若有心研究一個學人的思想，認真地去寫一篇論文報告時，很顯然三個禮拜的時間是不夠用。借書期限爲二個禮拜，頗爲適中，但嚴格規定續借只限一次，而且又縮短期限爲一個禮拜，則未免大過矣！我們建議學校，是否能考慮將借書的冊數增多，和將續借的期限增長。

五、代購圖書

無疑地，學生是最窮，却是又最喜愛買書；更可悲的是，書的價格又高的嚇人。爲了滿足學生買書的慾望，和解決學生金錢的危機，我們建議圖書館，是否能幫忙學生代購書籍，爲什麼我們會有這個建議呢？是基於兩個理由：一是學校圖書館與出版商較多接觸，對於書的價格方面，可與書商殺價；二是學校圖書館對於出版界出版新書的消息，較爲靈通。假若學校圖書館願意幫忙學生代購圖書的話，則同學們不但可以買到好書和新書，而且價錢也又公道，對於讀書風氣的提倡，不能說不是一助力也。

我們對圖書館方面，作以上五點建議，希望學校在量財、量力、量時的原則下，考慮其所建議的可行性。當然輔園裡讀書風氣的不理想，並不是只在圖書館一方面，同學的不好自爲之，乃是最大的問題。

本校圖書館學會曾於去年十一月間，在人文科學圖書館做過整整一個月的文學院學生借書情況調查。依調查統計資料所示，以歷史系學生借書的冊數比率最高，但仍不很踴躍，在一個月內，平均一個人才借書一冊至二冊。其他系更不用談。學生不努力看書，當然借書的比率就低，借書比率低，當然顯現輔園的讀書風氣差勁。

六、結語

我們爲了輔園的讀書風氣好，除了圖書館在各種措施方面，能儘量給與學生方便外，我們更希望學生自己本身，如何把握在這短短四年內，好好利用學校圖書館裡藏書，努力充實自己，以因應大時代的來臨。

附記：本文刊出後的下一期有篇由署名楊應華的回應文章〈不爲乎？不能乎？〉，刊載於1973年5月25日《輔大新聞》第99期，內容亦附如下：

本報九十八期，有位王弄同學曾以「不爲也，非不能也」爲題，對本校圖書館做了一番針砭之言。筆者曾就此訪問了人文科學圖書館館長錢公博神父，他對「不」文中所提之意見，認爲還算中肯，惟某些情況似與事實頗有出入，他很高興能趁

此之便，答覆王同學幾個值得商榷之地方。

一、期刊閱覽室

原來學校計劃在法學院與中美堂之間的廣場，建立一座全校圖書館，除辦公室、 研究室外，將就科學、文學、語文……等科目分設期刊閱覽室，供閱讀及裝訂成冊，以供研究。無奈該館因種種原因未能成立，於是花了大筆訂金的期刊，涉及專門性的，就分散給有關各系的系辦公室，各系分別就新刊加以介紹並接受同學索閱，不論本系與外系；並要求裝訂成冊，並妥爲保管，特別是有研究所的文、史、哲三系，則各由研究圖書館保管。至於一般性雜誌，由於空間的不敷運用只得暫存二摟參考室，分類上架。

由於同學的不自愛，在月底雜誌尙完整如初者十中未有一二。因此，爲顧及用功同學的參考利益，有價値的期刊仍置書庫中。但有時亦可通融，若真需要，可於當日下午關門前一小時借出，並於次日上午九時前歸還。

至於報紙的問題，錢神父看了本報後曾至文學院二樓巡察，也認爲確實不理想。報紙一向由總務處或訓導處管理，該館已向二處要求接管。並希望在下年度能利用文友樓的一間教室，或該館一樓大廳爲報紙閱覽處，派有專人管理避免遺失與撕頁。但錢神父強調，站着看的，他認爲花一二小時看現在那些專門誇大社會新聞、敗壞風氣的報紙，是不需要的。

另外，報紙的保存是每月一冊而非每年一冊，目前只保留中央日報，因爲國內新聞來源大致相同，存一分足矣！何況法商學院也另存有經濟日報；而且報紙的紙質最怕陽光與濕氣，露天之下不要五天即化，故仍保存書庫中。

二、討論室的構想

錢神父向總務處交涉的結果，業經答應將已赴美的李慕白教授在該館二樓前面之研究室空出，並擺上桌椅作爲同學開懷討論的場所。這問題可望於下學年解決。但他特別叮囑同學們要自重，該室並非供諸位「談情說愛」之處，盼同學在自己的要求達到後，能真正的好好利用。

三、書庫開放

一所大學圖書館的基本價值，是使書籍與讀者之間的距離，愈短愈佳。也因如此，自由使用書架的方式，就必須具備與維持；然而自由使用書架，還意味着有錯放書籍的危險。如果一本書放錯了，就原來的書架而言，相對的可視爲它已遺失了，除非有所註明。圖書館裏有什麼書？及書在哪裏？這是一種確實知識，如果目錄和記載只供人用以無謂猜度，那便是時間的巨盜－這是圖書館最難有效控制的問題。

還有該館藏有不少珍版線裝書，並非市集購之即得。錢神父說，開架式始於美國，歐洲至今未曾採用，這是因爲前者藏書多爲今本，且爲多處及用多種方法如影片、顯微膠片來收藏，不虞缺失；而後者那些古老文化中好不容易輾轉手抄，搜集來的書本、珍本書籍，則不願意冒着被偷去估以高價或被破壞的危險。據陳紀瀅先生參觀美國國會圖書館的中文善本書庫時曾寫下：「如同保存國寶一樣，鐵門重鎖、防守嚴密。」

因爲種種原因，促使該館必須確實控制進入書庫學生的系別及人數。有好幾次，管理員便曾發現有人正將書置於窗台上，準備出去後由窗外拿走；甚至有由樓上丟下者。因此了解該時間內有那幾位同學在庫內，以及失書的性質，則不難判斷

出犯錯的同學是誰？一方面也希望如此使同學們自己能有所警惕。君不見理學院圖書館已發出二大張密密麻麻的失書通輯令，要求同學找回，「否則將考慮再回復閉架式」。這是誰的過失？

至於憑借書證入書庫並非不准，只要求上面貼有持用人照片。因爲用別人遺失了的借書證也是弄走該館不少圖書的原因之一！

四、借書冊數與時間

錢神父強調限制借書三本之目的，在促使書籍能迅速流通。就以目前最頭痛的硬幣問題來說明：錢是很好的，每人都存上十個，那麼坐車只好用郵票，餐廳也只好蒙上私鑄錢幣的冤名了。書也是很好的，每個人都借上十本，若爲寫論文或報告，相信貴班須要這些書的人也還多。咱們書不像台大多，而東海的學生都住校，其本身就是流通的。假若再加上若一借就一個月，那該有多少人看不到這些書而誤了多少事？

寫論文，作報告，須要很多的書，很長的時間；可否請移駕書庫？內設有桌椅，並且陰涼舒適；今天看不完儘管放在桌上，只需留個條子，或放於附近空書架，自有管理員歸架。錢神父又特別要告訴同學：外圍一圈特別空的書架即爲此，但未嘗有同學利用，胡亂的把書插回去，真不知造成管理上多少的麻煩！

至於一本書三個星期看不完，這應該自行負責，因爲「反正還久」，「明天再看」的惰性極可能是此事發生的主因。

錢神父並呼籲同學，愛護公家財產，不要在書上作眉批，加五色線條，甚至於代改錯字。每學期交三百元並未意味着有權在書上留言傳校，更不應有拿幾本值回票價的心理。

五、代購圖書

或許因爲收支需向總務處報賬的關係，使該館在這種情況下造成賬務的困難。但代購圖書的事實確是存在的。如歷史系之小型音樂圖書館，則曾託之購進部分的藏書，相信大傳、中文系很多同學也曾託圖書館買書。

至於圖書館買書較便宜，並非絕對正確的觀念，因爲一所圖書館的藏書應隨學校科系的擴充而擴充，故需主動向書商買書，缺少某部分的藏書是圖書館的恥辱，既然非買不可，則書商又何必便宜賣出呢？館方較高價的購書是靠交情的，如大中國、中華就很好說話，但大陸、愛樂書局就鐵面無私。不過利用圖書館代購書藉，倒也的確是可行的辦法。

當您真的在追求知識時，期刊室的有無，借書的多寡，期限的長短等問題都不存在，這些只是包在救世主之外的一層糖衣而已。當陳紀瀅先生訪問美國國會圖書館時，他寫道：「這裡靜悄悄的，聽不見一點聲音，那些讀者埋頭苦讀，對遊客從少理睬，其專一態度與珍惜時間的精神，令人欽佩。」只要您願意看書，圖書館永遠爲您開着。

【散文評論類】（附錄六）

淺談資訊服務

—刊載於1987年9月11日《台灣新聞報》

不久之前，立法院內政、司法兩委員會舉行聯席會議審查〈藥物藥商管理法〉修正草案。舉辦聽證會時，開放給業者們旁聽；另外，執政黨中央政策會邀請部分黨籍立委，協調〈刑法〉修正草案時，也讓國會記者在場，使整個「黨政關係談話會」的經過能讓外界瞭解。

這兩件事都是與所謂的資訊公開或資訊服務的性質相關。因爲，惟有在一個民主社會資訊化的國度裏，才夠資格談資訊公開或資訊服務，而且愈是高度發展的先進國家，愈是重視資訊公開的服務工作。我們國家正邁向高度發展和民主化，在這過程中，能夠關注資訊服務，這是一等國家、一等國民的高品質表現。不過，資訊服務到底要達到怎麼樣水準，也是我們國人不能不加以探討的。

一、確立資訊服務觀念

凡有人和事的地方就有活動，有了活動就有經驗和記錄。經過印證後的經驗和整理過的紀錄，就是資訊。諸如：新聞事件、學術研究文獻、科技發展成果、統計資料、軍政策略計劃、圖書出版和檔案等資料，經過處理後的結果，統稱爲資訊。所以情報和知識，也都是資訊。而將資訊供應給需要的人，即是資訊服務。所以，資訊服務的過程中，具備四個基本要素：

（一）消息傳遞者，指傳播訊息的主人，如政府部門發言人，學術企業機構公關部門主管，或演說者、著作者、藝術家等；

（二）訊息，指傳遞者所要傳達的事物或概念，即所謂「資訊」；

（三）傳遞的方法，即媒體資料，圖書、雜誌、論文、會話、電視節目、廣播節目等；

（四）接受者，指聽眾、觀眾、讀者或其他由別的方式得到訊息的人。

所以，資訊的直接功能是提供了個人、團體和國家對事件的認識，作為研究發展、規劃、決策及評估的憑藉；間接功能則是影響了社會風尚及塑造了社會的形態。也因為資訊在整體社會進步和國家建設中扮演了如此重要的角色，所以，資訊服務的工作觀念，更要確立深植在每一位國人的心目中。

二、成立資訊服務單位

簡單說來，我國主要資訊服務單位，可約分為三類性質，就是行政部門、議會系統和學術機構三種。

（一）行政部門：政府制定政策的過程，不論是問題之認定、政策方案之規劃、政策合法化、政策執行及政策評估都與資訊有非常密切的關係。因為高效率的資訊處理能力使政策制定者亦於取得快速、正確而且經過整合、分析的資訊，以協助政策之制定。政策的制定過程也因為資訊的服務功能，使得政策的制定更為合理化和制度化。政府有鑑於此，正朝向完成全國行政資訊體系的目標，使全國行政資訊體系能確實支援國家決策及長、中程規劃，進而達成資源之合理分配。

（二）議會系統：民主政治又稱為議會政治，由於我國

人口及各種建設的急遽成長，各級議會之議案數量快速增加，同時，提案複雜多樣，不同提案分別來自民意代表、政府部門和人民請願者，面對眾多的案件，單靠人工作業，不僅耗時費力，也難做好追踪管理工作，而在監督功能上必然無法發揮，只有進行規劃資訊化的工作。

例如立法院整體資訊計畫，包括了「法規文獻全文資訊系統」、「委員質詢及資料檢索資訊系統」、「議案及行政管理系統」、「政府預算系統」、「辦公室自動化系統」、「國外立法參考系統」等，冀望提升議事功能。又如台北市議會不但業已完成「議案管理資訊系統」及「質詢管理資訊系統」，未來更希望完成「重大服務」與「管理」兩大系統，也期望藉由議堂的資訊化服務，能提升議事品質，在資訊化上跨一小步，來換取民主的一大步。

（三）學術機構：民國六十八年十二月，國際電信局開闢了衛星傳播資訊網，為國內拓展國際百科資料庫這項電腦輔助資訊服務以來，國內有銀行、私人團體、公營機構、資訊中心和圖書館連接上這項服務。國科會科資中心為提供資訊服務，先後完成「理工科技人才資料庫」、「科技研究報告資料庫」、「西方科技期刊資料庫」、「科技簡訊刊物系統」，另外也進行「科技期刊論文摘要」、「科技碩博士論文摘要」等資訊系統。

又農委會農資中心的「農業科技索引典」、「農業科技人才資料庫」、「農業科技研究計畫資料庫」、「農業科技文獻資料庫」。中研院史語所的「史籍自動化」，已完成史記、漢書的全文輸入工作，將廿五史六千多萬字全部輸入其中，為世界研究漢書的學者提供學務資訊服務。

近年來，我們經濟快速成長，資訊在商情上的提供服務，更是締造經濟奇蹟的主要因素。未來工作應該朝向：

三、培植資訊服務專才

資訊服務專才的培植，是資訊服務成敗的關鍵。關於資訊服務專才，依據圖書館學與資訊科學家麥爾（R. S. Meyer）指出，資訊服務專才必須具備有：

（一）爽朗的、禮貌的和友善的態度。

（二）良好的記憶力。

（三）富有想像力。

（四）完全而徹底地利用參考書籍。

（五）保持資料記錄能摘取有關文獻等正確無誤。

（六）對於問題的處理應貫徹始終。

（七）觀察以獲取意想不到之線索。

（八）善於判斷，評估所獲資料與所費時間，並能適時將讀者轉介於他人。這八點是麥爾認為一位擔任資訊服務工作者，所應具備的條件，也唯有如此，才能圓滿達成資訊服務的目的。

四、重視資訊的服務網

資訊服務政策誠然屬於國家資訊政策一環，而資訊政策範圍很廣泛，幾乎沒有一個國家有「一個總資訊政策」或「單一資訊政策」。先進國家擬定資訊政策略可分為：

（一）自由競爭模式，以美國為典型的代表，資訊政策是在民主與自由企業經濟的意願形態下，任由市場發展，政府只扮演支援與服務的角色。

（二）公用事業模式，以日本為典型的代表，資訊政策是由一個強大的機構下發展計畫，擬定策略及執行政策與監督。

（三）國有化模式，以西歐各國為典型代表，電信事業皆屬於自然獨佔，各國大都以提供國家通訊網路與電信服務刺激與符合有效率的新的服務需求。所以我國資訊政策的訂定，實以符合當前我國環境的客、主觀因素而訂定，例如成立國家資訊化委員會，進行國家資訊政策的訂定、執行與管理，能夠確立國家資訊化的總體目標，發展的優先順序，並設計符合國際標準規格的標準化作業，以及資訊人才的地位、人員訓練，資訊服務的品質，並教導社會大眾使用資訊服務的習慣養成，此皆與我國資訊的發展密不可分，有助形成資訊服務體系。

五、結語

目前離我國行政體系資訊系統，各資訊中心與全國各大圖書館自動化等構成全國資訊網的完成，雖然尚有一段距離，不過，政府對資訊服務的工作特別重視，尤其政府預計達到鄉鄉有圖書館的目標，這對於全國構成資訊服務網有很大的幫助，達成資訊為全民服務、資源為全民共享的最崇高理想，亦為期不遠。

【散文評論類】（附錄七）

立法資訊與議事功能

—本文原名〈立法資訊的補給站〉，刊載於1987年
8月《黃河雜誌》第7卷第1期

因應解嚴後立法院在問政結構上的氣勢，提高立法效率及品質，如何從「粗糙立法」邁入「精緻立法」，實乃今後立法院應該加強的方向。

近一年來，執政黨採取多項重大革新措施，而獲得內外一致讚賞，尤其是解嚴及國家安全法的制定實施，更是把我國民主政治的發展邁向嶄新的里程。而立法院是主要民意匯集的場所，在國家政策制定上扮演極重要的角色。本會期（第七十九會期）已於七月十七日落幕。

綜觀這會期至少具有下列二點特色：一、政黨政治雛形：雖然不能說是完全合乎兩黨政治在國會的競爭規範，但是大體上符合政黨政治運作的原則。對執政黨而言，不論是與在野勢力的溝通，或在行政、立法部門之間，都已經建立起兩黨協商和黨政運作的良好模式。展望未來民主政治的發展，預期可在相互容忍、和諧的氣氛中進行，慢慢走向以「政策取向」的競爭，來獲得民眾支持。

二、立法書面諮詢及主動制定法案或修正案的件數，都比往年會期倍增。根據統計資料顯示，本會期立委們的書面質詢總計達一千九百餘件，比三年前新當選增額立委進入立法院的七十三會期還多出一千餘件。主動立法方面，例如「人體器官

移植條例」、「軍事管制區禁建限建條例草案」、「環境保護基本法草案」等等，都是立委主動立法的成果。至於修正案，例如非軍人受軍事審判受刑人的減刑、復權，以及國安法制訂將治安單位修正爲警察機關來負責出入境管理，均是經立委們充分溝通而順利達成。

從上二項特色中，我們不難看出，不論是政策取向或是法案件數，未來的立法院議事運作，除了維持政黨和諧競爭的環境以外，我們都必須有一個基本共識，就是對於立法效率及立法品質的提昇已到了刻不容緩的時候了。先進民主國家，爲求國家快速成長，莫不重視立法效率及立法品質的後勤支援工作。

壹、參考先進國家作法

美國在一九七〇年，將立法參考局更名爲國會研究服務處，隸屬美國國會圖書館，主要提供下列六種服務：

一、立法資料研究服務，對國會議員感興趣的主題做政策分析和研究，包括背景分析、正反論證、科學的、經濟的、立法分析及立法沿革。並將其中許多報告刊載於國會刊物及儲存於國會資訊系統中的電腦之內。

二、立法參考服務：提供統計資料、引證資料、各類指南、文章報導及特定主題的背景資料等，並爲五百三十八個國會辦公室做專題的選粹服務（SDI）。

三、自動化資訊服務：美國國會圖書館系統可以透過統成爲史考匹奧資訊檢索系統（SCORPIO）檢索法案文摘資料庫、國會紀錄摘要資料庫、國會研究資料庫、美國國會圖書館圖書目錄資料庫、公共政策論題引述索引檔及全國諮詢中心參考檔等六個主要資料庫。

四、圖表及翻譯服務。

五、討論會、研習會及國會職員講習會：透過討論會提供資料給國會議員及職員，並提供職員如何從事立法研究、生活環境調查及其他工作的訓練。

六、出版刊物服務；定期的有問題簡報（Issue Briefs）、法案摘要（Bill Digest）、國會主要立法彙要（Major Legislation of Congress）、國會研究服務處評論（CRS Review）。另外不定期的有Update、InfoPACK、CRS Reports等刊物。

美國國會圖書館的國會研究服務處爲了處理這麼龐大的立法研究及資訊服務，在組織編制上，特別設有美國法律研究服務、經濟服務、教育及公共福利服務、環境及自然資源政策服務、外交事務及國防服務、政府服務、科學政策研究服務等七個研究組，和二個圖書服務組及幾個特種辦公室等部門暨小組負責各類型參考、研究問題，爲國會議事提供後勤支援工作，以達成立法效率及提升立法品質的任務。

日本國會圖書館也爲了協助國會議員審議國政，特別成立有「調查及立法考查局」，下屬十三個調查室及十四個課，提供國會議員各類問題之研究、調查資料，並應議員之要求，分析及起草議案。同時，對於館內外資料整理蒐集，真相現況調查，以及聽取學者專家和研究機構的意見等，皆是爲提升立法品質而所做的立法資訊服務。

由於美日國會圖書館在立法研究及資訊服務上發揮了立法功能，所以吸引世界各國的議員及學者前往參觀研習。我國立法委員和政治學者也曾利用休會或休假赴這二個國會圖書館做研究，以學習他們的優點，並帶回國內以提升我國的立法品質。

貳、提升立院議事功能

基於以上論點，我國立法單位應尋求如何透過各種資料媒體，以及各種實質的資訊，以供立法過程中各項決策的參考，應注意下列幾點：

一、確立資訊服務的觀念及原則：不論是資料或是經電腦處理後的資訊，都必須要有爲國會議員、委員會、助理人員及其他有關職員服務的觀念。而且研究分析和資訊服務應予中性立場不偏頗任何黨派的原則，以支援國會立法的功能。而且更要有「資訊公開」就是資訊服務的觀念。

二、成立國會圖書館：依據大法官解釋，我國立法院、監察院及國民大會等三個中央民意機構相當於外國的國會，其實立法院的立法議事工作佔了國會工作的大部分。立法院圖書館若想能像美國國會圖書館發揮立法研究及資訊服務的功能，應該考慮將目前的圖書館、法律資訊中心及歷史文化研究室，甚至於包括監察院圖書室、國民大會圖書室及中央各部會圖書室合併成立國會圖書館，而下再設立類如美國國會圖書館的國會研究服務處，或日本國會圖書館的調查及立法考查局，以提供立法研究及資訊服務，並辦理新進議員之講習。

三、加強資訊服務專業人才的培植：立法研究及資訊服務的工作，需要法律、電腦及圖書館三種專業人員的配合，才能做好資訊服務，所以資訊人才的專業性，需要從教育、法規編制上建立制度，以扮好立法過程中所需進行的意見溝通角色。

四、完成資訊系統服務網：立法院目前立法資訊系統先期規畫只有「法規文獻系統」及「立法委員質詢答覆系統」二種，應加速腳步完成「行政管理資訊系統」、「預算案、決算案系統」、「辦公室自動化系統」、「國內外立法參考資訊系統」等工作，並付諸實施。尤其是「國內外立法參考資訊系統」，除了以國際百科資料庫提供資訊檢索服務外，也可考慮檢索最近日本技術情報中心所發展出來的JOIS系統，以充實立法內容。並與行政院正推動中的各種資訊系統相結合，免被譏評為「行政院立法局」的窘境。

參、結語

為了應付解嚴後立法院在問政結構上的氣勢，為提高立法效率及立法品質，雖然我們不敢說立法研究及資訊服務工作是它成功的唯一要件，但是借鏡美日先進國家的國會議事工作，我們實在應該先加緊充實這方面的工作才是，早日從「粗糙立法」迅速邁入「精緻立法」的時代，也為我國解嚴後民主政治帶來新氣象。

【圖書館學類】（附錄八）

從三院圖書館到聯合目錄編製之芻議

—刊載於1972年5月《輔大青年》第7期

一、分立的三院圖書館

輔大三院圖書館藏書量在國內的私立大學中，已居第一位，當然我們的十五萬冊，比不上臺大的一百萬冊和美國國會圖書館的五百萬冊。在美國大學圖書館有一百萬卷書以上已達一百座。但是以輔大人文科學圖書館爲例，每年的購書率三萬五千冊而言，三院圖書館每年將超過十萬冊，十年後的藏書量將是可觀的。不幸的是三院圖書館有一個現象，似乎未能採取開放，將三院圖書館整合爲一體，致使自然科學圖書館（理學院圖書館）的中文書四千冊，西文書二萬八千冊，社會科學圖書館（法商學院圖書館）的中文書二萬冊、西文書八千冊、人文科學圖書館（文學院圖書館）中文書八萬冊、西文書一萬冊，不能融和活用，而發揮圖書館的真正功用。

譬如在借書方面，能由學院統一借書證，在三個學院圖書館中可自由借用，不必法商學院的學生，要到人文科學圖書館借書又得重新申請借書證，這是何等不方便。我們知道社會科學圖書館是採用英國式的借書袋，而自然科學、人文科學圖書館是採用借書證。虔誠地希望學校能將借書方式統一，在「館際互借」的效率下，將三學院圖書館的十五萬冊，發揮極限，達到建立圖書館的真正功效。學生借書方便，心情愉快，讀書風氣提高，這是必然現象。

二、總圖書館的建立論

三學院圖書館的分立，學生借書不方便，遂有人高唱總圖書館的早日設立，我們對於這偉大的創舉，舉雙手表示贊成。因爲一個現代化的圖書館，它必須是有總館、分館、支館的設立，但是我們不得不考慮到如何建設一個現代化圖書館的經費、建築、設備等諸問題。輔仁大學的建築物不建則已，一建則必要列於世界一流，在世界各大學中，能夠叫得出去。所以在此我們願意對一個一流現代化的圖書館建築設備（building equipment）作一個探討：

（1）館址的選擇：館址要設在交通便利，高敞軒爽的地方，太喧鬧地區式的美國圖書館和太偏僻地區式的中國圖書館，是少人去問律的。館址的面積也當預先計及二十五年後的發展，要求其廣大，以解決飽和危機。空間的分配也須注意到讀者和藏書的容量（readers capacity and books capacity），計畫面積的標準大約閱覽室每人二十至二十五方尺，藏書室每放五百冊約三十六方尺。預留未來二十五年的圖書館發展，須要分析過去十年間增加量的平均數，估計未來二十五年增加量再加百分二十，以及現存書量。例如美國哈佛大學圖書館則以架呎來計算，以每一架呎可置六本書，再算每一書架有多少層？有多少架呎？又以一平方呎可容十五冊量，增加百分之五的空間。

（2）配合工作需要：根據不同型態之經務，而有不同形式圖書館的建立。如美普林斯頓大學則書人合爲一處。通常最便利最有效力的配合則是：

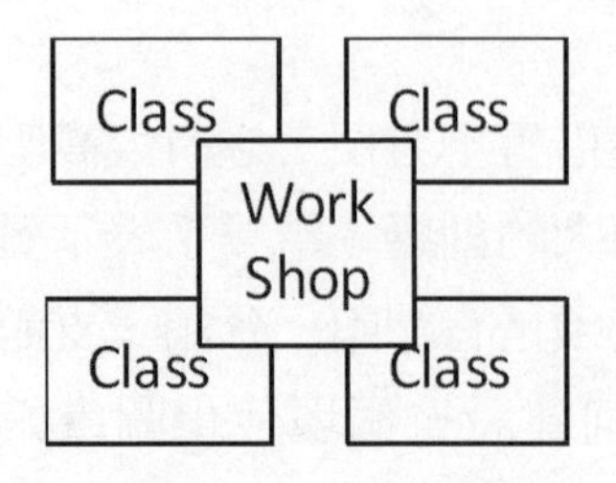

（3）館舍的配置：該注意到給讀者（readers）閱覽上的便利，藏書的容量，圖書館人員工作場所流量活動空間。遂有書庫、閱覽室、特別室、附屬室的設備。尤其在現代科學化的時代裏，美國的圖書館都存置有視聽資料，放映幻燈，收聽錄音和廣播，影印機只要買投入五分錢鎳幣，在一、二秒鐘就印出來，不必考慮版權的約束；公共集合場所提供演講和展覽。甚至於在附屬裏，都儲藏日用品、廚房、食堂、工役室、研究室等等。解決了食住問題，給讀者們可日夜停留，自由看書，成一自足的社會。

（4）設備和用具：書架、出納臺、閱書架、閱書椅、雜誌陳列架、日報夾和日報架、目錄片盒等等的設備構想，均以符合讀者盡善盡美爲原則。

（5）參考部（reference）的設立：這是現代圖書館中的重要一環，均由各學科的專家擔任，將無限的資料，幾百萬卷書刊作成良好的編目、分類、索引、摘要、書目、統計分析、資料系統等，以答覆讀書詢問的問題。

上述的幾項，我們把一個要建設成現代化的圖書館大略敘說了。我們覺得輔大並沒有建總圖書館的必要，一則是三院圖書館已略具規模，二則是校園面積並不很大；三學院的距離並不太遠，只要我們三學院圖書館在組織上統一，借書手續簡便，再加上我們呼籲三院圖書館聯合目錄的編製，就可不用花費冤枉錢，而將這筆大錢，用於建設迫切需要的女生宿舍，不是很好嗎？

三、三院圖書館聯合目錄的編製

在未討論聯合目錄的編製以前。我們須要將一些圖書館學上的術語概念作個解說：古代對圖書館的觀念，只知是藏死書，認爲只是一附屬機構，從沒有獨立教育性質。怎麼分類，怎麼庫藏，就是從前圖書館的事，純粹是一種技藝，而不能稱一門科學。但是現代的圖書館已不僅是要藏書，而且主要活用圖書，以最少的努力獲得最大的效率（The knowledge and skill which written or printed records are recognized collected organization and utilzation），這是現代圖書館應有的任務，但要達此目的，目錄學就是重要一項工具。

因爲，目錄學主要是將繁雜的書籍編成簡明的目錄，使讀者據目錄以尋求書籍，從書籍以研究學問，否則有書而無目錄，不知讀何書好，有目錄而編不好，不但不知書在何處，而且不知書的內容是什麼，讀者進入圖書館，只覺滿目琳琅，不知所擇。而所謂三學院圖書館的聯合目錄，就是將三院圖書館中的全部藏書聯合起來，透過目錄的功用，而呈現於讀者面前，達到圖書館的功效。

至於圖書館目錄編製形式，最常見的有書本式目錄與卡片式目錄兩種。書本式目錄是將各種書籍，依一定規則記錄在總冊上，印刷成冊，分送各處。讀者欲借閱圖書，不必親自到圖書館，可檢查目錄，就知悉館藏內容。缺點是在編印期間，如有新增圖書，則無法增入，導致目錄與書籍的量數不能一致，加上容易印刷錯誤，書籍更動，難改其款目。書本式目錄雖然

美觀，但每冊只容一人翻閱，且書本式目錄在編印手續繁多，印刷校對費財費力，不合圖書館編製目錄的原則。

卡片式目錄則是將一部書的各種不同款目，依一定的規則，分別著錄於不同的卡片上，然後按照所採用的排列方法排列起來，並以指引卡片將各組卡片分開而組成的目錄。這兩種目錄的著錄法，以卡片式目錄法為現代圖書館所採用。因為這種形式的目錄可以隨時添插與撤銷，有所更改，僅更動其中一張，而不致影響其他卡片，一部卡片式目錄，分裝數屜內，同時可供數人檢閱。所以提議聯合目錄的編製，以卡片式目錄為宜，而且對學校亦有下列好處：

（1）購書：在現代圖書館學中，買書亦一專門學問，書之均衡和讀者須要成正比。如國內大學圖書館購買書標準是l×30+30000，美國是1×45。買書的方法依各館實際情況運作，可以考慮成立各種委員會或小組，避免單獨選書（pooled judgement）。我們聯合目錄的編制完成，不論書本式目錄與卡片式目錄，使得三院圖書館彼此了解藏書情形，對於買書內容有所選擇，不致流於重複，以廣購其書。

（2）經費的善用：聯合目錄作成後，買書不成問題，連帶地在經費上則能發揮效率，達到以同樣的金錢，買得較多種類的書籍。在美國圖書館的經費中，人事費佔百分之七十，購書費佔百分之二十，雜費佔百分之十。依這情形來看來，在整個圖書館的經費中，購書費並不多，若不能妥善利用，那這圖書館又有何前途可言。

（3）學生的受益最多：學校裏的種種設備，是以學生受益為最大前題。聯合目錄作成，更是學生救星，學生可依聯合目錄，而達到作學問的心願。良好圖書館設備，對學生讀書風氣，是有莫大的影響。這一點是我們呼籲學校作聯合目錄最心切的理由。何況聯合目錄在目前已不是創舉。早在一八七六年杜威建議美國各圖書館互助流通格式統一，後經美國圖書館學會（ALA），以及各大圖書館一致參與，編成有全美國家聯合目錄（The National Union Calalogue），一九三五年有洛杉機山區目錄中心（Bibliographical Center for Rocky Mountain），國內有民國四十七年由國立中央圖書館印行，昌彼得教授所編的《臺灣公藏宋元本聯合目錄》，和正中書局印行的《臺灣公藏方志聯合目錄》等。

四、工作計畫

現在我們將製作聯合目錄的實際工作，以我個人意見提供校方參考：

（1）材料方面：卡片、抽屜箱、西文打字架、中文打字柴、鉛線。但是現在我所需的材料，只要卡片和抽風箱罷了。

（2）地點：聯合目錄作成之後，處放地方的問題，可有兩種方法：一是三院圖書館各放一聯合目錄，不過這較行不通，因所耗財力、人力及地點較困難。另一方法則是成立一聯合目錄中心，將三院圖書館共編製成的目錄，存放在三院圖書館中任一個較可放的地方。學校三院圖書館各棟大樓，讓出小小地方，定不成問題。

（3）人手問題：編製聯合目錄」是一件瑣繁至極的工作，絕不是目前在圖書館工作的人員所能勝任，何況他們又非全部受過圖書館學訓練，對他們來講，更是一個負擔。但是有一感興奮的是本校去年圖書館學系的成立，專培養圖書館學的工作人員。每年寒暑假，學生均須在圖書館中實習，學校可利用這機會給他們作個實地練習，然後由教授從旁指導，免得只

懂一大套理論，以後出了社會，連一張編目卡都作不好。

（4）費用：人手問題解決，給費用減少很大負擔。學生實習乃是理所當然之事，無需另付其他費用，所剩的只是材料費用而已。這太不足微道了，學校有意實行，定能克服也。

（5）聯合目錄的分類方法：分類法可分中文與西文。西文分杜威十進分類法 與美國國會圖書分類法。中文常用的分類法是劉國鈞原著，賴永祥新訂的中國圖書分類法，和何日章編的中國圖書十進分類法。聯合目錄的分類法，吾人以爲中文仍延以前所用中國圖書十進分類法，至於西文書則以美國國會圖書分類法。因爲我們將輔大的西文藏書，懷有遠大美景，尤其在現代大圖書館中，都有延用此分類法的趨向，我們希望學校在未來能配合實際的需要。

五、結語

圖書館學的躍飛，乃不足爲奇，時代使然，環境使然，對人生的貢獻，正如英儒 Richard Bury在論圖書館與人生有密切不可分離的關係上所指出，它教我們不用鞭笞，不用規章，不罵人，不遷怒，無需衣服，無需金錢，假使你走進它的身旁，它們是清醒的。假使你去向它們問訊，它們將無隱藏，肝膽相照，假使你同它發生誤會，它們決不生氣，假使你太過愚笨，它們又不會嘲笑你。所以，圖書館的寶庫，是較任何東西更富有，更有價値，而無他項事物可以並美。在文化上、學術上、教育上更有它不可抹滅的功勞。

圖書館的設備良善與否？是評定一所大學的最先決條件，學生的讀書風氣更與圖書館息息相關。我們虔誠希望聯合目錄的完成，使學校更凝爲一體，讀書風氣更爲熾盛，則學生是幸！輔大是幸！

【圖書館學類】（附錄九）

我們的方向—走進圖書館

—刊載於1972年6月《輔大圖書館學刊》創刊號

國內圖書館事業的發展，乃近幾十年之事。況此期間，國事多變，戰亂頻繁，舉凡政治、經濟、教育、學術文化，障礙重重，致未能盡全力以發展圖書館事業。民國以來，雖有袁同禮、劉國鈞、杜定友諸人的極力提倡，然其成效甚緩，尚停留在半生不熟的階段，只以藏書爲功用，而未能將其巍然的建築變成一座極具機動性的工廠，主動接近民眾，負起社會再教育與闡揚文化的重責大任。

二次戰後，歐美大力推展圖書館事業，究其原因乃緣於國家政策設計委員會鑑於資料的運用與管理，對國家長期文化科學之發展有重大關係。近三十年來，誠可謂「知識爆發的時代」，各類圖書資料，源源不斷地推出，科學知識，日新月異，如何尋找資料，如何應用資料與如何管理資料，以便供應「造福人生」的需求，在在便牽涉到圖書館學的領域。

輔大圖書館學系成立已二年，圖書館學會創立也近周歲，在這一兩年中，我們已體認出圖書館事業在台灣的發展處境，也預知它應走要走的路向。所以，篳路藍縷的精神是吾人所最需；好高騖遠、幻想成果絕非吾人所欲；量人量己、察情體勢是吾人所最悉；固執原則、抱持成見是吾人所最忌；而「走進圖書館」、「利用圖書館」是吾人所最要循。圖書館是知識的寶庫，人類思想的泉源，民族文化命脈之所繫。

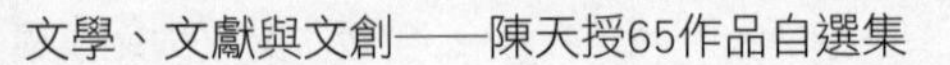

國父說：「革命基於高深的學問」，「學問爲濟世之本」，要救國家，要改造社會，萬賴於斯，而不走進圖書館便不能將圖書館扛活了，更大失掉探究知識寶庫奧秘的機會。吾人是將來圖書館事業發展的中堅鬥士，是國人與知識寶庫的中間橋樑，道遠任重，能不惕勵？緬懷五千年的歷史文化與西近科學的文明都提供了足夠資料給吾人應用，能不深自期許？「翻舊書、看新書、寫書評、作提要」，更是吾人在大學時代〈我們的方向—走進圖書館〉的最大課題。

民國六十一年五月十八日記於文學院文友樓

【圖書館學類】（附錄十）

文星叢刊書目提要中的《胡適選集》評論

—刊載於1972年6月《輔大圖書館學刊》創刊號

曾經引起版權糾紛的十三本《胡適選集》，是在胡適之先生死後的第五年，由文星書店的文星叢刊從胡適之先生生平的作品或曾發表過的文章選錄而成。分述學、考據、人物、年譜、歷史、政論、序言、雜文、日記、書信、詩詞、翻譯、演說，共十三集。

一、述學：述學一詞即今之哲學。此集有〈莊子哲學淺釋〉（選自《東方雜誌》），勸人不要因莊子一書文字難懂，遂將其哲學看得太玄妙。有〈戴東原的哲學〉（即後來商務《人人文庫》的《戴東原的哲學》一書）記戴氏思想變遷的痕迹，和其受顏元、李塨的影響；以及敘述其主張以才質為根據的人性善，和如何攻擊宋代理學。有〈元稹、白居易的文學主張〉（收入《白話文學史》一書）。有述〈陸賈的思想〉。有〈無為與有為〉（選自《淮南王書》）及〈淮南王的政治思想〉。有〈王充的哲學〉，記其生在最迷信儒教的時代，如何著論衡一書來破除迷信。有〈說史〉、〈關於江陰南菁書院的史料〉、〈論初唐盛唐還沒有雕版書〉（皆選自《大陸雜誌》）等篇章。

二、考據：胡先生有考據癖，尤其晚年對於水經注的考據尤為賣力。此集有〈跋定遠方式所藏岳忠武奏草卷子〉（選自

《中央日報》）。有〈兩漢人臨文不諱改〉、〈讀陳垣《史諱舉例》論漢諱諸條〉（選自《圖書季刊》）。有〈《易林》斷歸崔篆的判決書〉（後來由台北藝文印書館印成單行本）。有論《水經注》的〈關於《宋明刊本水經注》〉、〈所謂《全氏雙山房三世校本》水經注〉與〈記趙一清的《水經注》的第一次寫定本〉。有〈跋中央研究院歷史語言研究所藏的《毅軍函札》中的袁克定給馮國璋手札〉（吳湘相收入《中國現代史叢刊》）。有〈跋金門所發現《皇明監國魯王誌》」（選自《新聞天地》）。有〈京師大學堂開辦的日期〉、〈考據學的責任與方法〉（選自《民主潮》）。最後有〈所謂《曹雪芹小象》的謎〉、〈跋《乾隆甲戌脂硯齋重評石頭記》影印本〉。

三、人物：傳記性質的有〈中國第一偉人楊斯盛傳〉、〈康南耳君傳〉（康南耳大學校長）、〈差不多先生傳〉、〈朱敦儒小傳〉（後來收入《詞選》一書）、〈高夢旦先生小傳〉（要提拔胡先生爲商務印書館所長）。記友人文章性質的有〈林琴南先生的白話文〉、〈老章（章士釗）又反叛了〉、〈追悼志摩〉、〈記辜鴻銘〉、〈追悼曾孟樸先生〉、〈丁在君這個人〉、〈丁在君與徐霞客〉、〈丁文君留英紀實〉等。

四、年譜：此集有〈葉天廖年譜〉、〈羅壯勇公年譜〉（此二文選自《人間世》、《崔述年譜》和《齊白石年譜》）。《崔述年譜》出自《崔東壁遺書》（民國二十五年上海亞東圖書館出版）。崔述祖籍大寧衛小興州，後遷於大名之魏縣，出身於書香之門。曾祖崔維麟爲康熙庚午舉人，祖崔濂爲武才，父崔元森少時隨祖維麟讀書，十七歲受作文法於泰安趙國麟，可惜他在雍正丙午至乾隆丙辰之間，王試順天鄉試，皆不中，遂學程（二程子之父）、朱松（朱子之父）把希望寄託於兒子。崔先生生於乾隆五年，四歲先君即教述識字，十五歲與弟崔邁同至大名府應童子試，十六歲至二十三歲在朱家讀書凡八年，受益匪淺。二十四歲中舉人，二十五歲入關迎娶成孺人。三十歲有志作考信錄，四十五歲與舉人成諟、舉人晉尙易、廩生徐浹參與大名縣張維棋所發起修大名縣志的工作，四十六歲《大名縣志》補成，同年納妾周氏名鹿娥，四十九歲花時八年的《五服異同彙考》成書，五十二歲成《洙泗考信錄初稿》，翌年因選官事至北京，遇刻《崔東壁先生遺書》的陳履和，五十七歲《唐虞考信錄》甫脫稿，六十五歲作《竹書紀年辨僞》，隔歲三十六卷的《考信錄》成書。嘉慶二十一年卒，享壽七十七。其年譜前半部至嘉慶三年爲胡適先生所作，後半部由嘉慶三年以後至道光五年（即崔述先生死後九年）由趙貞信先生補寫而成。

《齊白石年譜》由黎錦熙、鄧廣銘以胡適之初稿補訂而成。齊氏同治二年十一月二十二日生於湖南湘潭縣南百里之杏子星斗塘老屋。幼時，祖父常以指畫字於膝上，或用爐鉗畫灰上，教他認字。八歲從外祖周雨若讀書于白石鋪楓林亭，未一年因家貧，遂輟學。十二歲娶妻陳氏春君。十六歲從周之美學雕花木工，二十七歲事師胡沁園陳少蕃學詩畫，遂喜山水人物畫，尤擅鄉里寫真，輒得酬金以供仰事俯畜。三十七歲禮王闓運爲師此後；遊於各處，以畫爲生。五十五歲避亂寄居法源寺，業畫及篆刻。遂止北平，於藝術學院、藝術專科學校教授數年。八十六歲，他在南京時，中華全國美術會舉行白石作品展覽，上海亦有之。《年譜》所記止於八十八歲，然而我們對於此木工出身，一躍而爲近代藝術界巨擘的成就已可窺見一斑。

五、歷史：有〈中國公學校史〉（胡適母校）、〈逼上梁山〉、〈中國新文學小史〉、〈紀念『五四』的第二十八週年〉、〈史達林征服世界戰略下的中國〉（分析帝國主義對中國之威脅）、〈日本霸權的衰落與太平洋的國際新情勢〉、有選自《丁文江的傳記》討論辦《努力週報》、《獨立評論》的經過等十篇文章。

六、政論：此集大抵選自胡先生主辦之《獨立評論》和《自由中國》。有〈內田對世界的挑戰〉、〈日本人應該醒醒了〉、〈敬告日本國民〉、〈東亞的命運〉、〈中國政治出路的討論〉、〈一個代表世界公論的報告〉、〈我們可以等候五十年〉、〈國際流言中的一個夢魂〉、〈建國與專制〉、〈一年來關於民治與獨裁的討論〉、〈從民主與獨裁的討論裏求得一個共同政治信仰〉、〈兩種根本不同的政黨〉、〈民主與極權的衝突〉等二十八篇。

七、序言：自作序、記而散見於諸書者爲：《去國集》、翻譯的《短篇小說》（一、二集）、《藏暉室劄記》、《新青年》、《胡適留學日記》、《齊白石年譜》、《胡適文存》（合印本）、《四十自述》（自由中國版）、「胡適留學日記（台北版）、《中國古代哲學史》（台北版）、《丁文江的傳記》（校勘後記）、《淮南王書》（手稿影印書）。爲他人著作作序的有：《歐戰全史》（梁和鈞、林奏三合著）、《赫爾回憶錄》（美民主黨領袖）、《傅孟真先生遺書》（台大出版）、《克難苦學記》和《中年自述》（沈宗瀚著）、《梁任公先生年譜長篇初稿》（丁文江主編、趙豐田助編）等等。

八、雜文：值得教育界作爲借鏡的如：〈我們對學生的希望〉、〈從私立學校談到燕京大學〉、〈誰教育青年造假文憑的〉、〈爭取學術獨立的十年計劃〉；力倡學術言論自由的有：〈自由主義是什麼？〉、〈『自由中國』的宗旨〉、〈共產黨統治下決沒有自由〉、〈寧鳴而死、不默而生〉、〈容忍與自由〉。亦討論到庚子賠款及小學生是否讀經書的問題。該集中最重要者爲〈南遊雜憶〉一文（錄自《南遊雜憶》），記胡先生在民國二十四年一月一日作第一次西南之旅，一月五日接受香港大學法學博士，暢遊香港名勝，並與香港教育界人士論教授文言文、白話文問題，一月九日到廣州，原定在中山大學和嶺南大學，並對第一女子中學、青年會、歐美同學會講演，後因報載其香港講詞引起誤會，遂取消。胡乃趁機往遊學海堂及廣雅書院，並至七十二烈士墓園弔其中國公學同學的饒可權墓，一月十一日抵梧州，拜謁其師馬君武博士（廣西大學校長），翌立下午往南寧（邕寧）再遊於鳴、桂林、陽朔等地，飽賞了廣西名勝，故將廣西風景描寫得淋漓盡致，先後在南寧講演五次，柳州一次、桂林二次。二十五日趕回香港登輪北返，結束了這次的南遊。

九、日記：胡適在民國二十八年曾出版了《藏暉室劄記》，此即其留學日記，將他在美七年經過包括求學及思想變遷、影響都有詳細記載。此集所錄者有：康南耳大學農學院的日記（一九一一年一月二十三日至十月二十三日）、康南耳大學文學院的日記（一九一二年九月二十五日至十二月二十八日）、波士頓遊記（一九一四年九月二日至十一日）、再遊波士頓遊記（一九一五年一月十八日至二十四日）和紐約旅行記（同年二月十三日至十四日），並記他先後參加二次國際政策討論會，最後一部份即其學成返國的〈歸國記〉。這些只是藏暉室劄記的一小部份。

十、書信：共集七十三封與友人的信。其中有與梁啓超信、與顧頡剛論僞書考信、與其學生羅爾綱信、與潘夏、蘇雪林等人論紅樓夢考證信，及與胡健中、雷震討論《虛雲和尙年譜》等等。

十一、詩詞：胡適倡作白話詩，坊間收錄其詩詞出版者爲數不少，如胡適紀念館出版的《嘗試集》、《嘗試後集》、商務印書館出版的《胡適之先生詩歌手迹》，平平出版社的《胡適詩選》（文曾編）而此集所收錄者均爲《嘗試集》所沒有，但與其餘三本內容極爲相同。有寫景色的〈霜天曉目〉、〈謝臯羽西台〉、〈大明湖〉、〈煙霞洞〉、〈南高峯看日出〉、〈秘魔崖日夜〉、〈江城子〉、〈遊白鹿洞〉、〈寄題相思巖〉、〈車中望富士山〉，記友人的有〈題章士釗與胡適合照〉、〈亡友錢玄同先生成仁週年紀念歌〉、〈悼葉德輝〉、〈哭丁在君〉、〈給周作人〉、有訴離合哀思的〈秋日夢返故居〉、〈十月題新校合影時公學將解散〉、〈別離〉、〈也是微雲〉、〈舊夢〉……。

十二、翻譯：胡適在民國八年、二十二年先後出版了兩集翻譯的短篇小說，此選集即本此。選自第一集中的有：法都德的〈最後一課〉，以一小學生之語氣寫割地之慘，心激揚法人愛國之心。〈柏林之圍〉，記圍城中事，處處追敍拿破崙時的威烈，盛衰對照以慰新敗之法人而重勵其愛國心。英吉百齡的〈百愁門〉，寫一嗜鴉片之印度人，其佳處在於描寫「昏惰」二字。俄泰來夏甫著的〈決鬥〉，寫一極野蠻的風俗而以慈母嫗煦之語氣出之，遂覺一片哭聲透紙背而出。法莫泊桑著的〈二漁夫〉、〈梅呂亮〉、〈殺父母的兒子〉。俄契可夫著的〈一件美術品〉。瑞史特林堡著的〈愛情與麵包〉和意卡得奴勿著的〈一封未寄的信〉共十篇。從第二集選出的有：俄契可夫著的〈苦惱〉，寫一馬夫喪子而失去生活趣味。美國亨利著的〈戒酒〉。美哈特的〈米格兒〉三篇。餘者，選自胡適留學日記的〈樂觀主義〉、斐倫〈哀希臘歌〉、〈大梵王〉和愛麥生的〈康可歌〉等翻譯詩。

十三、演說：此集講詞共三十篇。應大學邀請的有：在北大開學典禮的〈教育提高和普及〉，南京東南大學的〈研究國故的方法〉、〈書院制史略〉，上海光華大學的〈五四運動紀念〉，武陵大學的〈中國歷史的一個看法〉，燕大的〈究竟在這二十三年裏做了些什麼〉，和在台大的〈大學生活〉。應學會機關邀請的有： 在神州學會演說的〈武力解決與解決武力〉、少年中國學會的〈少年中國之精神〉、北京社會實進會的〈研究社會問題底方法〉、蘇州青年會的〈科學的人生觀〉、自由中國社講的有〈《自由中國雜誌》三週年紀念會上致詞〉、〈從《到奴役之路》說起〉、〈美國的民主制度〉、〈延爭取言論自由談到反對黨〉、〈容忍與自由〉。

【圖書館學類】（附錄十一）

論大學教育與大學圖書館

—刊於1973年3月29日《輔大青年》第8期

二十年前，我們政府爲了厚植國力，加強對大陸的反攻，於是大事鼓勵生產報國，除了在軍事上、政治上、經濟上特別加強外。對於人口的繁殖生產鼓勵，更不餘遺力。二十年後的今天，我們遭遇了難題，這些在鼓勵之下所產生的大批幼苗，現大都已接受完成高中的教育，而更深進一步接受大學的教育。由於彼年代的人口特殊澎漲，又生逢臺灣社會架構的巨變，於是首先面臨的就是教育問題。試看近年來，由主掌教育最高當局首長的屢次更迭，再論到大學與專科的分開招生，以及專科學校的禁止增設等等，無不因是教育的問題，爲着適應現實環境的需要而迫使改變。而其中要以大學教育的問題，最爲社會人士所詬病。

教育政策的不能循正軌發展，致使教育的真正功用，未能收着預期的效果。高中的教育是通才的訓練，它所前進通往的道路，也絕不應止於大學之門。然而，由每年的大學招生盛況，就不難印證出「升學主義」的競爭激烈場面，爲了遷就解決現實的問題，各大學不得不廣增科系，各科系的人數，由二、三十人的小班制，增爲八、九十人的大班制，對於大學教育方針、教育本質、師資的栽培、學校的設備，就不能不給予重新的評估了。尤其是大學生素質的普遍降低，更使得大學教育尚停留在背講義、啃教本的封閉階段，而無法進入專業的訓練，和學術思想的研究。

在尚未涉及本文主題：「大學圖書館對大學教育所負之使命」以前，在此我們得對大學教育的主要功能，作一個扼要性的解說：一、大學教育是知識的保存和文化的傳遞，知識文化之所以能綿延不止，得賴於大學教育的傳播。二、大學教育是專業技能的訓練，有別於高中的通才教育，從許多大學的課程安排。科系的設置，不難得知，大學教育是走向培養專業人才的途徑。三、大學教育是特重於學術的研究，美國學者克爾（C.ker）在其所著《大學的用處》一書中指出，在「多元大學」中有各類不同的「學術社區」，諸如大學生有大學生的學術社區、社會學家有社會學家的學術社區、自然科學有自然科學的學術社區，均從事於高深學術理論的研究。四、大學教育是培養獨立的判斷力和領導能力，大學生受畢大學教育之後，必進入社會的大熔爐，而在這複雜的社會裡，受畢大學教育的諸位大學生們，得須負起改造建設社會的責任，而在這過程當中，培養是非的獨立判斷力和領導能力，是特別重要而且不可缺少的一環。

無疑地，我們大學教育未能收着預期的效果，其原因並不止於一端。所以，在本文所探討的對象，則純以大學圖書館對大學教育的關係、其所負的任務、使命，而申論大學圖書館如何輔助大學教育，以步入正軌。所謂「工欲善其事，必先利其器」，大學既然是學生接受深一層的專業教育、研究學術思想的寶庫，而大學圖書館又如何來幫助大學，完成其教育理想呢？吾人以為：

一、大學圖書館館長，該立於超然地位，而直屬校長。大學圖書館館長乃是一個圖書館中的樞紐人物，他不但要被允

許參加校務會議、行政會議等學校重要會議，還得時與總務長、各院院長、各系系主任、各系教授、各系學生保持聯繫，以了解經費的撥發，任何資料的被推薦，任何資料的大量採購，以補充圖書館藏書，而供應實際需要。又對圖書館裡的工作人員，聘用要嚴格，均須聘任受過專業訓練（professional training）的圖書館人員，如科目專家（subject expect）、圖書館專家（library science expect）。

二、大學圖書館須準備資料，以便教學研究與推廣（expect resources for instruction research and extension）。大學圖書館準備資料，配合學校當局的整體教育計畫，例如學校將新開科系，則該系該用的書目（bibliography）、學報（journals）、有關科系的報紙和微縮資料等（newspaper and microfilm etc.）均得透過各院系系主任、教授商討擬訂，而由圖書館負起準備、採購，以利於教育的研究合推展。

三、大學圖書館該加強參考服務（reference service），負責解答讀者的疑問，不論是本科生（undergraduate）、研究生（graduate）、教授（professional），當在書本上或論文的撰寫、資料的蒐集、書本的借閱上遭遇困難時，圖書館裡負責參考部門的圖書館人員，該幫助其解決問題。此一問題絕非容易克服，到底誰有資格和能力來負起參考部門，而幫助讀者解決問題，此又不得不牽涉到圖書館人員的聘任，以及圖書館人員的教育訓練諸問題。通常一個圖書館參考服務的多寡，與一個學校的學術研究有著非常密切的關係。

四、大學圖書館該整理資料以便應用（organization materials for use）。

在大學的教育中，鑑於節省教師講授時間和養成學生讀書習慣，培養學生獨立研究的能力，教師必須負起指定參考書（reserve book）的責任。教師將參考書（reference book）的書名、作者、出版地、出版時間，以及參考書的借用期間、參考書所須的數量，在大學圖書館方面，須早日準備，並作特殊安排，以配合教師指定參考書、學生借用參考書、閱讀參考書等的方便，共同負起大學教育的責任。奈何在目前臺灣的大學教育中，教師指定參考書的情形並不普遍，教師授課一年，從未指定過學生閱讀任何參考書者，比比皆是；若有，仍只限於形式上，並沒有認真考核學生閱讀指定參考書的情形，譬如說教師查看學生閱讀指定參考書的卡片；或在課堂上，教師要求學生提出口頭或書面報告；或是在考試時，加考指定參考書之內容，諸如種種，教師必須負起指定學生閱讀參考書，大學圖書館更須密切配合，方能使大學教育收着效果。

五、大學圖書館中，必須有適應的空間和設備。學生或教授在學術研究的過程中，圖書館所盡有的設備，應提供給學生或教授們使用，譬如書籍借閱的不限冊數，學生或教授的研討室、研究室、乃至於圖書館中的影印室、珍本室、複印機等，均能開放使用，至使學生或教授們在研究過程中，不必遭遇其他困難，而圖書館也負有幫其解決問題的責任。

由上所述，我們是針對大學圖書館，在理論上應如何來配合發展大學的教育。爲使讀者更瞭解臺灣目前各大學圖書館的使用情形。換句話，也就是爲使讀者更瞭解臺灣目前各大學圖書館，對於配合大學教育的發展，到底作到何種程度。在此我們願對目前臺灣各大學圖書館的情況，作深入一步的探討：

一、在各大學圖書館中，工作人員未能普遍地受過圖書館學的專業訓練，所謂圖書館學的專業訓練，可包括畢業於各大

學的圖書館系學士班、或碩士班、博士班，和未畢業於圖書館系者，但曾參加過短期的圖書館學講習會者。當然在後者的素質上要比前者的素質來得低些。有關臺灣目前各大學圖書館的工作人員編制，讀者可見所列諸表：

A表：畢業於圖書館系者

圖書館名稱＼項目	專科	學士	碩士	總計
臺灣大學	0	18	0	18
師範大學	1	7	1	9
東吳大學	0	4	2	6
逢甲學院	4	0	0	4
輔仁大學	0	2	1	3
政治大學	1	1	1	3
東海大學	2	1	0	3
成功大學	3	0	0	3
清華大學	2	1	0	3
師範學院	0	2	0	2
中興大學	0	1	0	1
中央大學	0	0	1	1
高醫學院	0	1	0	1
中原理工	0	1	0	1
文化學院	0	1	0	1
交通大學	0	0	0	0
大同工學院	0	0	0	0

註：所謂的專科圖書館系學生，乃指民國九年武昌文華大學所創設之圖書館學科，原系大學三、四年級，修習圖書館學，嗣後文華大學改稱華中大學，圖書館學科於民國十八年經政府立案而獨立成校，招收各大學三年級轉學生，肄業兩年，以後，又因教育部決定專科學校為五年制，於是改為文華圖書館專科學校，前三年為高中程度後兩年修

習大學課程。

B：受過專業訓練者

圖書館名稱／項目	受過專業訓練者
臺灣大學	14
師範大學	11
東吳大學	9
逢甲學院	6
輔仁大學	5
政治大學	12
東海大學	4
成功大學	7
清華大學	6
師範學院	0
中興大學	3
中央大學	3
高醫學院	0
中原理工	5
文化學院	13
交通大學	3
大同工學院	1

註：所謂受過專業訓練者，乃指中國圖書館學會所舉辦之暑期專門班，自民國四十五年暑期起，招收各館工作人員作短期之講習，極獲各方好評，嗣後自四十六年以迄五年，由美國國際合作總署駐華安全分署與教育部合作，在美援僑教經費項下撥款委託該會繼續辦理。五十一年因美援停止，曾一度中輟。五十二年，學會各方之請求，恢復辦理，由參加學員繳納學雜費用，支應各項開支。

C表：工作人員但未受過專業訓練者、工友、工讀生。工友和工讀人數較難統計，因工友及工讀生均應臨時的實際需要，人員的編制上，難免有所更改。

圖書館名稱 項目	未受過專業訓練者	工友	工讀生	總計
臺灣大學	78	26	10	114
師範大學	9	10	3	22
東吳大學	2	4	5	11
逢甲學院	13	3	17	33
輔仁大學	13	5	46	64
政治大學	28	12	11	51
東海大學	8	0	59	67
成功大學	2	0	13	15
清華大學	0	3	6	9
師範學院	4	1	12	17
中興大學	11	2	17	30
中央大學	2	1	2	6
高醫學院	3	1	1	5
中原理工	1	1	2	4
文化學院	7	11	3	21
交通大學	2	2	0	4
大同工學院	7	0	1	8

註：ABC三表的資料來自第一次全國圖書館業務會議記要，中華民國六十一年七月。中央圖書館印行，以及全國大專院校圖書館概況一覽表，六十一年十一月印行兩者加以整理而成。

由ABC三表，讀者不難知道，目前臺灣各大學圖書館的工作人員，在素質方面有待提高，今天我們的大學教育能步入常規的話，以目前的各大學圖書館工作人員素質，亦沒法來配合整個大學教育的發展。

二、在各大學圖書館中，藏書數量與學生人數比率，換句話說：各大學圖書館的藏書數量，不敷學生的借書需求。見下表：

D表：

圖書館名稱 項目	學生人數	藏書冊數	標準冊數	備註
臺灣大學	10,927	1,006,073	357,810	○
師範大學	5,439	283,369	193,170	○
東吳大學	2,734	58,131	112,020	X
逢甲學院	5,107	71,254	183,210	X
輔仁大學	4,128	153,340	153,840	△
政治大學	5,158	264,524	184,740	○
東海大學	1,199	120,976	45,970	○
成功大學	4,762	149,473	172,860	△
清華大學	831	29,447	54,930	X
師範學院	1,053	22,740	61,590	X
中興大學	5,167	182,430	185,010	△
中央大學	746	26,021	52,380	X
高醫學院	1,555	30,194	76,650	X
中原理工	3,366	22,350	130,980	X
文化學院	6,674	209,476	230,220	△
交通大學	815	32,796	54,450	X
大同工學院	1,544	32,796	54,450	X

註：此表學生人數單以日間部為主，錄自中華民國教育統計資料，民國六十一年出版。藏書數量則止於民國六十一年三月之統計。所謂標準冊數，依大學圖書館法規：大學圖書館應有之基本藏書量三萬冊，每有學生一人，另增加三十冊為標準。

由D表，我們可將目前臺灣各大學圖書館的藏書量，分爲三類言之：第一類打○記號者，藏書數量合於標準，大抵爲全省最聞名的大學，如臺大、師大、政大、東海。第二類打△記號者，藏書數量雖未達於理想，但數目離標準數相去不遠，如輔大、成大、中興、文化學院。第三類打X記號者，為只顧招收學生，而不顧藏書量者，如東吳、逢甲學校。圖書館裡的藏書豐富與否？對學生求知欲望的滿足，有非常密切的關連。又依大學圖書館法規定：每年藏書增加冊數至少應有藏書總數百分之三，我們輔大的圖書館藏書，現正直起猛追，每年增加冊數高達原總數的百分之十三，相信不久將來，輔大圖書館的藏書，數目將為可觀。

三、能善用圖書館資料者不很踴躍，有問題不知利用圖書館資源而解答。此一方面表現出圖書館的參考服務不臻理想，另一方面則表現出學生的讀書風氣太差。見下表：

E表：

圖書館名稱 / 項目	平均每月答覆參考問題人數
臺灣大學	352
師範大學	40
東吳大學	□
逢甲學院	□
輔仁大學	66
政治大學	175
東海大學	100
成功大學	110
清華大學	50
師範學院	20
中興大學	□
中央大學	5
高醫學院	20
中原理工	50
文化學院	60
交通大學	106
大同工學院	□

註：打問號記號者，表資料缺。

由E表，讀者可以看出，對於龐大數目字的大學生們對圖書館的利用，可見一斑。

四、所收之於學生的圖書費，未能充分利用於充實圖書館。見下表：

F表：

圖書館名稱 項目	六十一年度預算經費
臺灣大學	6,343,192
師範大學	2,000,000
東吳大學	2,099,400
逢甲學院	□
輔仁大學	3,200,000
政治大學	1,900,000
東海大學	894,500
成功大學	1,429,000
清華大學	2,141,900
師範學院	120,000
中興大學	1,385,000
中央大學	700,000
高醫學院	1,236,900
中原理工	700,000
文化學院	4,201,000
交通大學	518,600
大同工學院	1,600,280

註：預算經費總計包括人事費、設備費、購書費、裝訂費、其他費用、業務費，辦公費等等。

由F表，每所大學圖書館，六十一年度的預算經費總計，讀者若依D表，各校學生人數，每人乘於三百五拾元計算，則讀者可比較出學生所繳的大量圖書費，一部份莫名其妙的消失。也難怪最近教育部下令要各所大學，不可將收之於學生的圖書費挪爲他用。

五、各大學圖書館對讀者的約束過多，如書假未能全面採用開放式，又如對學生限借用圖書冊數過少。見下表：

G表：

圖書館名稱／項目	開架式	閉架式	兩者併用	借書冊數
臺灣大學			V	10
師範大學			V	3
東吳大學			V	3
逢甲學院			V	10
輔仁大學			V	5
政治大學			V	6
東海大學	V			11
成功大學			V	3
清華大學	V			3
師範學院			V	3
中興大學			V	2
中央大學			V	2
高醫學院	V			2
中原理工			V	2
文化學院			V	5
交通大學	V			2
大同工學院	V			4

其實所謂「兩者併用」就是閉架式，只不過在平時允許有限量的學生進入書庫而已。至少限制學生借書冊數，部份學校居然只允許學生一次借書兩本，我真懷疑該校學生，如何來作

學術研究了。

由上前，我們提出了五點，有關於目前臺灣各大學圖書館所存在的問題，在此我們除了呼籲教育當局重視這些問題的存在外，我們也爲了更使大學圖書館能輔助大學的成功，更盼望：在各大學的一年級課程中，開授「圖書館學概論」「圖書館之利用」等課程，教導大學生們如何來使用圖書館之資料，以助學生們的自我教育，以及成立圖書館研究所，培養高級圖書館學之人才，和加深對圖書館學的理論研究。

附記：本文之寫成，得力於趙來龍教授的啓蒙頗多，又系主任藍乾章教授和人文科學圖書館的梁主任，提供給我不少資料，在此特別謝謝他們。也感謝兩位可愛的助教，給我精神上的鼓勵。

補記：本文是1973年3月發表的舊作，部分資料和統計數字多有改變，特此註明（2015.12補記）。

【圖書館學類】（附錄十二）

台灣公共圖書館的出路在哪裡？

—本文刊於1973年6月《輔大圖書館學刊》第2期，1974年9月《大學雜誌》第77期以〈台灣公共圖書館事業發展的障礙在哪裏？〉為題，特予轉載。

※我相信沒有任何學術上的成就，對世界文化的貢獻，可以流傳後代而能與你們祖先的圖書館相比擬。※

——Luele M.Morsch

一、前言

民國六十二年暑假，輔仁大學圖書館系學生，分組採訪了全省各縣市立公共圖書館。使我有此機會，奔馳其間，而與各地圖書館負責人有所接觸。在眼觀耳聽之下，我的心情是夠沉重的。開學後，圖書館學會又召開了座談會，要同學發表採訪後的感想，以俾益同學們以後努力發展的方向。同學們無不痛心急呼，對臺灣的公共圖書館事業感慨萬千。在此我將我自己和同學們採訪心得，綜合作一披露，願有關當局能重視當前臺灣公共圖書館事業的問題。

二、對圖書館功用的誤解

無可否認的，對圖書館真正功用的誤解，乃是臺灣圖書館事業發展中的最大阻力。他們不知道以保藏圖書館爲主的時代已經過去，他們摸不清楚所謂的「現代化圖書館」，到底是個什麼玩意，壓根兒他們就是不曉得建圖書館是用來幹嗎？依臺北市市立圖書館五十九年度閱覽人數統計和圖書館借閱統計，均以六月份的比率占最高，約為平時的五倍。我們知道每年七月，是考試競爭最為激烈的時期，換句話說，平時上圖書館的人數少之又少，但逢考期，則大排長龍。可見在臺灣的大部份學生，仍然滯留於上圖書館，只是為了看自己的教科書，而不了解現代化的圖書館，已經成為一個活的教育機構，文化活動中心，知識傳播中心，學術發展中心，和社會服務中心。

更令人感到憤怒和迷惑不解的是，今年中央當局為了裁併機構，而將圖書館併入社教館，成為社教館中的一部門，膚淺地認為圖書館教育只是社會教育裡的小部份。我們知道，在歐美圖書館事業先進的國家，他們已將圖書館成為一種獨立的體系，不僅以掃除文盲，增進常識為目的，而且開拓了新的境界，除了提供圖書館資料和其他資料外，還透過各種電腦、電視、電影設備，舉辦音樂、戲劇、美術、攝影、講演、參觀等活動，普遍深入社會，負起教育兒童、青年、成人、老人、殘障、病患、盲啞、罪犯的責任。使圖書館成為啓發思想，開拓新知，休閒活動，和增進人類幸福的場所。我們真不解政府當局此一開倒車的措施，只虔誠希望政府當局能重視圖書館對促進社會進步的功能。

三、經費的困擾

人，最大的痛苦，莫過於人與人之間思想的不溝通，和彼此間的誤會和不諒解。政府漠視圖書館的存在，連帶著產生圖書館事業發展的不理想。而最先面對的問題，則是經費困擾。公共圖書館的經費來源，主要來自各縣市政府的編列預算。依公共圖書館標準，編列預算應依公共圖書館所服務之人數至少

每人新臺幣三元，而每年的編預算期，圖書館負責人，總要遭一番波折。曾聞彰化縣某議員，公然在大庭廣眾，大言不慚的說：「圖書館可有可無，何須撥與經費。」

在此惡劣情況下，經費的妄想增加，有比登天還難，經費不是被削減，就是被駁回。現以彰化縣縣立圖書館六十一年度的經費爲例：該館人事費有三十一萬八千三百六十二元，辦公費有三萬六千元，圖書費有十三萬一千二百三十元，設備費有九萬七千六百八十三元，修建費有九千六百元。其中辦公費、圖書費與設備費，六十二年度將大大削減，除人事費照舊支付外，其餘辦公費、圖書管理費、設備費等係照六十二年度預算減一萬五千元後的三成支付。結果館方每月報紙、雜誌費只剩三百六十元，每份報紙平均以四十元計，連三分館在內，每月每館僅分得二至三份報紙，這如何能滿足眾多讀者的需要呢？

又據嘉義縣縣立圖書館代理館長楊樺山先生的訴苦：「現在政府將加班費取消了，這有如在圖書館人員頭上挨了一悶棍。」圖書館的開放時間，普通均至晚上九時或十時，本來圖書館裡的工作人員已夠缺乏，他們不得不熬夜加班，現在加班費取消，無形中工作人員也就懈怠了，每人所持心情均認爲，反正加班也沒加班費，何必太過於認真。如此一來，工作情緒低落，圖書館的服務工作何能順利展開？

我們除了籲請政府當局，經費能給予有幅度的增加外，更要喚醒存在臺灣社會中的資本家，希望他們能縮減奢侈費用，成立發展圖書館事業基金會。我們知道政府的編列預算，絕對是不能滿足要求的，此乃世界上每一角落普遍的現象，在美國亦不能例外。所以在美國如紐約市公共圖書館、洛杉磯區公共圖書館，都是因爲政府預算的不敷支出，而有社會熱心人士所組成的圖書館發展基金會，很希望在臺灣不久的將來有此機構設立。

四、人手不足

「有錢能使鬼推磨」，推展圖書館事業經費在此窮境下，施展不開，不能為所欲為。當然對圖書館人員的問題，一定感到人手不足。依照臺灣省各縣市圖書館組織規程規定，公共圖書館得分四組：總務組、採編組、閱覽組、推廣組，辦理事務。唯經費有限，人手不足，各圖書館也就管不了組織規程的規定了。如南投縣縣立圖書館僅設館長一名，幹事一名，助幹二名，工友一名，根本就沒有四組之分。又如彰化縣縣立圖書館雖然名目上有四組之分，但實際採編組、推廣組，乃由閱覽組兼行之。

又如花蓮縣縣立圖書館只設總務組及採編組，總務組主任由幹事一人兼任，採編組由館長兼任。經費既缺，編制人員無法請到，又只得主任兼職員、工友，而且請到的又非專門人員，只好從國小、國中調教師來幫忙，可是國小國中教師也不是專門人員，只不過多認識幾個字罷了！據賴永祥教授圖書館週在輔大所作的講演：「目前在公共圖書館服務者，無一是在臺灣唸圖書館系畢業的學生，師大圖書館組畢業生大多數從事於教育工作，臺大圖書館系畢業生不是往國外跑，便是留於專門圖書館或大學圖書館。」

如此一來，臺灣的公共圖書館事業發展，怎麼會有前途呢？雖然教育部有舉辦圖書館工作人員講習班，中國圖書館學會也有舉辦暑期圖書館工作人員研習會。但是期間不長，所獲不多，又參加人數有限，人數不敷日後臺灣各公共圖書館的需要。如中國圖書館學會舉辦的暑期圖書館工作人員研習會，時

間甲組的爲六週，繳費須新臺幣六百元，乙組的爲期四週，繳費需新臺幣四百元，學員的資格又限制只能以各圖書館保送爲原則，且年齡又須在三十五歲以下。我個人認爲繳費以及限制年齡，此二項對公共圖書館人員的負擔，有重新考慮的必要。

我們除了希望講習會的繼續和擴大舉辦外，更希望就讀在臺大、師大、輔大、淡江等大專院校的圖書館學系學生，能體認圖書館事業在臺灣的篳路藍縷，畢業後能致力於各縣市、鄉鎮公共圖書館的艱苦工作，注入行列，以所學所長，報效社會。

五、設備簡陋

臺灣公共圖書館的分佈，並非各地皆有。於臺北市的有國立中央圖書館、臺北市立圖書館（有分館四所）、省立臺北圖書館及陽明山管理局圖書館，省立臺中圖書館設於臺中市，省轄市公立圖書館有三：計有基隆市（設分館一所）、臺南市及高雄市。縣立圖書館十七所，設於臺北、桃園、新竹、苗栗、臺中、彰化、南投、嘉義、高雄、屏東、宜蘭、花蓮、澎湖及金門。鄉鎮立三所，若加上縣立分館，共計有三十九所。

這個數目真是太少了，假若與美國八千個公共圖書館，一萬七千個圖書站比起來，真是小巫見大巫。當然我們有不同的地理環境，人口背景，但我們至少須維持每一縣市有一公共圖書館。截至今天爲止，臺中市、臺南縣、雲林縣、臺東縣、等四縣市均沒有公共圖畫館的設立。以臺南縣而言，擁有九十七萬人口的大縣，居然沒有一個公共圖書館的設立，這是何等的可悲和可憐啊！依公共圖書館標準：凡人口滿二萬人之社區，應設立社區圖書館，在人口未滿二萬人之地區得設借書站。若以臺南縣之人口比率，應該設有多少個圖書館和圖書站呢？

四個縣市沒有公共圖書館的設立，雖算可憐，但其他縣市有公共圖書館者，亦未見高明。南投縣縣立圖書館在民國四十八、九年遭水災，水浸館二尺餘，圖書部份被損，不得已遷至公園內，館舍依木造平房，佔地只八十七坪，房齡已越五十載。又如臺中縣縣立圖書館占地不夠六十坪，閱覽室、辦公室雜匯一處。又屬最幸運的嘉義縣縣立圖書館，雖然是新廈落成，但座落半山腰中，地位未能適中，不合乎現代圖書館的建築要求。

近幾年來，臺灣各縣市的公共圖書館紛紛改建，諸如六十年落成的嘉義縣縣立圖書館；今年剛落成的省立臺中圖書館其規模不小，館舍內部裝置亦大為改進，如省立臺中圖書館是十層樓，內裝置有中央冷氣系統，電梯三座，一層至五層作為書庫及閱覽室、會議室、展覽室、辦公室等之用；六、七層為藝術教育中心；八、九、十層為科學教育中心；並設有屋頂花園於十樓陽臺上，供各項文教活動之用；又有中興會堂，可容納一千五百人，其內部設備獨具匠心，其建築之宏偉，設備之完善，燈光、音響、舞臺之裝置，皆獨步全省，即在東南亞地區亦鮮有此一巨構。譯意風之裝設，可同時翻譯成四種語言，供二百四十餘人使用，實為各種文化藝術活動之最佳場所。雖然沒有如 Browsing room 設備，但已可聊以自慰。（Browsing room 在臺灣沒有詳盡之譯詞，暫譯為「娛如室」，即是供給飲料、點心並供給休息之場所）但此只限幾所特殊圖書館，我們總不能以此滿足，而自認為是文明國家。最近行政院的裁併機構，使我們感慨於正在茁壯的圖書館事業，又告夭折，有意建立新館充實設備的圖書館，其實現之日，則遙遙不可知矣！

六、藏書的缺乏

經費的困擾，人手的不足，設備的簡陋，致使藏書在各公共圖書館中呈現貧乏、雜亂和破舊不堪的景象。當我們採訪時，看到部份圖書館的滿目瘡痍，令人不忍目睹。嘉義縣縣立圖書館的楊代館長曾經訴苦說：「由於經費的不敷支出，雖然每年的購書費有預算，但都被挪爲他用，真正用來買書的很少。」我敢肯定說：「此乃目前各公共圖書館共有的現象。」書籍的增加有如蝸牛走路，甚至在整整一年中，不曾買過一本書，唯賴美國新聞處或各文教機構的贈書。

民國五十九年，臺灣省立臺北圖書館曾對臺灣地區縣市立公共圖書館概況作過調查，在館刊第三期刊出，其中有項調查是每年各館的購書冊數，部份的圖書館，因爲每年買書的冊數難以見人，乾脆不塡。經費的隨時被挪爲他用，使得圖書館購書藏書不能有長期的計劃。如嘉義縣縣立圖書館在民國五十一至五十二年間，不曾買進一本新書；又如在民國五十三年五十四年間亦同。

依公共圖書館標準，縣市立圖書館藏書數量按所服務地區人口計算，至少每五人一冊。現在我將臺北市、高雄市、臺中縣、嘉義縣、澎湖縣等五縣市的藏書和人口之比率列表如下：

縣市別	人口	六十年藏書數	多少人有書一冊	備註
臺北市	一、〇八五、一〇三	一二八、〇〇〇	九人	1.人口數字乃是民國五十四年臺灣人口研究中心編印的臺灣省人口統計資料。2.多少人有書一冊，乃是大約數字。
高雄市	五六六、一〇三	七六、四七四	七人	
臺中縣	六七二、三四九	一四、〇〇〇	四十八人	
嘉義縣	七七七、七一八	二四、七三五	三十一人	
澎湖縣	一〇八、七五九	一三、六五三	七人	

從這五縣市所列表看來，在臺灣沒有一公共圖書館藏書量

是合乎其標準的。

圖書館裡藏書的不豐富，已令人不滿意。而藏書內容的不合需要，更令人受不了。目前的公共圖書館藏書大部份是日據時代所留下之日文書，內容均不適合現代一般民眾需要。公共圖書館的藏書內容，應配合所在地人民的教育水準，生活環境背景爲原則，儘可能由專家負責採購。假若臺南縣縣立圖書館設立，則該館藏書該以農業方面爲主；又如花蓮縣則該以漁業方面藏書爲主，如此針對民眾教育水準，符合民眾要求，幫助民眾解答疑問。方能負起各公共圖書館教育該地人民的真正目的。

七、未能統一的圖書分類編目法

圖書的分類法未能統一，久爲人所詬病。可是政府當局卻仍未能拿出魄力，研究出一套最完整、最經濟、最實用的分類法。目前公共圖書館使用的圖書分類法有：中國圖書分類法（賴永祥編訂）、中國圖書十進分類法（何日章編訂）、王雲五分類法、杜威進分類法、中外圖書統一分類法、簡易西書編目法等六種之多。讀者上圖書館，時常被各館使用不同的分類法搞昏了頭。

更妙的是有部份的圖書館，中文書和西文書，居然使用同一種分類法，真不知道館中的負責人，是否知道中文書和西文書在分類法上的不同。更絕的是，有些圖書館可憐到連書都沒有編目，只將書名抄錄於筆記本上，辦理出借。圖書分類法的不能統一，各館的我行我素，使得要公共編目，著編聯合圖書目錄，變得相當困難。我們急需政府當局能集合圖書館學專家，擬訂一套最完整、最經濟、最可行的圖書分類法，好讓各館共同使用。

至於編目方面，現在世界各國均以著者編目爲主，可是在臺灣的編目法，仍獨以書名項爲主，實不符需要。今日世界何以編目以著者爲主呢？主要原因乃是一書在出版前，須向政府當局申請著作權，以及主管當局在審查核準後，發給版權執照，均係根據該書者登記。復以許多國家的出版局設在國立圖書館內，一書根據出版法呈繳出版局，即交由圖書館編目。更重要的是現時各種學科的研究發展，多已逾越傳統的本科範疇，而形成眾多的界限科學，在編目上時常搞錯。聽說最近中央圖書館已編製有印刷目錄卡片，而將編目法趨於統一，但不知其效果何如？

八、社教活動

此一項目，乃是目前臺灣各公共圓書館，辦得最有聲有色的一項活動。因爲它所發的經費，所需時間，所佔場地畢竟不多。所舉辦的活動，不外乎是體育競賽、康樂晚會、論文比賽、史蹟展覽、書畫展覽，依一般反應，屬於康樂活動性質者，參加人數較爲踴躍，屬於學術活動，則反應較冷淡。在此我們有個建議：希望各公共圖書館在舉辦活動方面，能注意到民眾的娛樂、興趣需要，提高民眾的知識水準，和加強對民族的精神教育。

九、結論

在本文裡，我從一般人對圖書館功用的誤解，而討論目前各縣市公共圖書館最明顯、最迫切需要改進的經費、人手、館舍、藏書、圖書分類、編目、社教活動諸問題。在各項討論中，爲了避免流於雜贅，所以舉例有限，而不能將全國各縣市公共圖書館的狀況，一一述出。但相信讀者由文中的幾個例子，一定不難看出臺灣的公共圖書館事業弊端很多，圖書館事業的發展是有待進一步的努力。

【圖書館學類】（附錄十三）

從管理觀點探討當前我國圖書館組織

—刊載於1987年6月15日《台北市圖書館館訊》第4卷第4期

壹、組織系統的構成

一、組織意義與要素

人，不能離羣索居，需要過群體生活，組織就是人群為全體共同目的的結合，同時也為了達成組織成員共同的目的，所以組織亦對每一位成員具有統制力。因此，組織的構成至少要含有下列四項要素：（一）目的：任何組織必然有其目的，目的是人員工作行為的憑藉，如果缺乏此項因素，組織人員的工作行為失卻了憑藉，無所遵循，形成一片散沙。（二）目的必須為全體人員所同意：假如一個組織所追求的目標不為人員所同意，或被認為毫無價值，那麼人員便不會為達成這個目的而全力以赴。（三）人員必須予以適當的調配：否則組織人員成為一群烏合之眾。（四）權責必須合理的分配：這也就是合理的分工制度，不但使人人有責，更須有權這樣才能運用自如，有效而如期的達到目的。[1]

二、組織理論

組織理論（organization theory）乃就有關組織的各種問題，提出一套有系統的看法；也就是組織的各種現象與事實加以搜集資料，並對這些資料從事歸納比較分析，或提出解釋、

[1] 張潤書，《行政學概要》，（台北：五南圖書出版公司，1981年），頁71。

或提出預測，並從而設法予以控制。坊間對於組織理論闡述的專書不少，如美國的戴思樂（Gray Dessler）將組織理論分爲古典組織理論與當代組織理論來敘述。[2]

而卡斯特（F.E. Kast）及羅森威（J. E. Rosenzweig）到詳細將組織理論分爲傳統的組織理論時期（1900 ～1930s）、行爲科學的組織理論時期（1930s～1960s）及系統理論時期（1960s～）等三個時期來敘述：[3]

（一）傳統時期：可分三學派：1.科學管理學派（scientific management school）以泰勒（F.W. Taylor）、郝德威（Horace Hathaway）等人爲代表；2.行政管理學派（administrative management school）以費堯（H. Fayol）、古立克（L. Gulick）、雷利（Allen Reilly）等人爲代表；3.官僚模型學派（bureaucratic model school）以韋伯（Max Weber）爲代表。此一時期的組織理論比較偏重於靜態的組織研究，是以經濟及技術（economic-technical）的觀點來觀察組織。

（二）行爲科學時期：此一時期的代表學派是人群關係學派（human relation school），其主要代表學者有梅堯（Elton Mayo）、李克特（Rensis Likert）、麥克格羅（Douglas McGregor）、班尼斯（W. Bennis）及阿吉里士（Chrir Argyris）等人。他們是以動態的觀點來建立組織理論，認爲組織不僅是經濟及技術的，而且也是一種心理及社會的系統（psyclro－social system），他們研究組織中「人」的問題，以實證的

[2] Gray Dessler,余朝權 等譯，《組織理論－整合結構與行為》，（台北：聯經出版事業公司，1985年），頁9～37。

[3] F. E. Kast & J. E. Rosenzweig, *Organization & Management*（ N .Y .：McGraw Hi Co.,1970),p.107.

（empirical）研究來證明人的行爲對於組織的影響及彼此的關係；也就是一種以「人性」（humanistic）對抗「機械性」（mechanistic）的理論，與傳統的組織理論有了顯著的不同。

（三）系統理論時期：傳統的組織理論與行爲科學時期的組織理論，兩者皆有所偏，所以於1960年前後，就有一些學者主張採用兩者之長，認爲既不能純以靜態的觀點來研究組織，也不能只從動態或精神上來分析組織，除了這些條件以外，還要注意組織與外在環境的關係，組織爲適應的需要，往往要改變其內部組織與工作程序，所以組織不應再被視爲「封閉型的系統」（closed system），而是一種「開放型的系統」（opened system）。[4]換言之，即視外界環境以及組織成員的需要來決定合適的組織內部結構。

三、組織設計法則

由組織理論的發展，其設計法則首先是靜態（static），如：明確的指揮系統、命令統一、控制幅度適中、明確授權、完全授權、職權和責任相等、對績效負責及專業化等，這些法則可以幫助管理人員設計組織結構，但它們並不很完整，由於它們完全忽略了人性的構面，如激勵、工作滿足、知識的差異和恐懼等等。所以演變爲動態（dynamic）的組織設計法則，如：職權和知識結合、集權和分權平衡及組織與地位彈性的維持。由於靜態和動態的設計法則，各有其適用性，因此，爲使得組織結構能適合工作任務、技術特質和環境變遷的需要，於是將兩者結合運用，就是時下所稱的權變理論（contingency theory）。[5]

---

[4] 同註1，頁75～80。

[5] R.A.Webber,羅理平 等譯，《組織理論與管理》，（台北：桂冠出版

四、組織型態

傳統典型的組織型態是猶如一個小球直立在一個大橄欖球之上，小球代表擁有所有權的管理人羣體，他們主宰著整個組織，同時對組織中重要的事情做決策。組織中專業幕僚和中層管理人員不多，介於管理人員和員工間的細線是指這個階層的人，工人們都沒有專門技術，他們的一舉一動都受管理人員的指揮，他們的一生中幾乎都做完全相同的工作。組織的結構隨著經濟的發展、規模的擴大、技術的創新和管理人員教育的提高而不斷的演，組織型態由傳統式的結構轉變爲理性科層制度（rational bureaucracy），組織結構成金字塔，由於這種組織型態常見於龐大的、現代化的組織中，所以目前大多數的現代組織仍視金字塔式的組織爲一理想的組織結構，因爲事實上並沒有更好的方法可以來訂定組織中各個職位的權責。同時，沒有任何一個組織型態可以適應所有的情況。

組織型態隨著任務、技術、環境和組成份子而改變。某些組織仍適合古老的傳統式結構，某些則配合科層制度，或是傳統式和科層式的混合體。預測未來的組織型態可能是：（一）組織又重新極端地集權於一個相當小的羣體中，這個羣體是由受過高等教育的管理人員和專業人員所組成，他們往往揚棄了中層管理人。（二）專家人數遽增，他們取代了組織中白領和藍領階級的地位。（三）組織民主化代表管理人員須向部屬負責，在這種組織型態中，部屬權握有正式的權力與政策決定。[6]

公司，1983年），頁392～465。

[6] 同上註，頁466～465。

貳、圖書館組織（Libray Organization）

一、圖書館組織特性

組織因隨內外在，主客觀因素的改變，而必須調整組織結構，使組織在整個社會的變遷中，能發揮具有的功能。一般性組織是如此,圖書館組織亦復如此，誠如印度圖書館學家藍甘納山（S.R. Ranganathan）所說的「圖書館是一個在成長中的有機體」（a library is a growing organism）。[7]由於是成長中的有機體，所以圖書館組織特性也隨社會的、政治的、文化的、及經濟的發展，而做調適，使其有機體生生不息。圖書館遂由純粹靜態的「藏書樓」時代，演變爲適應新時代的「知識的水庫，學術的銀行」。[8]

二、圖書館組織通則

上述我們提到一般組織的構成，有其靜態與動態的設計法則，而就圖書館組織而言，亦可依其技術性、服務性、總務性等不同工作性質而組織不同的部門。簡而言之，可依：

（一）因功能：分採訪組、編目組、閱覽組、參考組、出版組、總務組等，這種依功能相同的組織方式，爲現在一般圖書館所採用。

（二）因讀者：這是以讀者性質而設組，尤其是公共圖書館，由於利用對象來自各階層，所以組織也就隨著讀者不同而設置兒童組、青少年組、成人組、老人組、盲人組、婦女組等不同組別；又如設置中、高校學生組、大學生組、社會青年

---

[7] 藍乾章，（圖書館的功能與任務），《圖書館學》，（台北：學生書局，1974年），頁183。

[8] 彭歌，《知識的水庫》，（台北：純文學出版社，1969年），頁22。

組、政府公務員組、大學教授組、企業家組等以職業分別來設置。

（三）因主題：這是依資料的主題而組織，相同的主題資料整理在一起，讀者可以依研究的主題而接近自己需要的資料，其設置如人文科學組、社會科學組、自然科學組、醫學組、工學組、農學組等不同部門。

（四）因資料：資料性質不同，而分別設置如期刊組、視聽資料組、善本書組、學位論文組、地圖組等不同部門。

（五）因地域：由於不同地域出版的不同語言之圖書，混合排列，容易造成讀者利用資料的不方便，為方便讀者起見，如美洲地區、東亞地區、非洲地區，依地域而設置部門。[9]除了這五項通則外，我們也因組織在管理上的不同，而分為集中管理式與分散管理式的型態。集中管理式如私立東海大學在民國44年創校，由於所設院系不多，故圖書館經營方式採集中制，即全校只設一所圖書館，各院系均不另設院館或系館，無論圖書館的技術服務、閱覽參考、乃至經費開支，均做到精簡節約的地步。[10]又如Eastman Kodak的組織亦是典型的集中管理組織。分散管理式如國立台灣大學設有1.總館下設採編組、閱覽兩組。2.研究圖書館下設參考股、編輯股、典藏股。3.法學院圖書館下設編目股、閱覽股、典藏股。4.醫學院圖書館下設編目股、閱覽股、典藏股。5.文學院聯合圖書室。6.工學院聯

[9] 李喆珪，《圖書館組織管理》（漢城：大光印刷公社，1968年），頁34～36。

[10] 藍乾章，《圖書館行政》，（台北：五南圖書出版公司，1982年），頁71。

合圖書室。7.農學院聯合圖書室。[11]又如U.S. Steel Corp.的組織亦是典型的分散管理組織。

參、當前我國圖書館組織的概況

當前我國圖書館組織，依其設立宗旨司分爲：

一、國家圖書館：中央政府所在地應設立國立中央圖書館，各地區並得視需要設立地區性國家圖書館。國家圖書館應依法典藏本國圖書文獻、編製國家書目，並輔導全國圖書館事業。目前我國的國家圖書館僅有國立中央圖書館一館及其台灣分館。

二、公共圖書館：各級政府機關在各地區普遍設置公共圖書館，並以所在地區民眾爲服務對象，結合地方文化資源與機構，推展地方文化教育事業，並辦理各項社教性及推廣性服務。例如台北市立圖書館等。

三、大專院校圖書館：大專院校設立圖書館，並以本校師生爲主要服務對象，支援教學、研究並舉辦推廣活動。例如國立台灣大學圖書館、國立台北工專圖書館等。

四、中小學圖書館：中小學設立圖書館，並以本校師生爲主要服務對象，支援教學、教師進修並輔導學生利用圖書館。例如明道中學圖書館等。

五、專門圖書館：專門圖書館是以其所特定之人員爲主要服務對象，提供專門性圖書資料及服務。例如中山科學研究院圖書館、農資中心等。

六、私人圖書館：凡由私人或民間社團所設置之圖書館。例如王雲五圖書館、貫英圖書館等。

[11] 同上註，頁69。

七、圖書館專業組織：目前國內唯一圖書館專業組織是中國圖書館學會，成立於民國42年11月12日的會員制，其設立主要以宏揚中華文化，研究圖書館學術，團結圖書館從業人員，發展圖書館事業為宗旨。[12]截至去年（75年）11月底，該會共有237個團體會員，3089人是個人會員，該會其下並設置有法規、出版、公共關係等16個委員會來推動工作。[13]

肆、綜合建議事項

一、頒佈圖書館法

法是組織的根本，圖書館法的訂定與頒佈關係著圖書館事業的發展。歐美各國已頒佈實施多年，臨近日本、韓國也分別於1950年及1976年頒佈。目前我國圖書館法草案業經中國圖書館學會擬定報送教育部，冀望於最近期間內能送請立法院審議，以完成立法程序。我們認為未來圖書館法草案（以下通稱草案）的通過，至少可以解決下列幾個問題：

（一）專責法定機構的成立：草案第3條：為促進圖書館之均衡及健全發展，應設立全國性圖書館發展委員會。[14]目前督導我國圖書館事業的法令依據是教育部組織法和社會教育法。依教育部組織法第 11條第9款規定：社會教育司掌理圖書館等社教機構。[15]所以國立中央圖書館的督導單位屬於社教

[12] 參見中國圖書館學會會章第2條，民國75年12月7日第34屆年會修正通過。

[13] 《中國圖書館學會會務通訊》，第54期（台北：中國圖書館學會出版，民國76年1月31日），頁49。

[14] 同上註，頁8。

[15] 行政院文化建設委員會編印，《文化法規彙編（一）》（台北：行政院文建會，1983年），頁51。

司，顯示出我國國家圖書館的地位偏低，館長編制未能直屬教育部，如果委員會成立就可比美於美國國會在1970年7月20日所製定圖書館及傳播學國家委員會的法案，特設立此一委員會直接隸屬於衛生教育福利部（Department of Health, Education, and Welfare）。[16]又依社會教育法第5條第1款規定：各級政府視其財力與社會需要，得設立圖書館或圖書室。[17]各級政府所設立之圖書館與國立中央圖書館並沒有隸屬關係，對於圖書館工作的推動，不無障礙，我們實在需要一個專責機構來統籌管理。

（二）解決專業人員（professional）的任用問題：草案第7條：圖書館職員得分圖書館專業人員、行政人員及技術人員，各類人員之員額、資格、職級依圖書館種類及有關洗規定之。圖書館專業人員應採聘任，其員額不得少於全館職員之三分之一。[18]依此規定就可以解決困擾多年的基層文化社教機構專集人員的任用問題，同時對於相關職等適度提升，更有助於網羅專業人才在基層文化機構服務，貢獻所學於桑梓。

（三）圖書館政策之制定：有了法定專責機構後，對於政策的擬定較能做前瞻性、長期性的規劃。尤其近年來國際圖書館各界為因應當前資訊業之快速發展情勢，提高服務品質，倡導建立「國家資訊系統」（National Information System），此一系統因國而異，原則上將有關從事資訊轉移的機構、資源及一切活動，納入一組織體系，作有計劃的發展，俾使負責政

---

[16] 黃端儀，《國際重要圖書館的歷史和現況》，（台北：學生書局，1982年），頁108。

[17] 同註15，頁254。

[18] 同註14。

治、經濟、科技、教育、社會以及文化活動之機關團體個人都能從該一系統中迅速獲取必需的資訊，進而對國家社會有更大的貢獻。[19]我們對於國家的重大建設政策擬定，圖書館的資訊政策制定也是重要一環。

二、成立國會圖書館

我國國會方面，有立法院、監察院及國民大會等三個單位分別設有圖書館，似可仿效日、韓成立國會圖書館，讓現代科技與議事功能緊密結合。目前立法院整體資訊計畫包括有「委員質詢及資料檢索資訊系統」、「議案及行政管理系統」、「政府預算系統」、「辦公室自動化系統」、「國外立法參考系統」，希望能順利完成，使我國國會的議事與資訊服務爲我國圖書館事業開啓新的紀元。

三、圖書館內部的組織與管理

從一般性的組織理論明顯的指出，圖書館的內部組織一定要隨著內、外在環境的變遷，而做結構的調整，例如公共關係（public relations）在圖書館界扮演著溝通與服務的角色，我們在國家圖書館或公共圖書館應可增設此一部門，以加強圖書館與讀者之間的溝通工作，發揮圖書館應有的功能。又如在管理上，不論是集中管理式或分散管理式，也應因資訊時代的來臨而有所調適，雖然有人認爲圖書館工作是屬於服務性機構，由於管理者不具企業精神，而且缺乏優秀人才，未能把握目標與結果，以致無法發揮績效。但是只要我們管理妥當，也必能發揮圖書館功能，尤其在圖書館自動化（library automation）後，對於科技管理（technical management）、高科技管理（high

[19] Peter F. Drucker,蔡伸章譯，《管理學導論》，（台北：桂冠圖書公司，1983年），頁123。

technical management），甚至於危機管理（crisis management ）等管理科學在圖書館學管理上的應用，更需要我們未雨綢繆。

四、加強圖書館專業組織

目前國內的圖書館專業組織主要單位是中國圖書館學會，多年來在諸先進的努力下頗有績效，由於經費的關係，對於圖書館學術性的刊物無法以月刊方式出版，可否考慮鼓勵企業界人士參與，成立基金會以共同推動工作，最近熱門的「企業圖書館」，中國圖書館學會應可接受企業界的委託，爲他們規劃成立企業圖書館，爲企業界提供服務，以商業資訊促進經濟的發展，讓國內有很多位卡內基（Andrew Carnegie）出現。

伍、結語

蔣總統經國先生去年（75年）十月曾剴切的提示我們「時代在變，環境在變，潮流也在變」，隨著科技的進步，人類文明正邁向第三波，誰能掌握資訊，誰就是這世界的主宰。圖書館組織也因時代在變、環境在變及潮流在變，而調適其組織結構，因應社會需要，俾能發揮圖書館功能。欣聞今年（76年）四月八日行政院長俞國華也在立法院表示：三年內，教育文化預算，將達到百分之十五。我們若以國家年度總預算四千七百億元計，由現行的百分之十三提升至百分之十五，其增加二個百分點，約計可多出九十四億元的教育文化經費，這筆經費對於當前我國圖書館事業的發展有很大的助益。

更令人高興的是，當筆者正撰寫本文之時，又得知苗栗縣一位鄭天慶鄉紳，其遺族捐出五百萬元節葬費，做爲興建圖書館的經費，個人對其家族表示無上敬佩，相信我國圖書館事業在朝野人士攜手共同努力耕耘之下，必能綻放出燦爛美麗的花朵，讓我們一起努力吧！（作者現爲中國圖書館學會公共關係委員會委員）

【圖書館學類】（附錄十四）

圖書館的公共關係

—1987年9月11日以〈資訊共享〉刊載於《台灣新聞報》，原稿講於1987年5月22日中國圖書館學會第34屆公共關係委員會第1次會議

隨著各縣市文化中心的落成啓用，給我們邁向「富而好禮」的書香社會，帶來了一股清新的景象。依據省教育廳上年度（七十五）對全省各縣市文中心所作的統計：在圖書閱覽人次達二百零五萬餘人次；在陳列文物參觀人次達七百二十五萬餘人次；在藝文活動參與人次達二百零七萬餘人次。從這些數字上看來，文化中已能發揮預期的社教功能；唯最近報載：某縣立文化中心耗資數億元建造，但是績效與使用頻率卻比某一民營的活動廣場來得差。我們姑且不論這消息是否確實，但似乎隱藏著一件訊息：文化中心必須做好溝通與服務的工作。以下我們願從圖書館學的觀點，來談論公共關係，提供大家參考。

一、公共關係的界說

圖書館學與資訊科學百科全書上說：「公共關係是一個企業組織或其他機構爲了將它融入其所生存的社區，所做的有計畫的努力。」這可說是對圖書館公共關係最爲切題、扼要的界說。引而言之，圖書館的公共關係應該是：

（一）加強公共關係是爲了提高社會教育的教導，促使社

會教育的進步；是爲了謀求社會大眾的利益，而不是爲了圖書館人員本身的地位和利益。

（二）公共關係活動是爲圖書館工作計畫中的一部份，是以全民爲對象。

（三）公共關係是採取「雙向溝通」，不僅是希望社會能了解圖書館；同時，圖書館也應配合社會的需求，成爲社會的資源，提供最完善的服務。

（四）做好公共關係是一種友誼的投資，不是缺裂的彌補；是事前的準備工作，而不是事後的補救工作。

（五）公共關係的進行方式應該是民主的，不因某些團體或個人佔有優勢，就特別奉承，反之，則置之不理；也不能假藉政府或有力人士的名義，採用壓制方式，要脅對方非接受不可。

（六）加強公共關係應是連續的過程，不可「一暴十寒」，雙方的瞭解是經過長期的累積；平時也要多加舉辦各項活動，提供最好服務，才能和社會建立良好的公共關係。所以，圖書館的公共關係要邊講邊做，不能做了不講，或是講了不做。這都是圖書館在推動公共關係過程中所應該有的基本認識。

二、館內的公共關係

一般人總以爲公共關係主要是與新聞界做好關係即可，而忽略了內部的溝通。館長與館員之間的上下縱線溝通、館員與館員之間的橫面聯繫，以及與圖書館的義工人員之間的相互支援配合，均是館內公共關係的重要工作。有好的館內公共關係，才能提高並保持高度的工作情緒，凝聚全體工作同仁的力量，也才談得上有與館外公共關係的推展。

三、館外的公共關係

可分為幾方面來說：（一）讀者：以公共圖書館為例，社區居民是圖書館的讀者，關係著公共圖書館的生存與發展；所舉辦各類活動，有時也可透過民意測驗，做好與社區居民雙向溝通的工作，對生活品質的提高，改善不良的社會風氣，有很大的助益。

（二）主管當局及議會：在行政體系中，公共圖書館屬教育行政機關管轄，預算編列由各管轄機關編制，而議會又控制預算之實核權。所以，圖書館與主管當局及議會之間業務的溝通了解，是非常重要的。有充足的人力、經費，圖書館的服務工作才能達成預期的目標。

（三）大眾傳播界：圖書館的公共關係最需要藉大眾媒介來做好溝通的工作，圖書館如能善用大眾傳播媒介宣導圖書館的利用與功能，或傳播所舉行的各項活動，讓讀者來共同參與；而且與大眾媒介的公共關係，也一定要在平時與讀者保持聯繫，維持良好的關係，並主動提供有關資料，作為其發布消息的新聞素材，以廣收溝通之效用。當然與出版界一起舉辦新書發表會等公共關係活動，也非常重要。

（四）其他社教機構及圖書館：圖書館必須經常與其他社教機構保持聯繫，並相互支援，尤其在館際合作與圖書館資訊網方面，以構成全面性的資訊服務網，彌補各館藏之不足。

（五）工商界：圖書館雖屬於社會服務業，但總比不上解決環境污染或交通擁擠的社會問題來得迫切。所以，經費來源往往不敷所需，若能與工商界做好公共關係，以成立基金會方式或鼓勵捐款贊助圖書館興建，來促進國家文化建設。

（六）科技界：圖書館的發展已經和科技相統合，為推動

圖書館自動化，必須靠科技界的支援。

（七）公共關係顧問公司：在歐美先進國家，已有私人顧問公司，專責圖書館與外界的公共關係；台灣雖無圖書館公共關係的專門顧問公司，但是近年來，國內企業界所成立的顧問公司似可接受委託代理。

（八）學術界：現在是學術科際整合時代，圖書館也應與其他學科建立起良好的公共關係。

四、國際的公共關係

圖書館的公共關係對國家而言，猶如是國家的新聞局，負有與國際做好公共關係的重責大任。圖書館工作屬於國家建設中的重要一環；同時，我們也不能忽略了扮演國際文化交流的重要角色。尤其是代表國家圖書館的國立中央圖書館，更是責無旁貸。另外，國內圖書館學界也應經常選派專家學者，參加國際性學術研討會，並有計畫地邀請國際友人來華訪問，以促進學術交流，建立與國際學術機構的良好公共關係。

五、未來發展的方向

建立起良好的公共關係，對個人而言，創造了自已事業的高峰；而對一個機關團體來說，不但凝聚了內部團結力，更拓展了對外業務，贏得讚賞。民國五十八年，中國圖書館學會及國立中央圖書館恢復了中斷已有卅幾年之久的國際圖書館協會聯合會的正、副會員，這正是圖書館學界長期以來，做好公共關係的努力成果。瞻望未來，我國圖書館的公共關係，除了促進中文資料科學化管理及傳播，並協助與世界各圖書館間的合作事宜，以建立良好的國際公共關係外，在國內，更要配合政府的文化建設方案，來達成資訊服務資源共享的目標。最後，如何來促使國內「圖書館法」的早日誕生，更是圖書館公共關係的工作中，最主要的課題。

【圖書館學類】（附錄十五）

讓圖書館成為民眾大學

—1978年6月7日~13日以〈開啟知識的寶庫〉為題，連載於《現代日報》

壹、前言

驪歌初唱，又是考季來臨了，與青少年朋友最密切關係的莫過於圖書館了。不論是準備考試的朋友，爲了溫習功課，需要利用圖書館；或是不參加考試的朋友，在這夏季炎熱的時節裡，皆須好好利用圖書館，以充實自己。

也許，我們青少年朋友，都有過這樣的經驗；有時當捧著自己的考試用書，趕赴圖書館時，卻見人潮洶湧，求「一桌一椅」而不可得；有時當趁著休閒，想借一本書回家瀏覽，當踏入圖書館的那一時間，卻感到茫然，不知要如何來塡寫借書單，不知要如何查閱目錄卡，借一本書真的是這麼困難嗎？

更惱人的是，有時候甚至於找不到一本真正適合心意，而想借的書，真是令人洩氣萬分。之所以會有這些困難的發生，起因於我們青少年對於圖書館的真正功能，認識不夠而造成。假如我們青少年朋友對於圖書館所扮演的各種角色，能有粗淺概略的瞭解，必然能達到事半功倍的效果。

以下我們先從認識圖書館談起：

貳、認識圖書館

一、圖書館類型的認識

從外表所建築的硬體來看圖書館，幾乎每座建物都大同小異，但是從蒐藏圖書的館內軟體而言，卻有顯著的不同。一般來說，我國的圖書館可分爲下列六種類型：

（一）國家圖書館：國家圖書館是設立在中央政府所在地，國家圖書館是依法典藏本國圖書文獻，編制國家書目，並輔導全國圖書館事業，它隸屬於教育部，如國立中央圖書館及台灣分館。

（二）公共圖書館：各級政府機關應在各地普遍設置公共圖書館，並以所在地區爲民眾服務對象，結合地方文化資源與機構，推展地方文化教育事業，並辦理各項社會性、推廣性服務。省立圖書館隸屬於省政府教育廳，縣市立圖書館分別隸屬於縣市政府教育局科，而鄉鎮圖書館則隸屬於鄉鎮公所。如省級有台北市立圖書館，縣市級有嘉義縣市圖書館等。

（三）大專院校圖書館：大專院校應設立圖書館，並以本校師生爲主要服務對象，支援教學、研究並舉辦推廣活動。依大學法及大學法規等規程設置。如大學圖書館有國立台灣大學圖書館、私立輔仁大學圖書館；學院圖書館有國立高雄師範學院圖書館；專科圖書館有國立嘉義農專圖書館、私立大同商專圖書館等。

（四）國中小圖書館：中小學應設立圖書館，並以本校師生爲主要服務對象，支援教學，教師進修並輔導學生利用圖書館。依中小學規程辦理。如高中圖書館有省立嘉義中學圖書館、私立輔仁中學圖書館；國中圖書館有梅山圖書館、北政國中圖書館；小學圖書館有台北師專附屬小學圖書館。通常我們將六歲到十二歲的兒童所成立的圖書館，特別稱爲「兒童圖書館」。

（五）政府機關及專門圖書館：政府機關及專門圖書館均

以其所特定之人員爲主要服務對象，提供專門性圖書資料及服務。我國目前各機關團體蒐集圖書資料，提供業務及研究之參考者甚多，但是設有專人管理，備有專用房舍，而構成專門圖書館條件者則僅侷限於規模較大，業務較專門的機關團體。

包括有：機關議會、軍事單位、生產部門、研究機構、工商團體、金融事業及文教機構等單位。例如中央研究院史語所傅斯年圖書館收藏的地方戲曲、方志、宋元善本，爲研究歷史語言的最佳資源；故宮博物院圖書館收藏的文淵閣四庫全書、四庫薈要、宋元明舊刻及文獻檔案，更爲稀世之寶；孫逸仙博士圖書館收藏以中國現代史資料、黨史及總理總裁言行傳記爲主，爲一收藏豐富的黨政圖書館；中山科學院的科技資料、農發會的農業圖書資料，以及嘉義縣梅山鄉的能仁圖書館收藏佛書，皆顯示出專門圖書館的特色。

（六）私立圖書館。私人或民間團體經主管機關核准，可以設立財團法人圖書館，其服務對象及其內容，由其組織規程自訂之。近年來，我國私人及民間創設圖書館的風氣日漸普遍，如耕莘文教院圖書館、嘉義縣新港鄉奉天宮思齊圖書館、嘉義縣大埔鄉大埔社區圖書館、嘉義縣竹崎鄉真武廟圖書室等，皆以私立法人方式設立圖書館。

依現在國立中央圖書館正編印中的《圖書館年鑑》統計，截至去（七十五）年十二月的資料，我國國家圖書館現有國立中央圖書館及台灣省分館各一所，藏書約一百四十萬冊，公共圖書館有二一一所（含四三所分館及十三所閱覽室），藏書計五百零七萬一千九百七十八冊；大專院校圖書館有一一六所；中小學圖書館有高中（職）圖書館三六四所，藏書共計一千八百一十五萬六千零三十五冊；專門圖書館有四〇二所，藏書三百六十五萬七千一百三十冊；私人圖書館共計有九十所（含五所分館）。

二、圖書館環境的認識

我們在了解圖書館有哪些類型之後，而圖書館內部有設置什麼部門呢？

（一）辦公區，是圖書館行政人員處理公事的地點；

（二）諮詢服務台，給讀者提供事務諮詢的服務中心；

（三）書庫區，典藏圖書專用；

（四）閱報區，排列當天報紙，提供閱覽；

（五）舊報刊區，保存過期報紙；

（六）期刊區，陳列當期期刊雜誌，及裝訂成冊的過期雜誌；

（七）參考區，專門陳列參用工具書，如字典、百科全書；

（八）視聽室，存放視聽資料；

（九）各科研究式，蒐集各科專用書刊；

（十）史地研究室，懸掛有地圖、掛圖之類專用輿圖；

（十一）自修室，提供讀者可以自己閱覽書籍的場所；

（十二）休閒室，讓讀者看書疲倦時，可以在休閒室休息紓解筋骨、或抽菸、喝咖啡聊天等。

以上是圖書館內一般的配置。當然還有其他項目，例如諮詢服務、圖書出借、非書資料的使用指導、資料影印以及特別在夜間集中晚自習，及專科教師之課業輔導等項目。

三、圖書館規章的認識

圖書館訂定有各種規章，如借書辦法、閱覽規則、開放時間……等規定，還有提醒讀者注意公共秩序，愛護公物及保持

環境整潔。尤其是對青少年學生的要求，其目的在培養學生對於權利與義務的正確認識。學生有權利利用圖書館、借閱報章雜誌資料，可是也要盡若干義務，遵守圖書館規章，愛惜圖書館的設備與資料，每人限借冊數，借期限制，都是青少年朋友應遵守的義務。

四、圖書資料的認識

（一）依圖書的結構有封面、正文前的頁數（包括書名頁、版權頁、序言、目次）正文及附錄（包括腳注、參考資料）。

（二）非書資料包括有圖片、小冊子、地圖及視聽資料（含錄音帶、唱片、錄影帶、透明圖片、幻燈片、影片、投影片）。

（三）圖書的分類，依賴永祥先生的中國圖書分類法，共分九大類：（1）000-090是總類；（2）100-190是哲學類；（3）200-290是宗教類；（4）300-390是自然科學類；（5）400-490是應用科學類；（6）500-590是社會科學類；（7）600-790是史地類；（8）800-890是語文類；（9）900-990是美術類。這九大類是簡單的分類表大要，若是綱目表全部寫出，非本文所能容，所以在圖書館的顯明處，都會有分類表公告，我們青少年隨時可以做參考。

（四）書碼的組成，每本書由圖書館的分類編目專家編製書碼後，方便讀者借閱，排列典藏之用。而書碼組成主要是由分類號、著者號及薄冊號等三個號碼組成，將來讀者借書時，一定要將書碼填具在借書單裡，圖書館人員才能迅速爲您提供服務。

青少年學生，因爲身心發展漸趨成熟、理解、分析能力漸強，個別性別與特殊才能也逐漸顯現，對知識的探求學習，由綜合的認知趨向分析、深入，由單純的接受轉向質疑的自行探討。有時個人探索知識的求知極爲強烈，所以圖書館正可以提供給他們有益於身心的豐富資料，好讓他們探討自學，不但能拓展其知識的領域，更能紓解由其升學壓力所帶來的鬱悶，恢宏其心胸。

我們先介紹圖書館的類型、圖書館的環境、圖書館的規章以及圖書資料，讓青少年朋友有個基本認識，下回我們再從如何查閱目錄、如何尋找索引、如何查證參考工具書，來引導我們青少年朋友如何利用圖書館的方法，開啓知識的寶庫，讓我們青少年不會再入寶山而空手回的遺憾。更不能讓我們青少年浪費了政府這四十年來，在三民主義的文化建設聲中，辛苦爲我們青少年所提供最寶貴、最有價值的社會資源。

圖書館是「知識的寶庫，學術的銀行」，它蘊藏著豐富的學識源泉，等著我們去探尋、去發掘；只要有了開門之鑰，便能享有這無盡寶藏。這開門之鑰，就是利用圖書館的方法，它可使我們在學海無涯的浩瀚中，能探索宇宙的奧妙，去追求生命的永恆意義。

上述我們已談了對圖書館的認識。現在我們就從下列項目，談如何利用圖書館。

參、如何利用圖書館

一、閱覽期刊

舉凡按期繼續刊印之雜誌，如日刊、週刊、半週刊、三日刊、旬刊、月刊、半月刊、雙月刊、季刊、年刊、半年刊等，均稱爲期刊。圖書館將期刊擺置在閱覽室，提供讀者閱覽。報紙上的資料，往往都是最新發生的消息，每日報導的國內外新

聞，專題報導及副刊等，都能增長我們的見聞，擴大我們的知識領域。而雜誌的內容，更是包羅萬象，應有盡有，這些都是青少年求新知識，豐富人生的好伴侶。而且期刊最特殊的性質是，凡原始資料、新理論、新發現、研究之新心得均首先刊載於期刊，而後才見諸於書籍，其參考及學術價值甚高。

二、借出圖書

讀者向圖書館借書，是館內閱覽服務的延長，圖書館典藏的圖書，如果採開架式，讀者固然可以入書庫自由地翻閱瀏覽，但總不比在自己家裡閱讀，來得無拘無束，更何況目前我國圖書的管理，大多數採閉架式，讀者想看書的話，只有辦理借書了。如何才能查閱到自己想要看的書，那就必須懂得查目錄。目錄就是圖書館中所有書籍的總稱，或各書的記載。

以形式論，有卡片目錄與書本目錄之分；以內容論，有書名目錄、著者目錄與主題目錄之分；以排列法論，有字典式目錄與分類目錄之分。而目錄的編製過程是圖書館將徵集來的資料，按每件資料的內容，依照圖書館所採用編定的圖書分類系統，予以歸類；這些資料在各予歸類之後，隨著分類系統表所標記的類屬自然形成一種有組織的學科序列，因此我們對這種組織資料的工作，稱之爲圖書分類。

其次，資料儘管已經予以組織，但圖書館如何使這些資料能夠供讀者利用？組織資料的紀錄，不能僅是一種分類的紀錄，而且就算是編製分類紀錄，也需記載這件資料的名稱（即書名）、著者，並且進而記述本件的稽核事項（一冊書的面數、冊數、圖解、長寬等）；所以，圖書館就需要編製一張目錄卡。如果要讓讀者對一本書能夠從分類、著者、書名等各種角度去找到他需用的書，那麼，圖書館就要分別編製分類目錄、著書分錄和書名目錄，這種整理資料的工作，稱之爲編目。圖書的分類編目是圖書館學者重要的技術性服務工作，我們讀者只要懂得查閱目錄之後，對於要找自己想看的書，也就不難了。

另外，國內各圖書館也編製聯合目錄，讀者透過館際合作方式，也可以借閱道雖然本館爲蒐藏此書的方便。

三、使用非書資料

歷來圖書館對於圖書資料，爲了便於整理與利用，都將之分爲書類資料與非書資料。凡事以書本形式呈現，並以處理書本的法則而加以分類編目的，都是書類資料。此外，不以書本形式呈現，都是非書資料。非書資料又依其性質與製作方式之不同，而分爲印刷資料與非印刷資料。凡以印刷方式印出的資料，稱爲印刷資料，如叢刊、官書、小冊子、剪輯、圖片、地圖等；而利用現代傳播媒介製成的資料，是爲非印刷資料，又稱爲視聽資料，如縮影資料、錄音資料（唱片、錄音帶）、放映性資料（透明圖片、幻燈單片、幻燈捲片、電影片、錄影帶）。

（一）印刷資料

（1）叢刊：指陸續分次印行的出版品，它通常有一定的出版間隔時間，而且也都有意無限期地繼續印行。它包括有期刊、年報、回憶錄、會議錄，以及社團的活動紀錄。叢刊的種類很多，每一件都要登錄入卡，以便檢字，然後依其性質，分類保管，以便利用。

（2）官書：官中發行的政治法律諸書。現在因爲政府的行政事務已深入民間，與人民的生活息息相關，不僅要適時闡明政策，推行政令，更要兼顧到社會福利，指導人民如何改善

生活，因而現代官書，係泛指一切由政府開支印刷的各種資料。我國中央及地方政府出版的公報、法令計畫、報告、統計等，皆稱爲官書。

官書的典藏性質特殊，不同於一般書籍，雖然也是印刷資料，但常常出之於不同的裝訂方式，其形態自書本至單頁圖表都有，所以圖書館典藏官書，則另闢書架，或叫闢地區，與普通書籍分開存置；另一種典藏方式是認爲官書也是供讀者利用研究的資料，而在某些政治社會的專題研究上，更需要和一般論著參證查考，爲便利讀者，所以官書也和普通書籍合併保存。目前我國由於各級政府出版品不多，各級圖書館多採合併保存方式處理。

（3）小冊子：凡不滿五十頁之書刊，零星出版之印刷品，皆稱爲小冊子。小冊子出版期限不定，任何機構社團都可以視本身的需要與興趣之所在，隨時出版各種小冊子。所以圖書館通常參酌圖書分類法則，編訂類目，並書寫在左上角。每一類目設置一個以上的立式木盒，盒沿貼有類目標籤。類目編定的小冊子，都依類順序放入木盒，存置於特闢的書架或其他地區，以備隨時可以檢取利用。

（4）圖片與剪輯：圖片是以圖書照片來報導或說明事實或動態；它的主旨在於以實際的形象給人以具體的概念，而不必完全依賴文字來闡釋它所含的意義，因之在知識的傳播上，具有一些特殊的價值。剪輯則是圖書館依據資料蒐集政策，社區的需要以及讀者的需要，自報紙雜誌剪下有關於某些特定的問題的文字報導或論述。由於圖片與剪輯的篇幅大小不一，而且是零星蒐集，易於散失，圖書館大都採用立式案卷來處理。各宗立式案卷的各件資料，皆依蒐集日期的先後，在正面的下沿，或背面編號，順序存入案捲。每宗案捲之前列一目錄表，再逐一記下各件資料名號，讀者可資查考案卷內容。

（5）地圖：依據某種投影法及比例尺，表明地球表面的全部或一部分的面積及相關位置的圖片。圖書館中列爲特殊資料的地圖，是單幅的地圖，至於裝訂成冊的地圖集，則作爲書籍處理。地圖可分自然地圖、商業地圖及政治地圖三種，由於各種地圖有大小幅之分，大幅地圖都是卷軸式，可集中存置於特定處所；小幅地圖多半是單頁式，或單頁折疊式，一張一張的平放在特定的地圖抽屜內。

（二）非印刷書料

（1）縮影資料：指印刷品、文件或其他物件的攝製在膠片上的複製品，經過高度縮小，以便於傳佈與儲存，且能重新放大。可分爲縮影捲片、縮影卡片及縮影單片等。所有的各型縮影資料，都在印製時就已在各件的特定位置，印有書名、作者及出版等項，以及通用的分類號碼，乃至索引代字、序列編號等。文件資料經處理爲縮影資料後，字跡纖細。必須要有閱讀機才能讀。爲迎向資訊化的社會，國內圖書館正引進利用光碟機和光碟片來儲存更大批的資料，這項圖書館與科技的結合，比經電腦越洋連線電信資料來得進步，未來必能爲讀者提供更迅速、更方便、更經濟的資訊服務。

（2）錄音資料：凡是將原始聲音紀錄下來，供人透過聽覺去學習、了解、比較與研究的資料，都稱爲錄音資料。圖書館主要蒐藏有唱片和錄音帶。目前國內典藏方式，都採帳簿式，將唱片和錄音帶分爲兩類，各依資料道館的先後，分別依序逐件登錄，再依正常編目作業。

（3）放映性資料：凡是利用光學器材，將資料的影像擴

大放映到螢幕上，供多數人同時利用視覺，或利用視覺與聽覺去閱讀和學習，均稱爲放映性資料。可分爲透明圖片、幻燈片和電影及最近熱門的錄影帶。放映性資料的登錄方式與錄音資料處理完全相同，圖書館爲了促進方便使用，皆編製有卡片式目錄及書本是目錄，以利讀者檢索。

四、參考工具書

青少年由於課業繁重，受升學壓力的影響，平時看課外讀物的時間較少。其實只要每次利用到圖書館的機會，稍微留意參考部門的提供服務，對於自己的「自學」「治學」都會有很大的幫助。一般人對參考書，容易被誤認爲是「國中社會總複習」、「升大學歷史總複習」之類以教科書爲範圍的參考書。在圖書館學中所指參考書的意涵，是指蒐集若干事實或議論，依某種方法排比編纂，以方便於檢索爲目的的圖書。此類圖書蒐集資料的範圍很廣，作爲解答讀者疑難問題之用。讀者依它編排體例，就可以很迅速地查尋到自己需要的資料。

主要分爲一種可以直接提供答案的，例如字典、辭典、百科全書、年鑑及年表等；另一種是不直接提供答案，卻能明示答案出處的，例如書目、索引及摘要等。說明如下：

（一）書目：以書爲目，是關於書籍或各種著作品之表目，供檢索圖書內容用，可分爲圖書目錄及非書資料目錄，例如「研究中國古典詩的重要書目」、「中國郵票目錄」等。

（二）索引：把圖書及非書字料中包括的人、地、物等名及概念名稱，提做款目，再將各款目按一定的方法，如筆畫、字順、四角號碼等排檢法，有系統地排列組成。各款目並且註明其頁數、段落或其他符號，以明其出處，這種有系統的表，稱爲索引，或稱爲引得。可分爲索引的索引、期刊索引、報紙索引、書籍索引及文集索引等五種。

（三）摘要：指對某種文獻，做一簡潔而正確地說明，不加任何評論或注釋，使閱者僅閱讀簡短的內容，即可充分得知原著的大意。例如「教育論文摘要」、「鳳梨文獻摘要」等。

（四）字典、辭典：專以解釋文字之形體、聲音、意義及其用法的書，稱爲字典；解釋二字以上之詞者，則稱爲辭典。可分爲普通字典及辭典、特殊字典及辭典、語文字典及辭典等四種。

（五）類書、百科全書：類書是把很多古籍中的原文，包括詩賦文章、麗詞駢語或其他資料，加以摘錄和匯集，再依其內容，予以分類，或按韻排比，爲讀者提供古代的事物、典故的參考工具。可分爲檢查事物掌故事實的類書、檢查事物起源的類書、檢查文章詞藻的類書籍檢查典章制度的類書。而百科全書是指廣泛蒐集各學科或某一學科或主題之重要學說、資料，用簡明文可載述，依特定方法排列，以便檢索之參考工具書。

類書與百科全書性質相當，類書在我國已有悠久的歷史，但百科全書的編印，則是民國以來的事，雖然皆以「百科全書」爲名，但與西洋式的百科全書略有不同，可分爲普通百科全書和專科百科全書。

（六）傳記參考資料：人、地、時、物爲歷史演進的要件，其中又以「人物」最爲重要，所以是圖書館參考工作的重心，也是圖書參考資料的主力。可分爲一般傳記資料，以古今中外的著名人物傳記爲主；追溯性傳記資料，以僅限於業已故去的名人傳記爲主；現時性傳記資料，收錄以當代名人傳記爲範圍。

（七）地理參考資料：地理資料是所有參考書中最不穩定、最複雜的一種資料，與政治、經濟、社會、歷史、文學等各種學科皆有密切關聯。地理參考工具書，如地名辭典、地名索引、地圖、沿革表、旅遊指南等，爲查尋地理資料的專門工具書；地理總志、正史地誌、方志等記載地理資料也極爲豐富，查尋雖不如工具書便捷，惟仍是重要之地理參考文獻。至於各類型普通工具書，如書目、索引、辭典、類書、年鑑中亦涵蓋地理資料，可做爲補助檢索之用。

（八）年鑑、年表：年鑑是匯集一年間各種大事及統計之屬，以便觀覽之書也。分世界年鑑、中國年鑑、區域年鑑及專題年鑑等四種。另國外出版的百科全書通常編有年鑑的出版，並且逐年補編，以保持資料的更新，並供日後修訂增補之用。至於年表是指列表以年爲次，分隸史事於各年下，謂之年表。可略分爲史日對照表，大事年表兩種。

（九）其他：除上列各類參考書外，另如曆證、曆法、統計資料、名錄（指南）、手冊（便覽）及法規等皆屬於圖書館參考工具書的範圍，因限範圍，只能做簡單介紹，無法一一舉例說明。對於查閱參考工具書的要領，簡單說來，重要的檢查法有部首查驗、注音符號檢查、四角號碼檢查、專有名詞檢查，及外語典字檢查等，讓讀者在初期使用時，也許會有生疏之感，多用心查閱幾次後，也就能迎刃而解。

肆、結語

現代圖書館的管理，不若往昔的，圖書館爲求充分服務讀者，所以也經常舉辦有展覽、演講、電影會、音樂會以及巡迴車服務等多項推廣性活動。青少年均可選擇適合自己參加的活動，利用機會多學習多研究，充分享用圖書館的資源。

總而言之，在人一生的成長過程中，青少年時期最重要的階段，在心理、生理上都必須保持平衡與正常發展，圖書館應如何與青少年之間互相配合，以發揮社會教育功能，使之成爲青少年心目中的「社會大學」、「民眾大學」，應該是今後努力的方向。

【抒懷詩選類】（附錄十六）

抒懷詩選1

我從妳的送別裡來，
彷彿掉落在一個別的世界—
折翼的鳥倒懸在樹上，
夜裡的嬋娟往雲堆裡躲，
路上的行人也沒有助人普渡的臉，
我怎能堪住這景象—我的愛。

1975.12.18在湖口

【抒懷詩選類】（附錄十七）

抒懷詩選2

我們曾一起佇立那高崗上，
看著流水的滾滾，直到海的盡頭；
我們許下的諾言：
「有一天，我們將揚帆而去」
從海的這一端到那一端，
從山的這一頭到那一頭，
我們的愛如—
海的胸襟，
山的無盡。

1975.12.19在湖口

【抒懷詩選類】（附錄十八）

抒懷詩選3

是誰絆住了我前進的路，
是誰給了我投入這一個噩夢，
又是誰給了我挑起心中的怒氣。

是誰要我停止哭泣，
是誰不再叫我起嘆息，
又是誰拆散了我們這一場的好戲。

1975.12.21在湖口

【抒懷詩選類】（附錄十九）

抒懷詩選4

我猛然從椅子上站起，
時光已是逝然而過；
舊的歲月去了，
新的夢猶否再來？
我的眼神投向遠方，
—是迷然一片—
我搔一搔頭，白髮已是滿首。
時光留不住，
愛卻永常駐。

1975.12.25在湖口

【抒懷詩選類】（附錄二十）

抒懷詩選5

我愛短短的小詩，
猶如喜歡聽細細的慰語，
短短小詩—
道破了我心底的秘密；
細細慰語—
溫暖了我全身的血液。

1975.12.26在湖口

【抒懷詩選類】（附錄二十一）

抒懷詩選6

唱一首歌，
把苦悶趕出；
唸一首詩，
把精神抖抖。
生命的歌要自己唱，
生活的詩要自己編。

1975.12.28在湖口

【抒懷詩選類】（附錄二十二）

抒懷詩選7

南方的稻田已飄來芳香，
該回去了吧！該回去了吧！
故鄉的戀人也已把禮堂佈置完畢。
該回去了吧！該回去了吧！
在外的遊子啊！
可不要忘了、、、
可不要忘了、、、
你的歸處，
你的歸處。

1975.12.28在湖口

【抒懷詩選類】（附錄二十三）

抒懷詩選8

生命的哀歌已譜成，
我猶如仲夏的午時，
悶熱而死靜，
禿筆不再搖晃。

我喜愛在快樂的時候—
寫詩；

我喜愛在痛苦的時候—
沉思。

1976.01.19在湖口

1945~1949吳新榮的文學創作[1]

壹、前言

文先，我要特別指出，吳新榮在1942年3月27日當愛妻毛雪芬女士，31歲時因流產回娘家休養，竟在令人措手不及的情況下，遽然過世。這對身爲丈夫又是醫生的吳新榮而言，真是情何以堪！吳新榮在極度悲傷的心境下，從愛妻逝世的那天起，至4月27日的整整一個月，吳新榮逐日用日文寫下他的內心悲痛與起伏，遂以〈亡妻記（一）—逝去的青春日記〉發表於當年7月份出版的《台灣文學》，緊接著10月份的下一期又發表〈亡妻記（二）—在世之日的回憶〉。[2]這兩篇悼念妻子逝世的作品，不但從此奠定了吳新榮在鹽分地帶和台灣文學史上的地位，更值得我們關注的是，該篇散文也爲台灣人的尋常家庭生活重新詮釋，亦充分凸顯臺灣社會在男女性別議題上所代表的重要意涵。

在上一個世紀裡，只有4年的時間是台灣與中國大陸實際的兩岸統一，亦即本文所指戰後初期的1945年8月15日日本宣布無條件投降起，至1949年12月中華民國中央政府撤退到台灣爲止。在這難逢兩岸短暫統一的歷史階段，對於原受到日本殖民主義「皇民化」統治的台灣人而言，是如何面對陳儀政府強

[1] 本文原名〈戰後台灣初期治安與文學關係之探討—以1945~1949吳新榮為例〉，發表於2015年11月17日中央警察大學通識教育中心舉辦的「警察與通識教育學術研討會」，感謝評論人中央警察大學兼任教授、南港輪胎股份公司董事長江慶興博士的指正。

[2] 吳新榮，《吳新榮選集1》，（台南：台南縣文化局，1997年3月），頁233-297。

調要加速「去奴化」的「中國化」整編？而台灣社會在遭受此兩大文化霸權的重大衝撞時，其所受到的多層面影響，特別是發生在政權轉移、文化差異，乃至於國族認同上所導致治安的議題。因此，有些學者將此一階段的相關議題稱之爲「再殖民」。[3]乃至於將中華民國稱之爲「遷占者國家」（settler state）。[4]

由於戰後初期的是否被稱之爲「再殖民」或「遷占者國家」，不是本文探討的主題。本文採取的乃是後殖民主義理論所聚焦的「流動認同」觀點，從部分人因爲亡國、流亡或離鄉等因素，而對文化混雜現象別有觀察與體驗，進而導致多重認同現象，且不乏呈現衝突與對立情形。[5]特別是薩依德（E.W. Said）所指出，「常動水流」（cluster of flowing currents）意象的來比喻，其身分認同是多元而流動不居的困擾，並在於表露已能超越因多重流動認同所帶來的喜悅自適。[6]

承上所論，本文將以吳新榮爲對象，探討他在戰後台灣

---

[3] 陳芳明對於這時期更以「再殖民」稱之。參閱：陳芳明，《台灣新文學史》（上），（台北：聯經，2011年10月），頁215。

[4] 所謂「遷占者國家」，根據羅納・韋哲（Ronald Weitzer）的見解，是指在一個從外部遷入的移民者集團（settler group）被賦予一種比本土集團（native group）地位更優越的社會中，移居者集團自律性地維持一個不論法律或事實（de jure or facto）上都與出身母國互不相隸屬的國家。參閱：若林正丈，洪郁如 等譯，《戰後台灣政治史—中華民國台灣化的歷程》，（台北：台大出版中心，2014年3月），頁101。

[5] 黃美娥，《重層現代性鏡像：日治時代台灣傳統文人的文化視域與文學想像》，（台北：麥田，2009年3月），頁344。

[6] 參閱：薩依德（E.W. Said），彭淮棟 譯，《鄉關何處：薩依德回憶錄》，（台北：立緒文化，2000年10月），頁405。

初期的1945年8月至1949年12月期間，當他身處在日本帝國與中華民國這兩個統治政權的權力轉移過程中，其所面臨政權移轉、文化差異和國族認同的議題，其所突顯治安因素與文學創作之間的複雜關係。例如吳新榮1938年1月3日的日記，「今日起用日文寫日記甚覺不順。回顧十多年來，日本國的膨脹，意味著日本語的氾濫。」[7]那麼，在此之前他用並非最熟悉的漢文來寫日記，顯然是刻意，這不僅凸顯政權轉移、文化差異，更代表著他對國族認同意識的掙扎。

以下，本文除了前言和結論外，將分從台灣地方自治與吳新榮擔任台南縣參議員，台灣二二八事件與吳新榮第二次牢獄之災，以及鹽分地帶文學發展與吳新榮角色等三個部份，加以論述。

貳、台灣地方自治與台南縣參議員

回溯1944年4月國民政府（下簡稱國府）在中央設計局設立「台灣調查委員會」，派陳儀爲主任委員，委員包括錢宗起、夏濤聲、沈仲九、周一鶚、謝南光、游彌堅、黃朝琴、丘念台、李友邦、王泉笙等人，其主要工作爲：一、草擬接管計畫、確立具體綱領；二、翻譯台灣法令，藉爲改革根據；三、研究具體問題，俾獲合理解決。嗣後並在〈台灣省接管計劃綱要〉中，規定「預備實施憲政，建立民權基礎」、「接管後，應積極推行地方自治」。[8]

[7] 吳新榮，《吳新榮選集2》，（台南：台南縣文化局，1997年3月），頁141。

[8] 參閱：台灣省行政長官公署民政處 編，《台北民政》，（台北：台灣省行政長官公署民政處，1946年），第一輯頁8；李汝和 主編，〈卷十光復志〉，《台灣省通志》，（台北：台灣省文獻會，

1945年8月15日日本宣布無條件投降，台灣光復，根據當時從事外交工作的黃朝琴、上海經商的楊肇嘉等台灣人的回憶錄記述，台灣同胞無不興高采烈。[9]然而，隨著政權的轉移，國府的接收工作遲遲未能順利進行，這與當時台灣人民對於光復之寄予厚望產生落差。因此，民眾情緒益形不安，各地漸漸有暴動發生，最初由一些私怨的台灣人圍打日本警察的台灣人，說他們是日本走狗，因而一般台灣人也很同情，甚至參加暴動。[10]

然而，當時政府依據《台灣省行政長官公署組織條例》，台灣雖不依行與大陸各地同樣的省制，而採取由中央政府任命行政長官，直接掌握政府的行政、立法、司法等大權。由於當時中國國民黨（下簡稱國民黨）負責台灣黨務工作的組織尚未建置完成，黨的權力運作還是委由行政長官，維持類似日治時期總督府的統治模式來推動。

檢視當時治安情勢，台灣光復的隔日，吳新榮由防空洞拿出一面「神位」來，放在日本人強制的「神棚」上，齋身沐浴之後，焚香點燃向祖宗在天之靈報告，說日本已經投降，祖國得到最後勝利，台灣將要光復！」[11]。9月8日更在日記中寫下〈歡迎祖國軍來〉的詩句。[12]吳新榮開始在佳里、北門一

1970年），頁11。

[9] 參閱：台灣省諮議會，《黃朝琴先生史料彙編》，（南投：台灣省諮議會，2001年12月），頁29-31。

[10] 吳新榮，《吳新榮選集3—震瀛回憶錄》，（台南：台南縣文化局，1997年3月），頁156。

[11] 吳新榮，《吳新榮選集3—震瀛回憶錄》，（台南：台南縣文化局，1997年3月），頁154。

[12] 〈歡迎祖國軍來〉的內容是這樣寫的「旗風滿城飛，鼓聲響山村。

帶，召集青年組織「里門青年同志會」，並與台北陳逸松組織的「台灣政治同盟」、台南的「新青年會」或是「還中會」相互聯繫。吳新榮成立的「里門青年同志會」，配合陳逸松主導的「三民主義青年團」，並吸納所謂「新青年會」或是「還中會」的主要分子，籌組各地的分團。[13]

由於最初台南地區分團所選出背景偏向右派「台灣民眾黨」的韓白水（石泉），與偏向左派「工會」的莊小封（孟侯），他們彼此之間就埋下了權力的衝突。所以，韓白水的參與意願顯得不高，吳新榮遂轉與莊小封規劃台南地區爲：台南、曾南、曾北、嘉義、虎尾五個分團，吳新榮所負責地區自此掛起「三民主義青年團中央直屬台灣區團曾北分團籌備處」的招牌。[14]

然而，在該組織尚未成立前，佳里地區卻已紛紛傳出暴力行動，民眾也對警察進行襲擊，並且藉機打傷惡質巡佐，以發洩心中不滿。吳新榮除了一面勸導之外，一面繼續爲組織三青團奔走。9月30日召集30位鄉鎮代表，於佳里公會堂舉行「三民主義青年團籌備委員大會」，這是佳里地區戰後第一次地

我祖國軍來，你來何遲遲。五十年來暗天地，今日始見青天，今日始見白日。大眾歡聲高，民族氣概豪。我祖國軍來，你來何堂堂。五十年來為奴隸，今日始得自由，今日始得解放。自恃黃帝孫，又矜明朝節。我祖國軍來，你來何烈烈。五十年來破衣冠 今日始能拜祖，今日始能歸族。」參閱：施懿琳，《吳新榮傳》，（南投：台灣省文獻會，1999年6月），頁122。

[13] 當時國內（中央）一貫作風就是「黨外無黨，團外無團」。國民黨來台後的黨團合併，黨中央改為貫徹「黨外無黨，黨內無派」的主張。

[14] 吳新榮，《吳新榮選集3—震瀛回憶錄》，（台南：台南縣文化局，1997年3月），頁160。

方性集會，也是吳新榮所召開的首次大型活動。[15]在這次大會中還動員數十名「忠義社」社員來維持會場秩序。這個「忠義社」本是一個武衛團體，其組成份子大多數日治時期在地方上比較不務正業的「友存」（無賴、流氓）。吳新榮為了勸使他們對社會有正面的貢獻，不受他人利用，因此努力地激發他們的正義感來守衛鄉土。[16]

到了10月初「三民主義青年團中央直屬台灣區團台南分團北門區隊聯合辦事處」成立，吳新榮擔任「辦事處主任」，內置總務股、組訓股、宣社股、婦女股，各社股長。接著各鄉鎮的區隊陸續成立，除了佳里區由吳新榮自兼隊長、郭水潭任副隊長之外，西港區、將軍區、北門區、學甲區、七股區等區的隊長、副隊長幾乎網羅了該地的最精英份子。吳新榮更將「忠義社」改為「糾察隊」，作為青年團的附屬機構，並以民主方式選出隊長，共同為地方奉獻心力。[17]

同月25日台灣省行政長官陳儀，代表中國戰區最高統帥蔣委員長，在台北市公會堂（今中山堂）二樓（今光復廳）主持受降典禮，日方由台灣總督安藤利吉代表全體日人投降，美軍也派代表到場。台灣人民並從這一天起恢復中華民國國籍，也同時被賦予了「省籍」。[18]這時候的吳新榮便以「三民主義青

[15] 施懿琳，《吳新榮傳）》，（南投：台灣省文獻會，1999年6月），頁124。

[16] 吳新榮，《吳新榮選集3—震瀛回憶錄》，（台南：台南縣文化局，1997年3月），頁161。

[17] 施懿琳，《吳新榮傳）》，（南投：台灣省文獻會，1999年6月），頁124-125。

[18] 依據1931年制訂的《戶籍法》規定，「籍貫」是一種顯示個人與其男性祖先所來自的特定省、縣之間的關聯之分類觀念，戰後本省

年團」代表的身分積極走訪青年團組織，並接受台南州接管委員會自治宣傳員蔡清塗的委託，協助地方接收事宜。

然而，隨著國民黨地方組織的大致成立，黨部人員擔心各地自治會的被青年團控制，遂不待原先籌畫已成立自治會的組織與運作機制，竟自行展開接收工作，導致原本存在以韓石泉爲代表黨的權力，和以莊小封爲代表團的權力，彼此兩股勢力之間的矛盾與衝突越來越深，屆時的吳新榮雖然開始對新政府的一些做法感到失望，但仍然積極參與各項活動。[19]

1946年3月10日吳新榮參與籌組「台南縣醫師公會」，被選爲常務理事；24日更在第一屆佳里鎮民代表會議中，當選台南縣參議員。[20]緊接著4月17日吳新榮出席國民黨北門區黨部成立大會，並且被推爲書記一職之後，激勵他更熱心從事於政治性工作。可是在接下來地方自治的佳里鎮長選舉中卻不幸落敗，吳新榮深深感受到這次遭遇的挫折，讓他體驗了單純強調

人與外省人的稱呼由此而起。換言之，所謂的「籍貫」並不一定是個人的出生地，也不一定是指父親的出生地。但是「籍貫」這一概念，直到1992年《戶籍法》的修訂以前，卻關係到國家考試的法定名額，以及中央民意代表分配的法定人數。

[19] 施懿琳，《吳新榮傳）》，（南投：台灣省文獻會，1999年6月），頁126。

[20] 台灣從1946年3、4月間選出縣市參議員（及其遞補者）；1946年4月15日選出省參議員（及其遞補者）；1946年8月選出台灣地區國民參政員；1946年10月底選出制憲國民大會台灣省代表；1947年底選出行憲國民大會台灣省代表；1948年初選舉產生的台省監察委員；1948年1月下旬選舉產生的台省立法委員，以上七種職稱的民意代表，可以分為三個等級，即縣市、省，即中央三級的民意代表機構，代表民意行使職權。李筱峯，《台灣戰後初期的民意代表》，（台北：自立晚報，1986年2月），頁2。

「人格」已不能壓倒「權力」的爭奪，因而萌生退出政治圈的想專注於社會文化和啓蒙運動。所以，在這一年的夏天，吳新榮應「台灣省文化協進會」[21]之聘，參加文學委員會，再度發表文章。同時，他又重新關注自己醫療本業，參加「全省衛生建設聯席會議」，冀望恢復他早年立志扮演「醫生、作家、文化人」的角色。[22]

當時的「台灣文化協進會」，是1945年11月18日由游彌堅、陳紹馨、林呈祿、黃啓瑞、林獻堂、林茂生、楊雲萍、陳逸松、蘇新、李萬居等人發起成立，是戰後台灣初期重要的文藝團體，並發行《台灣文化》雜誌。因此，該協會的主要工作，是政府希望能夠透過一個民間組織，來促使「中國化」的政策能加速推展到廣大的知識份子之中。該組織除了發行《台灣文化》的刊物之外，還不定期舉辦文化講座、座談會、音樂會、展覽會與國語推行。然而，反諷的是台籍知識份子卻利用《台灣文化》發表迂迴的批判性文章，對陳儀政府推動的「中國化」政策進行杯葛。

換言之，《台灣文化》的刊行還有另一任務，就是要促成台籍作家與外省作家的合作，來溝通大陸與台灣之間語言和文化的隔閡，建設民主的台灣新文化和科學的新台灣。但在此刊物發表文章的大陸籍作家中幾乎帶有另外一項特色，便是具有傾向左翼思想的色彩；而且部分作家對於魯迅思想的傳播也致

---

[21] 台灣文化協進會是於1945年11月18日，由游彌堅、陳紹馨、林呈祿、黃啟瑞、林獻堂、林茂生、楊雲萍、陳逸松、蘇新、李萬居等人發起成立，是戰後初期台灣重要的文藝團體，並發行《台灣文化》雜誌。

[22] 施懿琳，《吳新榮傳）》，（南投：台灣省文獻會，1999年6月），頁128-130。

力甚深，導致《台灣文化》的刊行，雖具代表台灣抗日傳統與中國五四精神嘗試結盟的重要契機，卻由於治安環境因素的不容許，這種結盟只存在短暫的5個月，便因「二二八事件」的爆發而宣告解散。

這時刻的吳新榮正如上述，他正面臨政壇上失意的沮喪氛圍，但加入「台灣省文化協進會」的所屬文學委員會，卻有助於他克服語文書寫的文化差異，而成就了他在文學創作的盛產期。

參、二二八事件與第二次牢獄之災

戰後台灣初期的復員工作，陳儀政府接收過程所出現貪腐及權力的分配不公，確實讓台灣人感到極度失望。吳濁流目睹當時許多接收官員是「剃刀」（理髮師）、「菜刀」（廚師）、「剪刀」（裁縫師）的所謂「三刀」份子也混雜其間。其中也有部分不肖官員拼命想「發國難財」，要的是：第一金子、第二房子、第三女子、第四車子、第五面子的金、房、女、車接收下來，保存面子來快樂地生活。吳濁流甚至於痛責要台灣的公務員和各級民意代表應該到南京中山陵去請向國父孫中山悔過，如果他們還是滿口三民主義而壞事做盡，就算老百姓緘口忍受，國父在天之靈還是不會原諒他們。[23]

另外，吳三連也針對台灣發生「二二八事件」之前的社會情況指出，1946年他從天津返回台灣的所到之處，耳朵所聽到的都是對接收人員舉措不滿，真是令人無比失望。剛剛才爲光復而歡欣鼓舞的同胞，貪污的敗行無異醍醐灌頂。所以，在吳

[23] 參閱：吳濁流，《無花果》，（台北：草根出版社，1995年7月），頁151-152。

三連在返回天津之後，他告訴同鄉，台灣的情形好比一個火藥庫，只要一根火柴，全台就會引爆。果不其然，過了沒多久，悲慘的「二二八事件」就發生了。[24]

儘管1947年1月1日中華民國開始實施憲法，就已將「國民政府」改稱「中華民國政府」，或俗稱「國民黨政府」。然而，檢視戰後台灣共產黨（台共）的組織系統，亦已由日共、中共等之多線領導而變為中共的單線領導。他們利用政府初接收台灣，政治社會尚未納入正軌的機會，大肆活躍。台共一方面策動其外圍組織，成立謝雪紅系統下的「台灣人民協會」，一方面更獲得中共的支助與策動，加強其對於台省黨政各部門的滲透；特別是針對當時三民主義青年團，和文教機關的發展組織工作，並且也很快地滲透了台省各重要的民眾團體，以及一部分的新聞與出版事業。[25]

換言之，中共在台灣計畫性的發展組織工作，歷經1945年8月中共中央派蔡孝乾為「台灣省工作委員會」（簡稱台工委）書記，張志忠任委員兼武工部長；1946年1月謝雪紅、楊克煌等成立「中國共產黨台灣省委員會籌備會」，4月張志忠、7月蔡孝乾等先後潛回台灣；1947年11月謝雪紅與蘇新等人在香港成立「台灣民主自治同盟」，以及到了1950年底的

---

[24] 1946年吳三連的這次返台之前，家眷已先行返台，參閱：台灣省諮議會，《吳三連先生史料彙編》，（南投：台灣省諮議會，2001年12月），頁8；吳三連口述，吳豐山 撰記，《吳三連回憶錄》，（台北：自立報系，1991年），頁107-108。

[25] 郭乾輝指出，在1945年中共由延安指派舊台共中央派蔡孝乾返台，開展工作，並由中共華南局調派幹部林英傑、洪幼樵、張志忠等三人來台協助，工作逐漸開展。郭乾輝，《台共叛亂史》，（台北：中國國民黨中央委員會第六組，1954年4月），頁44-57、72。

「重整後台共省委」等共產黨組織，即已在台灣進行一連串的破壞治安行動。亦如藍博洲所指出，抗日戰爭結束，日本殖民地台灣回歸中國以後，中共在台灣的地下黨的組織、活動與潰敗，恰恰是從張志忠抵達台灣而展開。[26]

有關「二二八事件」的發生與經過，根據《台灣新生報》3月1日報導，警備總司令部頃爲安定人心，維持治安，特發表公報一份，茲將其內容照錄于後：「查2月27日晚上本市延平南路因專賣局查緝私菸，槍傷人民所引起之糾紛事件，除由省署妥善處理外，本部爲維持治安，保護善良起見，業已佈告自2月28日起，于台北市區宣佈臨時戒嚴，禁止聚眾集合。如有不法之徒，企圖暴動擾亂治安者，定予嚴懲，望我軍民人等，務須各安其業，幸勿聽信煽惑，自蹈法網。」接著3月2日報導，警備總司令部昨（一日）八時發表公報如下：台北區自3月1日午後12時起解除戒嚴，但集會遊行仍暫禁止。[27]

換言之，台灣因警察查緝私菸，不幸爆發「二二八事件」，當時以台灣人爲主，其所召集組成「二二八事件處理委員會」的提出〈處理大綱〉，政府即認爲該委員會所提內容諸如：取消台灣警備司令部；武裝部隊暫時解除武裝，繳械武器由該會及憲兵隊共同保管；地方治安由憲兵與非武裝之警察及民眾組織共同負擔；警務處長及各縣市警察局長應由本省人擔任；本省陸海空軍應儘量採用本省人，此等要求皆已踰越地方自治的權限，中央自不能承認，而且又有襲擊機關等不法行動

[26] 藍博洲，《台共黨人的悲歌—張志忠、季澐與楊揚》，（台北：台灣人民出版社，2012年7月），頁16、396-415。

[27] 《台灣新生報》，（1947年3月1、2日），收錄：《衝越驚濤的年代》，（台北：台灣新生報，1990年10月），頁59-60。

相繼發生，故中央已決派軍隊赴台，維持當地治安。[28]

3月8日深夜，奉命來台的整編第二十一師主力在基隆上岸，台灣警備總司令部佈告，台北市3月9日6時戒嚴。其後一個星期的血腥暴力鎮壓，濫捕濫殺，有不少台籍菁英份子和基層百姓，在這段治安混亂期間喪命，乃至中部地區組成了所謂對抗政府的「二七部隊」。[29]根據吳新榮日記指出，3月13日清晨當他起床，看見窗外有一警員，被四五位武裝人員強押來見他，要他交出武器庫的鑰匙；鑰匙本不屬吳新榮掌管，但他仍被壓解到警察所。後來這批武裝部隊便自行打破武器庫，搬走槍械，向人民灑下傳單後始離去。吳新榮後來才知道，這群主張打倒陳儀政權、肅清貪官污吏的人民武裝部隊，也前去麻豆、鹽水、新營、朴子、北港等地繼續劫掠槍械。[30]

3月17日戒嚴擴及台灣全省，中午政府派遣來台的國防部長白崇禧，包括蔣經國等一行人抵達台北松山機場，晚間10時並發電南京，以在台之整編第二十一師、憲兵、要塞守兵已足用，請免調第二〇五師來台。[31]同日國防部發布〈宣字第一號

---

[28] 陳添壽，《台灣治安史研究—警察與政經體制關係的演變》，（台北：2012年8月），頁306-307。

[29] 有關「二七部隊」從3月6日成立，一直到3月16日在埔里解散，其經過與發展，參閱：陳芳明，《謝雪紅評傳》【全新增訂版】，（台北：麥田，2009年3月），頁246-256。

[30] 施懿琳，《吳新榮傳）》，（南投：台灣省文獻會，1999年6月），頁135。

[31] 隨行者有：國防部陸軍總部副參謀長冷欣中將、史料局長吳石中將、法規司何孝元司長、台灣省黨部李翼中主委、三青團中央幹事會蔣經國處長、台灣行政長官公署葛敬恩秘書長、國防部部員陳嵐峰少將（宜蘭人）、部長侍從秘書楊受瓊少將等。白先勇、廖彥博指出，蔣經國的任務，似乎和白部長一行不盡相同。

布告〉，要點有四項：第一，台灣地方政治制度的調整，包括改台灣省行政長官公署制度爲省政府制度；台灣各縣市長提前民選。第二，台灣地方人事的調整，包括台灣警備總司令以不由省主席兼任爲原則；省政府委員、各廳處首長，以盡先選用本省人士爲原則；政府或其他事業機關中之職員，無論本省或外省人員，凡同職等者其待遇一律平等。第三，經濟政策的調整，包括民生工業的公營範圍應儘量縮小；台灣行政長官公署現行的經濟制度及一般政策，其與國民政府頒行之法令相牴觸者，應予分別修正或廢止。第四，恢復台灣地方秩序，包括臺省各級二二八事件處理委員會及臨時類似之不合法組織，應立即自行宣告結束；參與此次事變，或與此次事變有關之人員，除煽惑暴動之共產黨外，一律從寬免究。[32]

另外，根據楊亮功回憶，17日中午蔣經國隨白崇禧抵達台北後，下午4時蔣就到監察使署看楊亮功，主要討論的內容是三青團台灣支團主任李友邦涉入二二八事件的程度。18日上午視察基隆要塞，下午3時在三青團台灣支團部（今衡陽路合作金庫）召集留台工作之中央幹部學校同學座談會後召集台灣支團部及台北分團工作幹部訓話，指示今後台灣團務，首重訓練教育工作，使台灣青年之思想堅定，觀念正確，並發動台灣青年組織參觀團，前赴祖國觀光，以與祖國青年接觸，增進感情等語。19日上午9時飛返南京，留下三青團中央團部組長朱瑞

[32] 白先勇、廖彥博，《療傷止痛：白崇禧將軍與二二八》，（台北：時報文化，2014年3月），頁59-61；（《台灣新生報》，（1947年3月19日），收錄：《衝越驚濤的年代》，（台北：台灣新生報，1990年10月），頁112。

元續往各縣市分團視察。[33]

4月22日政府決議撤廢台灣省行政長官公署；5月5日台灣省警備總司令部更名爲台灣全省警備司令部，彭孟緝爲司令；16日台灣省政府改組完成，文人魏道明出任首位台灣府委員兼主席，並在13位省政府委員中，台籍人士過半占7位，包括了台灣第一位博士杜聰明及林獻堂等人；同時，撤銷行政長官公署，宣布解除因二二八而下達的戒嚴令，結束清鄉，停止新聞、圖書、郵電檢查，以及撤銷交通通訊的軍事管制。[34]稍解台灣治安緊張的情勢。

嗣因5月起台灣米價飛漲，魏道明政府將專賣局改公賣局，貿易局改爲物資調解委員會，但政府爲因應來自上海、南京等地一波波「反飢餓、反內戰、反迫害」大遊行的影響；7

[33] 參閱：（《台灣新生報》，（1947年3月20日），收錄：《衝越驚濤的年代》，（台北：台灣新生報，1990年10月），頁116；白先勇、廖彥博，《療傷止痛：白崇禧將軍與二二八》，（台北：時報文化，2014年3月），頁74-78。發生二二八事件，三青團各分團遭濫捕濫殺，3月當時擔任台灣支團主任的李友邦被誣陷唆使三青團暴動，被逮捕解送南京，直到6月4日經台灣省警備總部查明，國防部軍法處審訊，確認李友邦被指控的都非事實，才獲得釋放。1950年中共組織在台灣遭到根本性的破壞，李友邦妻子嚴秀峰被牽扯入獄15年，李友邦則遭指控在中國時期即與共產黨建立聯繫，以「台灣獨立革命黨」名義為掩護，成立「台灣義勇隊」，其實是「接受匪幹指揮，從事秘密工作。」李友邦回台之後繼續任用「匪嫌」潘華，與「共匪台灣省工作委員會」聯繫，而且其妻嚴秀峰當時也被潘華吸收參加「匪幫組織」，最後李友邦於1952年11月被槍決。參閱：邱國禎，〈李友邦在權力鬥爭下犧牲〉，收錄：《近代台灣慘史檔案》，（台北：前衛，2009年12月），頁254-255。

[34] 《台灣新生報》，《衝越驚濤的年代》，（台北：台灣新生報，1990年10月，頁26-27。

月政府頒布〈戡亂動員綱要〉和實施〈維持治安臨時辦法〉，以有效推動維護治安的工作，特別是展開清查戶口與秘密約談行動，弄得人心惶惶。31日吳新榮日記寫下，上午製作一份祖譜，以傳後代子子孫孫為家寶。內分兩部，第一部記國祖—皇帝以下漢、唐、宋、明、民國各朝代的始祖。第二部記家系，即開基祖以下九代的系圖，其中分三門，……記後即燒香奉花以報告於祖先的靈前。[35]

檢視1947年台灣「二二八事件」發生時，吳新榮正以41歲的青壯之年擔任台南縣參議員，也因為他的出任「台南縣二二八事件處理委員會」總務組副組長職務，導致他於事件發生後的3月13日被扣押後隨即釋放，隔日即展開逃亡。根據《台灣新生報》4月13日報導，「台南地方之綏靖工作，日來更加緊推行，俾使善良民眾安居樂業，據悉：此間業由大批軍憲警，分赴佳里、麻豆、灣裡等處，捕獲圖謀叛亂主要嫌疑者及不良分子多起，現為徹底肅清奸宄起見，刻正陸續嚴緝中。」[36]

4月26日吳新榮主動向台南市警察局辦理自新，5月2日依通知向憲兵隊報到。在接受訊問期間，5月8日他被轉送台北憲兵第四團隊，再移監台灣警備總部第二處，6月5日於軍法處第二法庭接受訊問，6月13日奉批覓保，6月20日由警備司令彭孟緝具名，核發「盲從附和被迫參加暴動份子自新證」後，隔日獲釋。這次的遭遇是吳新榮人生中的第二次牢獄之災。

---

[35] 吳新榮，《吳新榮日記（戰後）》，（台北：遠景，1981年），頁31。

[36] 《台灣新生報》，（1947年4月13日），收錄：《衝越驚濤的年代》，（台北：台灣新生報，1990年10月，頁180。

吳新榮的獲得人身自由之後，6月30日赴台南監獄探望因陳梧桐案入獄的父親吳萱草，9月3日彭孟緝批示吳萱草改判無罪出獄。這次父子因不同案件而大約同時的入獄，是吳新榮在中華民國政權統治下的遭遇，但這次的「祖國流動認同」並沒有讓他失去對國族認同的信心，仍然積極參與政治活動。

當時受「二二八事件」牽連的文化人還有楊逵、呂赫若、張深切、張星建、蘇新、張文環、王白淵、林茂生，和王天燈等人。[37]另外，大陸來台的文化人，例如臺靜農、黎烈文等人則留在台灣大學教書，噤若寒蟬的從此不提魯迅的左翼文學。甚至於曾任陳儀台灣行政長官的編譯館館長，雖於其任內負有編輯各種教科書，致力於使台灣同胞了解祖國的文化、主義、國策、政令等知識任務的許壽裳，當時擔任台大中文系系主任，亦於「二二八事件」將滿一周年的前夕，在台北青田街六號住所遇害。

根據楊逵在《壓不扁的玫瑰》指出，這不幸的事件造成了很大的傷亡。當年4月楊逵和牽手葉陶，被捕入獄，同年8月才放了出來。出來以後，楊逵看到本省籍的人和外省籍的人之間，時常發生摩擦。許多外省籍的文化界的人（教授、記者、文化人），大家談到這件事時，大家都非常擔心，建議組織文化界聯誼會，要楊逵寫一篇「和平宣言」。楊逵認爲文化界人士對國家的前途都很關心，也會守信，誠懇。以本省籍和外省籍文化界人士的合作，很可能可以打消人們的怨恨。因此，楊逵向台中軍管區的參謀長，提起這個問題，他也贊成楊逵的意見。所以，楊逵馬上起草，油印寄出去，請大家提出意見，以

[37] 陳添壽，《警察與國家發展—台灣治安史的結構與變遷》，（台北：蘭臺，2015年10月），頁291。

便修正完善。[38]

換言之，「二二八事件」後所展開綏靖與清鄉的軍事鎮壓行動，政府強調綏靖唯一目的就是除暴安民，謀長治久安。政府採取分區綏靖的清鄉工作，如查戶口、辦理聯保連坐切結、收繳武器公務、檢舉奸匪惡徒等必要措施，突顯政府透過「以軍領警」的治安方式，不但造成日後省籍之間的嚴重裂痕，同時致使台灣社會的文化傳承產生嚴重的斷層，導致外省作家與本省作家，處在不同政治文化背景下引發的「台灣文學論戰」，台灣社會再度陷入受到日本殖民的台灣人，與來自祖國中國新文學的文化差異爭論。

吳新榮這段期間的在台灣身繫「祖國情懷」，對照於當時人居大陸的台灣作家鍾理和。鍾理和在〈祖國歸來〉一文指出，在壓迫與威脅之下，於是台灣人就不能不離開住慣了的祖國，回到台灣……難道台灣人五十一年奴才之苦，還不夠嗎？難道台灣人個個都犯著瀰天大罪，應該株及九族的嗎？這是鍾理和戰後回歸祖國卻強烈感受到祖國政府和人民對台灣人不友善，由於對祖國幻滅，鍾理和才會改變當初原本已經誓言不重返家鄉的想法。[39]或許這也影響了後來鍾理和同父異母的弟弟

[38] 楊逵，《楊逵全集2—壓不扁的玫瑰》，（台北：前衛，1985年3月），頁211。

[39] 2004年中國總理溫家寶曾引用鍾理和《原鄉人》書中的文句：「原鄉人的血，必須流返原鄉，才會停止沸騰」，藉此表達反獨立場與溫情統戰，當時即遭到鍾理和之子鍾鐵民的直批「曲解原意」。鍾理和家族強調，鍾理和當年因為對祖國幻滅，才會回到原本誓不重返的家鄉，外界不應片面解讀甚至斷章取義引用鍾理和作品。參閱：《中國時報》，（2008年10月11日）。

鍾浩東的涉入基隆中學案遭槍決的事件。[40]

換言之，「二二八事件」的爆發和之後展開的綏靖與清鄉政策，雖然達成政府對台灣治安的短期有效壓制。然而，其後果更導致1948年春廖文毅等人在香港的組成「台灣再解放同盟」，希望促使台灣成爲一個獨立的國家。至於美國立場則希望台灣不受共產黨的控制，並促使國民黨變成一個負責任的中國政府，以便繼續統治台灣。[41]雖然這事件的發生，導致後來所採取一連串血腥鎮壓的綏靖及清鄉行動，但政府一方面爲突顯積極推行地方自治的決心，仍於同年11月在台灣省舉行中華民國第一屆立法委員與國大代表的選舉。更因關係著1948年3月蔣介石、李宗仁當選爲中華民國第一屆總統、副總統，和5月實施《動員戡亂時期臨時條款》和《戒嚴法》，突顯「民主憲政」與「戡亂戒嚴」體制並行的正當性、矛盾性與複雜性。

回溯1947年1月的中華民國行憲、1948年的修正《戒嚴法》，將公布機關改爲總統，且應於一個月內提交立法院追認，如遇立法院休會期間，應於復會時即提交追認。此外，接戰地域內軍事機關得自行審判或交法院審判之罪，包括「其他特別刑法之罪者」，擴大戒嚴司令官之權，得解散集會結社及遊行請願、限制或禁止人民之宗教活動有礙治安者，對於人民罷市罷工罷課及其他罷業得禁止及強制其回復原狀。到了1949年1月的最後一次修正，還將軍事機關得自行審判或交法院審

[40] 鍾浩東（1915～1950年）畢業於日本明治大學，1940年偕妻蔣碧玉（蔣渭水的女兒）渡海到中國，加入抗日行列，被國民政府疑為「日諜」逮捕，入獄半年獲釋。1946年回台，任基隆中學校長，1949年8月以發展左翼組織的罪名被捕，翌年被槍決，時年35歲。

[41] 陳芳明，《謝雪紅評傳（全新增訂版）》，（台北：麥田，2009年3月），頁290。

判之罪擴大適用於警戒地域。惟依該《戒嚴法》的規定，〈戒嚴令〉之公布須經總統之宣告與立法院之通過或追認。[42]

除了相關法令的修訂之外，政府還配合人事調整。1949年1月政府改派陳誠接替魏道明爲台灣省主席，並兼任改名後的台灣省警備總司令部總司令、彭孟緝爲副總司令，以及蔣經國的擔任台灣省黨部主任委員，這一連串的作爲也是嗣後政府被嚴厲批評所謂「白色恐怖」時期的開端。[43]換言之，發生繼「二二八事件」之後的重大治安事件，諸如1949年3月19日晚上發生於台大和師院兩名學生與警員衝突，引發學生4月6日以「結束內戰和平救國、爭取生存權、反飢餓反迫害」所引發罷課學潮的「四六事件」。[44]

同於「四六事件」當天中午楊逵、葉陶夫婦和五歲么女兒的被捕，係因1949年1月21日在上海《大公報》發表了那一份上述的「和平宣言」，呼籲國共內戰不要席捲到台灣，要求當

[42] 參閱：薛月順等 編註，《從戒嚴到解嚴—戰後台灣民主運動史料彙編（一）》，（台北：國史館，2012年7月），頁3-4。

[43] 1945年4月蔣經國被任命為三民主義青年團組訓處處長，9月三民主義青年團在廬山召開第二次全國代表大會，蔣經國被選為中央常務幹事兼第二處處長，1947年3月隨白崇禧來台，1948年12月19日國民黨中央常務委員會任命蔣經國為臺灣省黨部主任委員。參閱：陶涵（Jay Taylor）著，林添貴 譯，《蔣經國傳》，（台北：時報文化，2000年10月），頁192。

[44] 1997年台大校務會議決議通過成立「四六事件資料蒐集小組」，由黃榮村擔任召集人。1999年4月3日公布更多詳細資料指出，「四六事件」發生前，台大學生社團有麥浪歌詠隊、耕耘社等20多個，且有台大集師院學生的壁報區，被學生戲稱「民主走廊」。事件發生時，多位麥浪歌詠隊及耕耘社學生都被捕，有三位耕耘社學生被槍斃。1950年政府訂定〈戡亂建國教育實施綱要〉，加強三民主義等政治課程，1952年規定高中以上學校都須設軍訓室。

局應該實施地方自治，主張島上的文化工作者不分省籍團結起來，使台灣保持一塊淨土的言論；加上楊逵的組織一個平民出版社、出版中國文藝叢書，以及主編《力行報》副刊等原因，導致楊逵後來因爲此案被判刑12年。[45]

檢視當時台灣受到「四六事件」和「和平宣言事件」等治安議題的影響，5月20日起的實施戒嚴，宣告台灣正式進入另一階段的戒嚴時期。政府隨即展開戶口總檢，全省違檢被拘留者1,500餘人；27日台灣省警備總部根據〈戒嚴令〉制定〈防止非法的集會、結社、遊行、請願、罷課、罷工、罷市、罷業等規定實施辦法〉和〈新聞、雜誌、圖書的管理辦法〉，以有效維護社會治安，確實掌控台灣，以致引來政府被批評不民主、不重視人權。

儘管政府的宣布台灣戒嚴，7月在台北的台灣省郵政管理局，仍因爲郵電改組暨郵電員工分班糾紛，引發了怠工請願的社會「工潮」抗爭，更加速延續國共內戰在台灣的表面化和激烈化。同時，發生於澎湖防衛司令部欲強徵學生入伍充當兵源，導致軍方血腥鎮壓的「七一三事件」。[46]因此，政府為穩

---

[45] 楊逵，《楊逵全集2—壓不扁的玫瑰》，（台北：前衛，1985年3月），頁211-212。

[46] 這事件又稱「山東流亡學生事件」，這歷史事件，校長張敏之因為抗議將他的學生拉進部隊當兵而犧牲，他的夫人王培五女士更背負「匪妻」的忍辱生活，除了必須撫育小孩外，先後在屏東萬丹初中、台北建國中學等校教書，1969年王女士赴美，直到獲得平反隔年的1999年，口述出版了《十字架上的校長—張敏之夫人回憶錄》一書，2014年6月在美辭世，享壽106歲。參閱：陳添壽，《台灣治安制度史—警察與政治經濟的對話》，（台北：蘭臺，2010年2月），頁127。

定台灣治安，對投共、擾亂治安、金融及煽動罷工罷課罷市等份子皆依1949年5月通過的《動員戡亂時期懲治叛亂條例》處以重刑，以遏止共產黨在台灣蔓延的勢力。

8月政府成立東南軍政長官公署，陳誠被任命管轄江蘇、浙江、福建、廣東的東南軍政長官，並決定成立台灣防衛司令部，任命孫立人爲防衛司令官。9月更透過改組台灣省警備總部後的台灣省保安司令部，派彭孟緝爲司令，加強入境台灣檢查，嚴格取締縱火的破壞社會秩序行爲，舉發與肅清中共間諜，禁止與中共地區的電信往來等措施。[47]

同時，爲解決台灣與和大陸之間所發生的治安問題，政府還特別採取三項措施，第一是在大陸上的銀行，一律不准在台灣復業，以免擾亂金融；第二是在大陸上公私立大學，一律不准在台灣復校，以避免學潮；第三是大陸上的報紙，除了南京「中央日報」之外，一律不准在台灣復刊，以避免混淆視聽。並且要求從高雄或基隆登陸的軍隊，一律按實際人數加以收編，不得帶武器上岸，以免影響台灣治安。[48]

檢視1949年1月起蔣介石雖在總統職位上引退，但仍擔任擁有實權的中國國民黨總裁，而由李宗仁代理總統職權後，雖一度撤銷〈戡亂總動員令〉，停止《戒嚴法》的實施。但是11月隨著李宗仁稱病出國，立法委員、監察委員，及國大代表先後聯電蔣介石復行總統職權。12月7日中華民國中央政府遷都

---

[47] 參閱：陳添壽、章光明，〈警察與國家發展之關係〉，收錄：章光明 主編，《台灣警政發展史》，（桃園：中央警大，2013年10月），頁4-8。

[48] 于衡，《烽火十五年》，（台北：皇冠出版社，1984年2月），頁234。

台北，15日政府改派具有留美背景，深受美方支持的吳國楨接替陳誠爲台灣省主席兼保安司令，冀圖藉由吳國楨的「民主先生」形象，來換取美國的支持，以維護社會秩序和安定國家政局。

肆、鹽分地帶文學發展與吳新榮角色

所謂「鹽分地帶」是指日治時期北門郡所管轄的：佳里街、西港庄、七股庄、將軍庄、北門庄、學甲庄等行政區域，除佳里外，其餘地區大多濱海，土壤中含有鹽成分濃而得名。回溯1920、1930年代之間，該地區就享有「詩人之鄉」的美稱。詩人諸如吳新榮、徐清吉、郭水潭、王登山、黃勁連、莊培初、林清文等人，俗稱「北門七子」，形塑了鹽分地帶的詩人群落。

因此，「鹽分地帶」文學的發展可溯自1932年10月4日，吳新榮以東京里門出身的鄉親爲中心所成立的「佳里清風會」。[49]這一組織雖然在同年12月23日就宣告解散，但是當初其就以鼓勵文藝思想並做社交機關的主旨，以交換社會知識、養成青年風氣、建設文化生活、嚮導知識份子爲目的。所以，吳新榮認爲這是自己出社會以來最初組織的團體，是「初期社會運動的原始型態」，更是推動當地文化運動的搖籃；但同時也是日本高等特務警察監視的對象。[50]

吳新榮指出，當時「鹽分地帶」只是自然發生的小團體，這團體本身除相互間的友情之外，並無嚴密的組織或規約。所

---

[49] 吳新榮，《吳新榮選集2》，（台南：台南縣文化局，1997年3月），頁123。

[50] 參閱：吳新榮，〈此時此地〉，收錄《吳新榮回憶錄》，（台北：前衛，1989年7月），頁126。

以「鹽分地帶」文學一直要等到1935年6月1日，成立了「台灣文藝聯盟佳里支部」之後，特別是與楊逵、葉陶夫婦主導「台灣文藝聯盟」、「台灣新文學社」的互動之後，才被納入整個台灣的文化運動系統。[51]吳新榮有〈歌唱鹽分地帶的春天〉詩，即以充滿希望的昂揚聲調，歌詠著鹽分作家這股不死的詩魂，以及摧毀邪惡的正義之聲。[52]

然而，根據林豐年（芳年）指出，日治時期「鹽分地帶」文學並沒有比較傑出的作品出現，嗣因1942年3月吳新榮的元配毛雪芬逝世，在吳新榮以日文散文隨筆發表〈亡妻記〉之後，才奠定了他在台灣文學上的不朽地位，這是吳新榮及「鹽分地帶」整個同人的榮幸。[53]特別是戰後台灣初期吳新榮的陸續發表作品，諸如：1946年11月發表散文〈文化在農村〉、12月發表新詩〈故鄉的回憶〉，1947年3月18日作詩〈讀《洪水》後〉，抒發自己對二二八事件沉痛的感受；7月發表新詩〈故地〉。1948年3月發表〈徬徨的亡靈〉、4月自譯〈道路〉一詩，7月出版《震瀛自傳》、撰寫〈消琅山房縱橫談〉；

[51] 吳新榮，《吳新榮選集2》，（台南：台南縣文化局，1997年3月），頁123。

[52] 吳新榮的詩是這樣寫的：「向先驅者的志氣/ 向殉教者的熱情/ 我們都是年輕人/ 年輕就是我們的矜持/ 同志呀團結起來！拿著正義的劍/ 來迎接這新春/ 像聖者的誠實/ 像處女/ 我們都是年輕人/ 年輕就是我們的矜持/ 同志呀團結起來！ 拿著正義的劍/ 來迎接這新春/ 像聖者的誠實/ 像處女的純真/ 我們都應學習/ 學習是我們的力量/ 同志呀！要前進/ 鹽分地帶是我們的故鄉/ 讓真理的花朵/ 來開在這塊荒野上。 」轉引自：施懿琳，《吳新榮傳）》，（南投：台灣省文獻會，1999年6月），頁69-71。

[53] 參閱：林芳年，〈吳新榮評傳〉，收在《林芳年選集》，（臺北：中華日報，1983年），頁368。

1949年3月發表詩作〈夏夕〉，但是到了1949年底隨著中央政府的撤退來台，「右翼勢力」文學的抬頭，鹽分地帶文學運動才漸趨沒落。

所謂「右翼勢力」文學的抬頭，指的是國民黨在台灣推動黨國化的反共反蘇文化運動。1950年4月在國民黨主導下成立中華文藝獎金委員會與中國文藝協會。特別是中國文藝協會的成立，是以團結全國文藝界人士，研究文藝理論，從事文藝創作，展開文藝運動，發展文藝事業，實踐三民主義文化建設，完成反共抗俄復國建國任務，促進世界和平爲宗旨，並發行《文藝創作》。檢視這個組織的權力結構，以國民黨員爲核心，以外省作家爲主要成員。工作的推動先由黨內核心組織下達決策，然後由民間團體配合，落實到社會各階層。

因此，檢視戰後初期中華民國與日本殖民政府的權力轉移、文化差異和國族認同等議題引發的治安環境因素，導致吳新榮涉入「二二八事件」的牢獄之災，以及後來台灣進入戒嚴時期白色恐怖的階段，鹽分地帶文學也沉寂了一段很長的時間。一直要到1987年台灣解嚴之後的隔年5月，成立了「台灣筆會鹽分地帶分會」，鹽分地帶文學活動在愛鄉熱心人士的策劃下，恢復舉辦各類型文學活動，和計劃出版「鹽分地帶」文學選集、叢書等，以承續鹽分地帶文學在日治時期所代表的反殖民文化，和戰後初期對抗國民黨戒嚴文化的傳統精神。如果我們忽略了鹽分地帶文學留下來的豐富遺產，台灣圖像恐怕是傾斜的。[54]

---

[54] 陳芳明，〈殖民地詩人的台灣意象—以鹽分地帶文學集團為中心〉，收錄：《殖民地摩登：現代性與台灣史觀》，（台北：麥田：2011年9月），頁162。

伍、結論

回溯吳新榮第一次牢獄之災，是發生於1929年（昭和4年）4月，當23歲的吳新榮還在日本留學期間，因擔任台灣青年會委員的身分影響，在日本政府掃蕩共產主義思想的「四一六事件」中受到牽連，被拘禁於東京新宿的淀橋警察署29天，這次是台灣留學生吳新榮被認爲接觸共產主義或社會主義思潮，在日本政權統治下遭遇牢獄的歷史記憶，也是台灣人日治時期淪爲所謂「祖國流動認同」的慘痛經驗。

亦即吳新榮在戰爭初期對中國的同情與關切，經過一番自我說服、矛盾與掙扎的過程，到戰爭末期已傾向與殖民母國同心協力，促成這種政治態度轉變的重要原因，除相信官方的戰爭宣傳之外，保衛台灣家園更是主要考量。如果說，吳新榮在戰爭末期已從中國認同轉向日本認同，則這種轉變中，護衛台灣所佔的重量不應被忽視。因爲，從戰後積極參與中國接收，或參加三民主義青年團等政治團體成立活動，並未出現認同轉換的困難度或遲疑。[55]

吳新榮第二次牢獄之災是受到二二八事件的牽連，但並沒有稍減吳新榮對語文書寫、文學創作和祖國認同的熱忱，甚至於到了1951年1月吳新榮參與台南縣第一屆縣議員第六區（佳里鎮及北門、西港二鄉）的落選之後的次年，他正式出任台南縣文獻委員會編纂組長，其生命轉折更讓他投入地方的服務工作，以實踐其主張文學必須有其思想性和社會性的大眾化文學觀。

1954年10月吳新榮48歲儘管受到「李鹿案」之累，繫獄4

[55] 陳翠蓮，《台灣人的抵抗與認同——一九二〇~一九五〇》，（台北：遠流，2008年8月），頁263-264。

月又2天之後無罪釋放，卻是他人生的第三次入獄。復職後的吳新榮下定決心專注於投入地方文獻的採擷和文學創作，讓他努力從公到1967年，當他61歲那年北上開會，因心臟疾病的猝發，而不幸在台北過世，離開他一生熱愛的台灣鄉土。

我們檢視吳新榮在台灣光復前的1944年，特別將其出生的第四個兒子取名「夏雄」，1946年台灣光復後出生的第五個兒子取名爲「夏統」（有華夏一統之義），1948年將第六個兒子取名「夏平」，其所要突顯的國族意識，卻遭遇政權移轉的被關進牢裡。吳新榮又是何其不幸在面臨文化差異、國族認同的焦慮，與克服語言書寫的文學創作之路，要比別人走得更辛酸，也印證了本文強調這階段台灣治安與文學之間的政治特殊化性格。

葉石濤對戰後台灣初期吳新榮的文學評論指出，戰後吳新榮活躍於鄉土政治的舞台上，卻得不償失。致命傷在於他是懷有理想主義的文化人，而不是詭譎萬端的政客。他也具有日本教育培養的法治規範，極不適宜中國人的詭詐風格。[56]我認爲這裡所指的「極不適宜中國人的詭詐風格」，當指代表政府接收台灣的陳儀及其成員中的部分人士，爲維持台灣治安所採取的嚴厲措施。

葉石濤繼續指出，晚年吳新榮，他脫離政治，專心於台南縣文獻會的田野採集工作，腳踏實地蒐集地方文獻，這才是他的真實面貌。他的日記、研究論文奠定了台南縣地方史的基礎。[57]我認爲這一部分則是葉石濤對吳新榮在台灣文學創作上

---

[56] 葉石濤，《從府城到舊城—葉石濤回憶錄》，（台北：翰音文化，1999年9月），頁133-134。

[57] 葉石濤，《從府城到舊城—葉石濤回憶錄》，（台北：翰音文化，

的努力與成果表示肯定，特別是吳新榮突顯戰後台灣初期政權移轉與文化差異的時代意義，其在台灣治安與文學史上的地位，能與楊逵、吳濁流、葉石濤等人受到同等的重視。

文末，我要再次強調治安與文學關係的建構「治安文學」概念，如果這一觀點可以成立的話，那台灣在接受各不同歷史階段的「歷史警學」之外，似可再從庶民文化主體性的角度，為台灣反壓制、反侵略、反殖民的「治安文學」研究，開闢出一條新的途徑來，並且有助於釐清國人對警察單一維護政權的工具化錯誤看法，和儘速建立對警察依法行政的專業服務認知。

因此，我的所謂「治安文學」（policing literature）主要係指針對探討與治安有關的歷史、檔案、文獻、人物、思想，乃至文學作品，其足以影響警察與國家發展關係為主題的研究。因此，「治安文學」與所謂「監獄文學」或「流亡文學」的主要區別，在於「治安文學」是從政府的國家（state）立場，論述統治者維持治安角度；「監獄文學」或「流亡文學」是民間的社會立場，論述被統治者的維護人權角度，但是上述兩類研究途徑皆可以分別與文學觀點的關係來加以論述。

現階段台灣「治安文學」的研究，可考慮以成立「台灣治安文學研究學會」的方式，來蒐集與出版有關台灣治安史的史料，包括文字、圖片，和數位檔，俾豐富《台灣治安史》的內容。構思中的「台灣治安文學研究學會」也可採取與「中華檔案暨微縮資訊管理學會」等民間學術單位，以及透過與國家發展委員會所屬國家檔案局的合作，共同推動有關台灣治安文學史料的蒐集、整理與出版。

1999年9月），頁134。

中國東北的文化紀事

——【城市踏查之11】

對於中國東北這地方，唸書的時候只知東北有九省，和貂皮、人參、烏拉草是東北三寶，而對於哈爾濱這個城市，我是陌生的。所以，我的第一次東北之行，也是我第一次的哈爾濱之行。這次難逢機會是參加中國檔案學會、中國文獻影像技術協會與中華檔案暨資訊微縮管理學會，2013年7月8日至9日在黑龍江省哈爾濱共同舉辦的「2013年海峽兩岸檔案暨縮微學術交流會」。我發表的論文題目是〈論檔案與文獻的整合應用—以研究台灣治安史爲例〉。

我們代表團是由中華檔案暨資訊微縮管理學會理事長吳學燕擔任團長。我們是在7月7日搭乘長榮航空從桃園機場10點30分起飛的班機，直飛有東方的小巴黎和東方莫斯科之稱的哈爾濱，抵達的時間是當日下午的1時55分。哈爾濱機場係日軍所建，規模和設備遠不如沿海地區上海和廈門的現代化。我們發了較長的時間等待通關，當我們一出關即見到中國檔案學會的接待人員。因爲，我是第一次參加該學會的研討會活動，經台灣的中華檔案暨資訊微縮管理學會副理事長王佩儀的介紹，認識了中國檔案學會的霍力華副秘書長，和黑龍江省檔案局伊愛華副局長。始知霍副秘書長是從北京提前到了哈爾濱，以便接待我們來自台灣的一行28人。

出關上了專車，接待單位安排直接參觀哈爾濱市位在平房區的731部隊遺址，這是二次大戰時日軍在此實驗細菌、鼠疫的化學作戰所遺留下來的，雖然於1945年戰爭即將結束時，日軍知道大勢已去，因爲怕留下化學戰的不人道批評而將其炸毀，但從遺跡中依稀可以看出當時整個實驗設備和過程的嚴密管理。位於原731部隊本部大樓的陳列館，現在陳列照片160餘幅，陳列罪證實物70餘件和大量見證人證言。

由於整個731部隊遺址的空間要在短時間參觀完畢有困難，主管單位還提供自動電車的服務，好讓參訪人士能夠全程了解日軍慘無人道的惡劣行徑。當我們離開而到達哈爾濱市檔案館時已是下午5時20分的黃昏時間，東北夏天的夜晚天氣稍有涼意，對於來自酷熱台灣的我們，不禁感到舒服之至。我特別注意到館內所懸掛「爲黨管檔 爲國守史 爲民服務」的標語，最能代表當前中國大陸的檔案管理政策。

晚上我們投宿的馬迭爾（Modern）賓館就是研討會的地點，所以該晚中國檔案學會的接風晚宴，就在馬迭爾賓館的維也納廳，由國家檔案局中央檔案館的楊冬權局館長主持。晚宴後，我與吳學燕理事長夫婦、楊冬權館局長、伊愛華副局長、甘肅省檔案館長和其秘書散步到松花江畔欣賞夜景，從馬迭爾賓館到心儀已久的松花江畔只要步行10分鐘，而且全程是人行步道，途中還有俄羅斯式的巴洛克風格的傳統建築之外，更有一座以斯大林命名的公園，許多人載歌載舞的歡唱，哈爾濱的贏得「音樂之都」名不虛傳。

松花江發源於長白山天池，其幹流由西向東貫穿哈爾濱市，是全市灌溉量最大的河道。哈爾濱市除了著名的松花江之外，當俄國在1896年獲取了在中國修築鐵路特權所建的中東鐵路，哈爾濱遂逐漸成爲第一條橫跨歐亞大陸鐵路的中心。在飽覽松花江夜晚美景的回程，我們還特別與甘肅省檔案館館長

等人品嚐了有「冰城之稱」的哈爾濱冰棒之後才進入這興建於1906年，由俄籍猶太人約瑟·開斯普創辦，已有107年的歷史，具有法國文藝復興時期路易十四式建築，屬於馬迭爾集團股份公司旗下的馬迭爾賓館。據說第一次政治協商會議籌備會議在此召開，許多名人如宋慶齡、郭沫若、徐悲鴻等人士曾在此下榻。

7月8日上午8點30分開始的研討會開幕式由副省長孫東生代表黑龍江省致歡迎詞，特別提到現有151家台商在該省投資設廠，楊冬權代表國家檔案局中央檔案館致詞的重點指出，許多民國時期在雲南的檔案資料散失在民間，還有許多檔案文獻散落在圖書館及其他機關，未來將努力搜藏在國家檔案館，例如兩岸對檔案分類方法不一致，雖然有共同被殖民的經驗，也希望未來兩岸的檔案能夠交流與應用。

中國檔案學會與中華檔案暨資訊微縮管理學會的交流活動已有22年的歷史，有助於兩岸對於中華民族和文化的認同；接著致詞的中國文獻影像技術協會徐建華副理事長亦強調兩岸檔案文獻交流的歷史和重要性。最後是中華檔案暨資訊微縮管理學會理事長吳學燕從兩岸交流，彼此交換經驗，兩岸同文同種的一家親，和強調學術研討會學者專家發表論文的重要性。

9點20分至10點20分第一場研討會發表論文開始，主持人是中國檔案學會付華秘書長，評論人是湖南湘潭大學的王協舟教授，三位論文發表人除了我發表的〈論檔案與文獻的整合應用—以研究台灣治安史爲例〉之外，還有四川大學公共管理學院喬健教授的〈檔案館平民化論綱〉，和哈爾濱市檔案局朱平的〈民生檔案：國家檔案館收藏的新趨向〉，王協舟評論人對這三篇論文的評論特別提到我論文論述的嚴謹和符合學術論文的格式，尤其在注釋的部分尤具用心。

茶歇後的第二場是10點40分至12點，共有四篇論文發表，台灣學者有兩位，一位是政治大學圖書資訊與檔案學研究所林巧敏教授的〈史學者引用與使用檔案行爲分析：2006-2010引文爲例〉，另一位是聖母醫護管理專科學校劉怡伶教授的〈舊刊新辦：從上海圖書館所藏「中華教育界」釐清三個基本問題〉。下午的第三場五篇論文全是大陸學者發表，內容偏重在縮影技術的層面；第四場的五篇，特別引起我興趣的有兩篇，一篇是中國第二歷史檔案館副館長馬振犢（由李薇代宣讀）的〈台灣地區保存民國檔案的狀況與徵集〉，另一篇是清華大學圖書館特藏組副主任的〈基於捐贈的「保釣、統運」文獻的收集與應用。

有關民國檔案的接觸，與我過去服務的單位和工作有點關係，至於發生釣魚島事件的保釣運動，當時我是大學生也曾積極參與了這項學生的遊行活動。晚餐後，我與吳學燕夫婦、亞洲水泥公司秘書處主任，也是學會顧問的黃啓洋走出馬迭爾賓館，沿著中央大街漫步到聖．索菲亞大教堂（ST.Sophia Cathedral）。中央大街真是哈爾濱的縮影，具有獨特的建築文化和歐式的生活型態，大街建於1898年，全長1,450米、寬21.34米，百餘年還保持原光滑的方塊花崗岩鋪砌的路面，全街建有51棟歐式建築，匯集了文藝復興時期、巴洛克及現代的多種建築風格。

聖．索菲亞大教堂則是哈爾濱市最具代表性的城市景觀，該教堂建於1907年，原爲沙俄東西伯利亞第四步兵師的隨軍教堂，是典型的拜占庭式洋蔥頭建築風格的東正教教堂，讓我們有如置身於莫斯科紅場。廣場上的人潮，衣著打扮完全不輸給

台灣的水準。中央大街和聖・索菲亞大教堂的景致雖美，我心中掛念的是我要出發前一個晚上，家人不慎摔傷了腳踝，但她依然要我依照安排好的行程出發，不必掛念她的傷勢，有事的話還有其他家人可以照顧。所以，我人雖在哈爾濱，心懸的還是家中事，但只能以電話了解狀況。

7月9日早餐我與吳理事長夫婦共進，他們都非常關心我在警大的教學和生活情形，對於我沒有出任行政主管意願的想法，雖表惋惜但可以理解當初我之所以到警大教書與做研究的初衷。吳理事長在未出任公職前，本就是警大的教授，不但擔任過多項的行政主管職務，也一度出任圖書館館長，當更體會我在警大的處境和專心教書、著書的想法。

由於研討會開會的時間在即，我們的談話不得不打住。上午安排的第五場研討會共有五位發表人，其中兩位台灣學者東華大學資管系許芳銘教授的〈政府機關電子檔案管理架構〉，和東南科技大學圖書館館長林惠娟的〈1949國民政府時期地圖檔案清理與數字典藏之研究〉；10點30分到11時30分的第六場有三篇論文發表，其中有篇來自雲南省檔案局，由梁雪花報告的〈構築少數民族的立體記憶—雲南省少數民族口述記憶保護搶救的對策與實踐〉一文，其強調少數民族口述記憶是少數民族在歷史發展進程中形成的，由少數民族文化掌握者和傳承者口耳相傳的，反映各民族政治、歷史、經濟、文化、宗教、民俗、倫理等諸多方面情況，具有保存價值的口碑歷史紀錄。雲南省檔案局的保護和搶救少數民族的立體記憶，值得我們台灣的政府對於原住民文化政策的參考。緊接著閉幕式在兩岸代表人的講話之後結束，下午開始的是太陽島、東北虎林園的觀光，和黑龍江省檔案館（局）的參訪活動。

黑龍江省檔案館的參訪是除了這次研討會發表論文之外的一項重要活動項目。因爲，是省級以上的單位，設備、人員和舉辦活動的條件也比較充裕，而且檔案館的新館是今年剛落成，我們是第一批來自台灣的訪客。所以，這次我們的參訪，館內展示的內容非常豐富。

圖片展示分十大部分：第一部分黑水文明，展出黑土先民、鮮卑文化、海東盛國—渤海王國、金源文化；第二部分邊關春秋，展出設立將軍（1662年清政府設置鎮守寧古塔等地方將軍）、戍衛疆土（1689年尼布楚條約劃定中俄邊界）、開禁放墾（黑龍江是滿族的發源地，1860年清政府批准黑龍江地區全面開放移墾）、流人文化（天津知府張光藻流放黑龍江的檔案資料）；第三部分蒼茫黑土，展出風雨飄搖（1900年義和團、八國聯軍，1905年黑龍江行省成立），興辦實業（李金鏞經李鴻章推薦在漠河開礦）、開啓文教、開埠通商、城鎮興起、民風民俗、關內移民（從山東、河北分水路、陸路，約900萬人在東北）；第四部分民國印記，展出共和之夢、農業開發、工商昌隆、華洋金融、中西文化、城市風貌、北疆星火、紅色通道等單元；第五部分苦難歲月，展出抗戰序幕（1931年馬占山抗日）、日僞統治（1932年3月成立僞滿州國）、經濟掠奪、殺人魔窟、悲慘生活、抗日烽火等單元；第六部分強大後方，展出建黨建政、剿匪鬥爭、土地改革、工業建設、參軍支前、發展經濟、文化教育等單元；第七部分創業凱歌，展出偉業初創、工業建設、大慶油田、開墾荒原（北大荒）、開發林區等單元；第八部分非常年代，展出十年動亂（文化大革命）、知青舊影、幹校時光、經濟建設、歡慶勝利（1976年）；第九部分改革開放，展出開創新篇（1978年第

十一屆三中全會）、變化十年（1992年鄧小平南方談話）、振興龍江、科學發展、再創輝煌等單元；第十部分結束語。

7月10日上午7點30分我們辦完馬迭爾賓館的退房手續，離開了哈爾濱，車子路經了尚志市、海林到牡丹江市已是下午1點。而在到牡丹江市的高速公路途中，乍見兩旁的青山翠綠，一眼無際，少見有農人出沒其間，凸顯東北地方的的地廣人稀。用過午餐即步行到位在附近的牡丹江市檔案館參觀，由於牡丹江市檔案館是屬縣級單位，我們停留的時間可以儘量縮短，以便能在預定行程準時抵達夜宿的鏡泊湖。

車子在蜿蜒曲折的山路上行駛，由於停車處和我們住宿的鏡泊湖賓館有段距離，我們都必須自己拖著行李，循著水泥階梯向上尋找自己的房間。然後再到餐廳用餐，已是晚上8點，也就未能先睹湖光山色。這樣的大費周章，實在未能做到符合消費著需求的客製型服務，好在鏡泊湖鮮美魚宴的大快朵頤，很快就忘了剛才辛苦的路程。雖然現在不是最美畫面的冬天雪季，仍然可以讓來者寬心多了。

據牡丹江市檔案館接待人員指出，鏡泊湖是世界三大偃塞湖之一，「鏡泊」的意思即描繪「清平如鏡」。所以，7月11日清晨4點30分醒來，我的眼睛一睜開，鏡泊湖的晨曦已映湖面，我起床推開落地窗踏在陽台上，感受涼風徐徐吹來，我做了深呼吸，望著整個湖光山色，水波不興，安謐情鏡，真不是一個「美」了得！我嘆息的是自己文采不足，未能為這「美色」留下令人難忘的詩句。

7點30分主辦單位特地為我們安排搭船遊湖，船在湖面上行駛非常平穩，印證了「鏡泊」的「清平如鏡」。解說員說要遊完全湖需要三個小時，我們因為受到時間所限，只能發一個半小時繞湖半圈，體會鏡泊湖的山重水復、曲徑通幽，和萬種風情、四季分明的夏水有情。當我們遊湖結束，離開鏡泊湖賓館，即將離開鏡泊湖觀光區時，還特別在吊水瀑布做了停留，待看世界第一高山跳水勇將的跳水表演，當10點30分跳水的那一時刻，照相機卡嚓聲和人們的喊叫聲，驚破這平常涔涔水聲的瀑布世界。下午的參訪活動是寧安市檔案館（局）、渤海國遺址和興隆寺。

寧安是個農業縣，是西元689年渤海國建立的所在地，渤海國之於唐朝關係，有如琉球國與清朝的維持長久關係。渤海國極盛階段被稱爲「海東盛國」，設有五京十五府，六十二州一百三十餘縣，西元926年被契丹所滅。對於渤海國所存在的200多年，就中國的長遠歷史而言，它只是個地方政權罷了，現在所留下的遺址，雖不盡被荒煙蔓草所蓋，但多少英雄人物的功過也都只留在寧安市博物館展覽室裡去追尋了。

而有渤海國護國寺之稱的現存興隆寺，其原址爲唐代渤海國寺院址，始建於1722年，是爲康熙61年，後經道光、咸豐時期部分殿宇毀於祝融，目前正重新整建，是黑龍江省保存下來的斗拱式建築中最古老、最完好的一處。現在雖仍有留下一尊號稱百年的釋迦摩尼佛像、石燈塔和一顆老樹，卻讓我感受不到真正佛寺的氛圍。當黃昏時分來臨時，我們的旅程來到了黑龍江省東南端的東寧，夜宿在華宇酒店。

東寧縣地處中、俄、朝三角交界中心地帶，亦曾是大唐渤海國東寧率賓府治所在地，但可不能與台灣在鄭經統治時期所號稱的「東寧王國」相混淆。我們7月12日上午的重要參訪地是東寧要塞。要塞係日軍爲對抗中共與俄國的聯軍始建於1933年，解說員帶我們進入要塞基地，隨著解說員，順著地道彎腰

前行，簡陋不平的碎石路面，盡是溼答答，一不小心還容易滑倒，裡面獨立作戰的設備倒是非常齊全，有作戰指揮室、軍士兵房、廚房、餐廳、戰糧儲備的地方，據說守在要塞裡的戰士，到日本天皇宣布戰敗，都還不知道要撤出。長期生活在潮濕陰暗地道的日子，我說：「打人的侵略者累，被打的受害者也累，戰爭真是何等殘酷，人民又是何等無辜！」

東寧還有以「東寧玉文化」聞名，只是東寧本身並不產玉，它不是來自俄羅斯，即來自其他各地，所以我沒買玉，卻買了秋天出產的黑木耳，準備回台灣送給友人。離開了東寧的購物廣場，在下午2點左右，我們進入了中、俄交界的綏芬河「國門」。從綏芬河交界即可清楚看到俄羅斯國境的守衛，和俄羅斯人的旅遊團進入中國境內。所以，在綏芬河市街就可以買到與俄羅斯有關的商品，綏芬河市檔案局的接待人員也非常貼心，預留2個小時的購物時段，我特別選購了俄羅斯娃娃品牌的巧克力，準備送給我的小外孫。晚餐和夜宿都在Holiday酒店。

7月13日清晨4點30分我醒來，拉開窗簾，眼見綠野青山，這時綏芬河晨曦已照射在這一大片的原野上，更顯得興趣盎然，而在正夏時分，坡上的叢林花木一動也不動，我真正享受了當前大地的寧靜，這與昨天清晨鏡泊湖面的幽靜比較，另是一番撫媚景色。可惜美景總覺時光短暫，在用完早餐上車，我們的行程已不再往東南方向，而是必須開始折回向著哈爾濱市奔去。

回程中，路過海林的這個城市，據解說員的描述，海林這片森林到了冬季是一片冰天雪地，鄰近的尙志市，就有「中國雪都」之稱，而亞布力滑雪區更是尙志市的重要觀光旅遊的景點，尤其是到了冬天，來到雪場，自由享受打雪仗、堆雪人的樂趣，也可以體驗滑雪帶來的速度感激情。區內的雅旺斯酒店4樓西餐廳正是尚志市檔案局爲我們準備午宴的地點。

或許尚志市檔案局經常配合市委會辦理活動，對於接待賓客特別細緻與用心，當我們的座車一到，即見檔案局接待人員迎面而來，送上每人一分接待手冊，上面印有下午行程表的安排、來賓的餐位座次、尚志市簡介、天氣預報等內容，特別是送給我們每人一本由尚志市老區建設促進會、尚志市文學藝術界聯合會合編的《烽火歲月—尚志革命鬥爭紀實》。

我從這書的〈序言〉才知道尚志市是中國大陸六個以英雄名字命名的城市之一，紀念趙尚志發動群眾積極抗日的精神，現在的尚志市除了趙尚志紀念館、趙尚志紀念園、尚志村，和尚志中小學之外，還有另一位紀念性人物趙一曼女士，在尚志市同樣享有崇高聲望。尚志市檔案局人員特別從餐廳指向外面的滑雪坡道，只是現在是夏季未能目睹亞布力滑雪區在冰天雪地，舉辦國際滑雪比賽的盛況。

既然已來到亞布力滑雪區，儘管不能有滑雪的活動，接待單位還是爲我們安排了乘坐電動車上山一覽全景，中途我們還特地下車，體驗走過橫越於兩座高峻嶺之間吊橋的感受，不禁令我聯想到台北烏來碧潭的吊橋，和我在幾十多年以前曾常於此約會的往事。而突來的一陣雨，也正是我們電動車下山的時刻。

我們在下午的6點30分回到馬迭爾賓館。是晚，已是我們這次研討會行程的最後一夜，由我們中華檔案暨資訊微縮管理學會回請中國檔案學會和黑龍江省檔案學會（局）。爲了表示他們多日來的辛苦接待，我是學會的理事，不得不也不能不多

喝了哈爾濱著名的啤酒和玉泉高粱。最後，帶著些微酒意，回房休息。

7月14日一早我們check out，因爲長榮回台灣桃園的班機是下午2點，所以上午還安排了參觀位在哈爾濱市阿城區的金上京博物館。阿城是具有近900年悠久歷史的古城，女真人在這裡建立了大金王朝，阿城有「女真肇興地、大金第一都」之稱。

在11世紀至12世紀中葉，女真本族文化吸收了漢族、契丹、渤海、高麗、西夏等文化而形成特有的金源文化。大金王朝興盛時期的疆域東到日本海、鄂霍次克海，北到外興安嶺；西以河套、陝西橫山、甘肅東部與西夏交界；西北到蒙古國；南以秦嶺、淮河同南宋接境。當時的南宋、高麗、西夏等都是它的附屬國。它是與南宋對峙的統治中國北方的一個皇朝，在1234年（金天興3年）在蒙古和南宋的聯合進攻下被滅亡。

金上京博物館主要陳列其歷經10個皇帝，凡120年的歷史文物。大金王朝的生存與發展，讓我聯想到日前剛參訪過的渤海國，以及當前台灣的處境與兩岸和平發展的關係。我想多了解大金王朝的歷史文化，所以向館內解說員索取參考資料，但金上京博物館並沒有特別印發DM，參觀後，黑龍江省檔案局的伊愛華副局長則送我聶磊孫主編的《千載風華金上京》，黃斌、劉厚生合著的《大金國史話》等二書，我想伊副局長身兼《黑龍江檔案》編輯部的主編，對於檔案與文獻的蒐集的重視，從他的細微表現，著實令人感佩。

如果說這次的哈爾濱之行，硬要我找出遺憾的地方，就是未能實地參訪位在哈爾濱市西北邊，1942年寫有《呼蘭河傳》一書，是上世紀30年代著名左翼女作家蕭紅的八旗式故居。

（2013年7月30日完稿）

後記1：

2013年8月6日日本首相安倍晉三郎參加廣島原爆68年後的紀念會，同一時間，副首相麻生太郎參加在橫濱港舉行準航空母艦「出雲號」的下水典禮。「出雲號」選在廣島原爆這敏感的一天下水，日本官方說這只是巧合；另一巧合的是安倍曾在自衛隊戰機中留影，這戰機明顯標示731號。731號敏感的是日本在哈爾濱市抓中國人做活體解剝細菌實驗的部隊番號。這兩大事件，再加上安倍上台以來針對釣魚島主權的強硬態度，所引發東亞地區國家的爭端，讓人會有日本軍國主義復活的疑慮？（2013年8月10日附記）

後記2：

據《中國時報》2014年1月20日刊載：爲紀念1909年10月26日在哈爾濱火車站暗殺日本疏密院議長伊藤博文的朝鮮英雄安重根，由中方籌建的「安重根義士紀念館」19日在哈爾濱開館。該館的建館緣起於2013年6月南韓總統朴槿惠訪問北京會見中共總書記習近平時，稱讚安重根是中韓兩國人民共同敬仰的歷史人物，希望中方在哈爾濱火車站豎立根重根紀念碑，獲習近平當面引諾。（2014年1月20日附記）

哈爾濱731部隊遺址的文化紀事[1]

——【城市踏查之12】

記憶的中國東北，只知有九省，和貂皮、人參、烏拉草的三寶，而認識有東方莫斯科之稱的哈爾濱，對這城市的了解，我是模糊的。所以，民國102年（2013年）7月8日至9日應中國檔案學會、中國文獻影像技術協會與中華檔案暨資訊微縮管理學會共同舉辦的「2013年海峽兩岸檔案暨縮微學術交流會」之邀，成爲是我難逢的首次東北踏查。我發表的論文是〈論檔案與文獻的整合應用—以研究台灣治安史爲例〉。

參訪731部隊遺址是被安排在會議開始的前一天下午，因此當與會學者一抵機場出關後，就上專車直赴哈爾濱市平房區的731部隊遺址。這地方是二次大戰期間，日軍實驗細菌、鼠疫的化學作戰所遺留下的建物，雖在戰爭結束之際，已遭日軍因怕留下慘無人寰的殺人證據而炸毀部分，但從遺跡中依稀可見當時實驗設備和完整流程的嚴密管控。現在731部隊本部大樓舊址陳列館陳列有照片160餘幅、罪證實物70餘件，和大量見證人的控訴文字。至於館外遺址營區佈署的參觀，由於占地遼闊，我們只能分組乘坐自動電車，目睹日軍731部隊所殘留下醜陋的景象。

離開731部隊遺址前往哈爾濱市檔案館已是黃昏時刻，東

[1] 本文原以〈參訪哈爾濱731部隊遺址及其聯想〉為名，發表於中央警察大學2014年2月出刊的《警大雙月刊》第171期，頁57-58。

北夏季夜晚的涼風徐來，對於剛遠離酷熱台灣的我，真感舒服之至，只是對照我剛才參訪遺址時的氛圍，我的心情有些許沉重。原因是除了悲憤日本軍國主義發動的侵略戰爭之外，讓我聯想起在學校講授「台灣治安史」與「文化創意產業」課程中的活化日治時期台灣警察文物古蹟的整合性議題。尤其是在這次參訪活動之前的二個月，我才接受台南市警察局邀請，以〈台灣警察法制歷史的省察——從傳統、軍管到警管治安的衍變〉爲題發表自己的研究心得。

台南是我的故鄉，故鄉人關心原台南市警察局主體建築的古蹟保存。該主體建築可溯至民國20年（昭和6年）興建的台南警察署，迄今已有83年的歷史。戰後台灣光復，這坐落在台南市中西區南門路37號的台南警察署改稱台南市警察局，到了民國87年市政府指定爲古蹟，99年12月台南縣市合併升格直轄市，遂將台南市警察局遷移至原台南縣新營市的原台南縣警察局；進而於100年6月將原台南市警察局規劃爲興建台南市美術館，導致古蹟的原台南市警察局建物被閒置。亦即具有殖民治安特徵的台南警察署主體建物既劃定爲古蹟，如果未來不能被保存定著在原土地上，將有損於其歷史意義與價值。

就在我參訪731部隊遺址回到台灣之後的幾天，很高興看到同是建造於日治的台北北警察署遺址的舊台北市大同分局，被選定從8月起至11月舉辦「治警事件90周年紀念特展」，並在特展之後將整修爲「台灣新文化運動紀念館」。我非常認同台北市政府這種負有歷史使命感的積極作爲，如果古蹟的台南警察署遺址定著物也能闢建爲「台南警察史蹟文物館」，乃至與發生在府城荷蘭時期郭懷一，清治朱一貴、劉却、張丙，和日治余清芳等治安事件作歷史性連結，特別成立「台灣治安史研究中心」當更具歷史檔案文獻的功能與特色。

澎湖「山東流亡學生」的文化紀事[1]

——【城市踏查之13】

2014年5月9日我的網路，從海峽另一端傳來「天下@第一庄杂志13期，期待与您相见欢」的標題訊息，我迫不及待地打開了信箱，首先映入眼簾的是這一段感人的文字：「亲爱的朋友，暌违了三个月，我们的13期杂志已在近日出刊，希望能够得到你们的喜欢，打动你们的心。感谢这么长时间您对我们的支持，这段走过的岁月，有苦有乐，但不管在任何时间或任何我们相遇的地方，我们都会感念在心；因为有你们，这本杂志才有了延续也才有了很多的期待。再次感谢您，我们会继续努力。并请不吝指教，给予我们更多宝贵的意见。」

從編者的用字寫得是那麼文學白話、親切真誠，筆鋒又帶感情，這就可以十足證明這刊物的高水準內涵；而編輯的精心設計圖片亦襯托出台兒庄古城的美不勝收。我不禁要發出讚嘆：「台兒庄古城真不愧天下第一庄的嫵媚！台兒庄雜誌真不愧天下第一刊的精美」。當我完成下載了該期的全部內容之後，同時也注意到有篇孫忠信寫的〈我從勝利中學走來（上）〉大文。拜讀之後，遂引發我重新對台灣治安史上所謂「七一三事件」的關注。

有關我對該事件的記述，源起於2010年2月我在台灣出版

[1] 本文原以〈追憶「山東流亡學生」在澎湖的一段史事〉為名，刊於2014年6月山東台兒莊古城出版的《天下@第一庄》第14期，頁32-34。

《台灣治安制度史—警察與政治經濟的對話》的書中提到：「『七一三事件』，即山東煙台聯合中學校長張敏之帶領八千多名師生流亡到澎湖，澎湖防衛司令李振清、三十九師長韓鳳儀等人欲強徵學生入伍充當兵源，導致發生軍方血腥鎮壓的衝突事件。」（頁127）。我在附註還特別引用2008年7月12日《中國時報》報導的一則新聞，約略指出：這事件又稱「山東流亡學生事件」，校長張敏之、分校校長鄒鑑和五位同學最後遭到槍決，另有四十一位羈押入獄，並受九個月的感化教育，六十一人歷經酷刑，受到管訓或個別看管等不當待遇，全案株連師生109人，還有因而被列入黑名單者更不計其數。直到1998年，依據「戒嚴時期叛亂及匪諜案件和不當審判補償條例」，被害人與其家屬才獲得平反。在這批山東流亡學生包括前國防部長孫震、中央研究院院士張玉法等人。

根據上述《中國時報》的新聞重點，旨在披露這批「山東流亡學生」的被害人與其家屬獲得平反和不當審判補償經過。因此，我仔細對照了〈我從勝利中學走來（上）〉、「山東煙台聯合中學」，以及「澎湖防衛司令強徵學生入伍」等其所發生時間的先後，和彼此關係的連結，我才深刻體會郁化清先生在《天下@第一庄》雜誌的〈台兒庄古城2011‧金龍灣的倒影〉所寫〈流亡歲月長〉一文（頁30~35），所要表達的其內心辛酸與悲壯。

郁先生文字內容的大要是這樣訴說：「1949年7月13日，是我們從流亡學生變為大兵的日子。也是我終身難忘的日子，當天發生的情形，如今記憶猶新。前一天就有學長暗中傳遞消息，要我們明天早晨集合時把自己的行李帶出來。第二天吃了早餐，同學們就帶著行李到大院集合，就有幾個學長帶頭

呼喊“我們不要當兵，我們要去找校長、、、、。正當我們在大院中亂轉呼叫的時候，忽然聽到一個軍官大喊：“立正——！”原來是澎湖司令官到了。、、、大聲地說：“誰不願意當兵的來找我。”、、、一個學長名叫李樹民的，真的很勇敢走了過去，當他走到司令台的時候，一個士兵用刺刀在他的臂刺了一刀，一時鮮血直流！接著有個軍官說：“拉出去活埋！”、、、李學長被架走的時候，呼喊著：救命啊、、“我的背後又有一位叫唐克忠的學長大腿被刺了一刀，我只聽到慘叫的聲因，不敢回頭去看。就在這個時候，一位軍官大聲的喊著：蹲下——！同學們一看到流血，都嚇呆了，、、、這時候李振清司令開始罵人：、、、李振清罵完走了，一個軍官下達命令：排隊、報數123、、、於是一個連一個連被帶走了，我就變成116團2營5連的二等兵。」

無疑的，郁先生的現身說法，有助釐清和佐證這批「山東流亡學生」在澎湖所發生軍方強徵學生入伍，導致流血事件的史實；如果再對照現任台灣文化部長龍應台於2009年8月出版的《大江大海一九四九》，其在〈棲鳳渡一別〉章節中所記述張玉法院士的說法，和其引述1949年12月12日《台灣新生報》「台灣豈容奸黨潛匿，七匪諜伏法—以煙台中學校長張敏之爲頭，爲山東流亡少年奔走疾呼的七位師生，全部被當作匪諜槍決。」的刊載內容（頁86~90）。當更明確證實「七一三事件」是國民政府在1949年5月20日開始實施戒嚴，和6月21日頒布「懲治叛亂條例」之後，基於維持社會秩序和政權穩定的治安因素所實施的軍事嚴密統治。

回溯這批「山東流亡學生」的顛沛流離，從早年台兒庄的勝利中學、遷居湖南宜章、在廣州灣搭登陸艇到澎湖，最後被整編納入駐紮澎湖的第三十九師。這是一樁國共內戰時期「學生變大兵」的悲慘遭遇。這起不幸的歷史事件，校長張敏之因爲抗議將他的學生拉進部隊當兵而犧牲，他的夫人王培五女士更背負「匪妻」的忍辱生活，除了必須撫育小孩外，先後在屏東萬丹初中、台北建國中學等校教書，1969年王女士赴美，直到獲得平反隔年的1999年，口述出版了《十字架上的校長—張敏之夫人回憶錄》一書，2014年6月在美辭世，享壽106歲。王女士不愧是「山東流亡學生」所尊敬的校長夫人。

在此，我要承續上前《中國時報》所稱「這批山東流亡學生包括前國防部長孫震、中央研究院院士張玉法等人」的這則新聞，記述一段孫先生的文化逸事。發生的時間大抵是在2000年的台灣第一次政黨輪替以後，記得我參加有次在台北「上海鄉村」餐廳的一場晚宴，主賓是當時已經卸任台灣國防部長的孫先生，主人帶我趨前介紹，當我遞上名片，孫先生在接過看了之後，一開口就問我是不是《爲有源頭活水來》一書的作者。我真是敬佩孫先生的博學多聞和記憶力。因爲，該書是彙集我於1987年至1991年期間，在台灣日報副刊專欄所發表過的一系列散文；嗣蒙黎明文化公司於1992年5月出版單行本，並列爲青年文庫【第四輯】。後來該書又獲選國防部在軍中發行的官兵文庫，其時間應是就在孫先生擔任國防部長時期。

由於該次的餐會上，我不宜就「山東流亡學生」和「澎湖七一三事件」的嚴肅問題請教孫先生。可是我一直想要求證孫先生是否爲「山東流亡學生」，和與「澎湖七一三事件」是否有關，雖然我努力找到了《中央日報》於1998年2月20日、21日刊載孫先生接受林黛嫚的專訪：〈經濟學者的文學後花園—孫震回首蕭瑟來時路〉，內容提到孫先生「他出生於地圖上

幾乎找不到的小地方山東平度縣，從一個賣豆漿、倒茶水、推小車的貧童，一路拚讀至台大經濟系碩士」。可惜整篇文中並未談及孫先生在大陸或台灣的高中求學階段，遑論與「澎湖七一三事件」有關。因此，也就無從證實如《中國時報》所稱「這批山東流亡學生包括前國防部長孫震」的這則新聞？

至於張玉法院士與「山東流亡學生」的關係，頃檢視了《天下@第一庄》杂志，在《鄉愁不再是一枚小小的郵票—兩岸開放探親25周年》專輯的〈鄉情燃燒的歲月〉文中，主編已經報導證實了。未來期望貴刊如果能夠再就孫先生是否曾就讀「勝利中學」？是否爲「山東流亡學生」而到過澎湖？以及學生又如何變爲大兵等情事加以求證，這不啻是一件極有意義的訪談，也可再爲「山東流亡學生」或「澎湖七一三事件」留下珍貴的口述歷史，補遺我的《台灣治安制度史》。

貳、文獻與檔案篇

見證台灣政治民主化歷程

—「台灣省議會史料總庫」活動紀實[1]

爲了有助於學生了解戰後台灣政治民主化的歷程，尤其實施地方自治中省議會與治安之間的關係，台灣省諮議會與本校（中央警察大學）通識教育中心特於2014年11月13日在學校合辦了一場「台灣省議會史料總庫」的宣導活動。在議程上，主要分爲兩階段。第一階段是安排省諮議會的宣導，首先請台灣省諮議會秘書長李雪津致詞，李秘書長介紹了台灣省議會的沿革與發展，從1946年5月台灣省參議會的成立，歷經台灣省臨時省議會（1951~1959）、台灣省議會（1959~1998），以及之後的改制台灣省諮議會，迄今成爲行政院的派出機關。60餘年間，共計5百餘位台灣省參議員、臨時省議員、省議員，以及省諮議員的代表民意，對政策提出建言和監督政府施政，爲戰後台灣每一階段政治、經濟、社會、文化的發展與變遷，扮演了舉足輕重的關鍵角色。

接著，由該會楊啄靂組長就「台灣省議會史料總庫」的設置背景與功能做了說明。該會「史料總庫」業於2010年10月完成啓用，完整收錄該會自1946年至1998年間檔案、公文及議事錄數位影像約183萬1千影幅，後設資料46萬4,037筆。楊組長除了強調「史料總庫」的具有獨特性、珍貴性、完整性，和唯一

[1] 本文發表於中央警察大學2014年12月出版的《警大雙月刊》第176期，頁26-27。

性的特色之外；同時，也現場教導了學生如何透過欄位檢索、類別瀏覽模式，以及進階檢索，來使用該「史料總庫」。

第二階段是安排兩篇專題演講，首篇主講者是通識教育中心主任蔡田木教授，題目是〈「台灣省議會史料總庫」在社會科學的運用〉，蔡主任從研究方法與論文寫作的角度，說明文獻資料的分類與蒐集，來撰寫有關社會科學方面的論文，並且以「台灣省議會史料總庫」所典藏的數位檔案爲基礎，列舉台灣自1950年代以來，社會最常見飆車、毒品、賭博等犯罪個案，透過該「史料總庫」所提供數據、圖表的分析結果，作爲政府部門擬訂犯罪防制政策的參考。

次篇的主講者是由我本人報告，題目是「台灣省議會史料總庫」的時代意義—以戰後台灣治安史研究爲例」。內容主要是透過治安的結構性因素，來分析代表民意功能的省議會，在社會發生重大治安事件中所扮演的角色，例如從該「史料總庫」所能提供的檔案文獻，嘗試連結台灣省參議會時期與「二二八事件」、臨時省議會時期與「中國地方自治研究會」，以及省議會時期與「中壢事件」、「高雄事件」之間的關係，完整敘述戰後台灣實施地方自治省議會與治安之間關係的歷史變遷。藉此，我特別提供一張曾任台灣省參議會秘書長、時任內政部長連震東率員到地方視察，與時任南投縣長林洋港（後任內政部長和台灣省主席）、國民黨南投縣黨部主委楊寶發（後任台南縣長和內政部政務次長）等人的合照，以補實「台灣省議會史料總庫」，和見證台灣政治民主化的時代意義。

此次的活動，最後在建構省諮議會「台灣省議會史料總庫」，與本校通識教育中心「歷史警學資料庫」的連結與應用，俾助大家分享學術資源的共識下結束。

繼《台灣警政發展史》之後

—參加「警察通識教育圓桌論壇」有感[1]

2014年3月12日上午警大通識教育中心與中華民國通識教育學會「通識在線」雜誌社合辦「警察通識教育圓桌論壇」，與會學者分別從不同面向作了分析與報告。個人不揣淺薄，僅就參加論壇聽過了通識中心李顯裕老師發表，〈從文學與歷史學涵化警察的通識人文涵養〉的精彩內容之後，抒發感想如下：

台灣的歷史社會由於長期以來，受到日本軍國主義和戰後戒嚴體制的影響，迄今仍然有著觀念迷思，始終認爲現代警察還只是停留在「維護政權」的角色，並未能隨著解嚴後國家體制的轉型民主化，深切體認警察角色發揮的服務性功能。其原由之一，我們可以回溯檢視日據時期歷史與文學的發展，諸如：賴和於昭和1年（1926年）2月4日、21日發表在《台灣民報》〈一桿「秤仔」〉文學作品的描述惡警察形態；[2]吳濁流從昭和18年（1943年）開始撰寫《亞細亞的孤兒》這部小說，一直到1945年的二戰結束，他在該書的自序中特別提到，他家前面就是警察署的官舍，那裏有熟悉的特高警察，他爲防

[1] 本文發表於中央警察大學2014年8月出版的《警大雙月刊》第174期，頁57-59。

[2] 賴和，〈一桿「秤仔」〉，葉石濤、鍾肇政主編，台灣文學叢書〔13〕，《一桿「秤仔」》，（台北：遠景出版社，民國86年7月），頁57-70。

萬一，每次寫滿幾張稿紙後，就將它暗藏置於炭籠底下，趁機再將稿子疏散到鄉下老家的不安情境；以及「鹽分地帶文學」的奠基者吳新榮，他於昭和4年（1929年）因為涉及日本「四一六事件」，而被日警拘留淀橋警察署29天，其父親吳萱草則於民國36年（1947年）以涉嫌「二二八事件」，和他自己又於「白色恐怖」時期受「李鹿事件」之累，造成父子先後入獄的悲慘境遇。[3]

賴和和吳濁流兩位文學家作品代表的，是日據殖民統治下的台灣人和台灣文學苦境；而吳新榮父子遭遇突顯的，是不光在日本被警察逮捕，更感觸於國民政府在光復台灣之後所發生的政治事件，以及事件之後社會瀰漫的「白色恐怖」陰影。因此，他們的文學作品除了流露著這段不幸歷史的沉重痛訴之外，亦遂其筆鋒對部分警察不良行徑的描述，往往又加深社會對警察的刻板印象，形塑了國人的歷史共同記憶，導致今日我們更要以嚴謹態度來面對日本殖民統治，以及戒嚴威權政體下台灣人身處的時代空間與走過的生命歷程。

警察通識教育如何來釐清這段與警察形象密切關聯的歷史與文學，及其背後隱藏的獨特背景和深層意涵。就以我課堂上講授「台灣治安史」和「台灣政經發展史」為例，當準備教材和書寫到日據（治）時期台灣警政發展時，重要的參考檔案文獻之一，就非選擇介紹《台灣總督府警察沿革誌》這套書不可。

仔細分析這套書的原始構想和編寫緣起，主要是由台灣總督府警務局負責，執筆的核心人物是曾經擔任過警官訓練所

[3] 施懿琳，《吳新榮傳》，（南投：台灣省文獻委員會，民國88年6月），頁27、129、259。

教官的鷲巢敦哉。當我們社會還困在到底該用「日據」或「日治」而爭議不休的同時，我們又應該如何看待這套書對日本殖民統治下台灣警政發展的意義？尤其是該套書的第二編所敘述的：1.〈領台以後的治安狀況（上卷）〉，敘述台灣初期治安；2.〈領台以後的治安狀況（中卷）：台灣社會運動史〉，敘述台灣中期政治文化等各類運動的重大治安事件；3.〈領台以後的治安狀況（下卷）：司法警察及犯罪即決的變遷史〉，敘述台灣刑事司法的組織與變遷。

承上所述，鷲巢敦哉編撰該書之初，即依據統督府內訓：「台灣的警察，有其特殊的成立及沿革，故應詳細輯錄創始以來的狀況，供他日參考。」[4]所以，在立意上難免要凸顯殖民統治者的立場，但它彙集整理史料的原旨，卻不失爲警政發展留下了珍貴的檔案文獻。對照光復以來有關中華民國警政史料的整理，除了民國78年國史館出版《警政史料（一~五）》，和在民國84年由警政署編印的《中華民國（台灣地區）警察大事記》之外，由警大出版的專書已有民國60年由當時中央警官學校彙編的《六十年來的中國警察》，和去年（民國102年）甫由警大章光明主編的《台灣警政發展史》；若是加上通識教育中心建置中的「警學知識庫」和「歷史警學知識庫」，警大已經肩負完備中華民國警政發展史的撰寫與出版，不但彰顯了警大的學術地位與特色，更充實了國內外人士研究「中華民國警學」的環境。

胡適於1953年應台灣省文獻委員會演講的一段話引人深

[4] 吳密察，〈台灣總督府警察沿革誌解題〉，台灣總督府警務局，《台灣總督府警察沿革誌（五）》，（台北：南天書局重刊，1995年6月），頁1-11。

省。胡適指出，文獻會是替台灣做歷史，替台灣保存史料，原料保存的多，則愈有價值。他並說：「二二八事變是一個很不愉快的事情，但其造因如何？經過如何？也不能不討論這個問題，要避免有主觀見解，能夠顧到客觀環境。關於二二八事變事情，就有許多材料不能用，不敢用，或不便用，但總要儘量保存這個史料，並發表其可發表之資料，以留真相。」[5]

總之，如果至今台灣社會仍然有人對警察形象的認知，尚且只會去強調日據「警察大人」、「政治警察」維護政權的「工具性」，而有欠公允地避談「現代性」、「服務性」功能，那〈從文學與歷史學涵化警察的通識人文涵養〉的教育責任就要更加沉重了。因此，警大如何再繼出版《六十年來的中國警察》和《台灣警政發展史》之後，再來一次群策群力彙編《日據時期台灣警政發展史》，以建構一套「台灣治安史知識庫」，我想這將會是警大再創一件具有歷史性意義的成果。

[5] 轉引：王世豐，《台灣史料論文集（下冊）》，（台北：稻鄉出版社，民國93年2月），頁254。

論檔案與文獻的整合應用[1]

壹、前言

「檔案」（archives）與「文獻」（document）都是史料的一部份。史料有直接史料和間接史料之分。依我國「檔案法」第二條及「檔案法施行細則」第二條之規定，指機關依照管理程序，而歸檔管理之文字或非文字資料及其附件；其來源爲處理公務或因公務產生之各類紀錄資料及其附件，包括政府機關所持有或保管之文書、圖片、紀錄、照片、錄影（音）、微縮片、電腦處理資料等可供聽、讀、閱覽或藉助科技得以閱覽或理解之文書或物品。[2]因此，檔案具有永久保留紀錄和提供過往的政治、經濟和文化發展的功用。

根據上述，嚴謹的檔案定義是指政府的公務文件，基本上是公文，譬如一個法令要立案，從草擬開始到整個案子定案的過程中，如何修改、有何意見、討論結果，通常被保存了下來的直接史料。[3]而所謂的「文獻」則是泛指記錄有信息和

---

[1] 本文2013年7月7日~14日發表於中國檔案局與中華檔案暨微縮資訊管理學會於哈爾濱舉行的「2013年海峽兩岸檔案暨縮微學術交流會」。

[2] 我國《檔案法》自2002年1月1日開始實施以來，嗣經2008年7月修正公布第28條。〈檔案法實施細則〉經行政院研考會檔案管理局於2001年12月12日發布，與2005年1月3日的修正。主要負責執行的政府單位是行政院研考會國家檔案局。http：//zh.wikipedia.org/wiki/%E6%AA%94%E6%A1%88（2012.11.23瀏覽）。

[3] 《大美百科全書》（Encyclopedia Americana）對檔案的定義是，指文件、書籍、地圖、錄音資料，及其他各類文獻，其製作或收受或

知識的一切有形載體，是將知識、信息用文字、符號、圖像、音頻等記錄在一定的物質載體的結合體。[4]所以，文獻的範圍比較廣泛，諸如地方志、專題史料和文集、私文書（碑文、契約、族譜、照片）、報紙、期刊（雜誌）、日記（含遊記、回憶錄、人物傳記），甚至包括工具書（如百科全書、辭典、叢刊、目錄、提要、年表）的間接史料。因此，本文採取綜合上述範圍和分類的方式，將其歸納爲研究台灣治安史的直接史料檔案和間接史料文獻的兩大類來敘述。

貳、台灣治安史的定義與範圍

目前國內外針對治安的研究多著重於分析當前現象，而又迫切需要解決的問題，亦即強調治安在當前國家發展的重要性，因而對於台灣治安史的研究自不能孤立於政經社文的歷史因素之外，特別是「治安」（policing）指的是透過法律的手段治理紛亂，使其安定之謂，通常與強調「警察」（police）功能的「警政」（policing）交互使用。基此，我們亦可以從警察業務歷史發展的脈絡中檢視其功能或角色。因此，一般認爲治

為執法，或與業務有關；保存則因其恆久的價值，用於政府機構（公務檔案）、各種機關（機關檔案）、工商企業（商務檔案），及家族和個人（家族和個人檔案）等。家族和個人文件若不具真正檔案應有的組織，則稱為歷史文件。公務檔案若經印刷、發行，則為「政府出版品」。美國國家檔案法於1934年實施，美國和加拿大專業檔案人員組成的美國檔案管理人學會自1938年起出版《美國檔案管理人雜誌》。國際檔案理事會成立於1948年。參閱：《大美百科全書》第二冊，光復書局大美百科全書編輯部編譯，（台北：光復書局，1990年3月），頁143。

[4] http：//zh.wikipedia.org/zh-tw/%E6%96%87%E7%8C%AE（2012.11.23瀏覽）。

安在國家發展中可以界定其具有戰時軍人與國家安全的「維護政權」、秩序維護與犯罪打擊的「執行法律」，以及福利傳輸與效率追求的「公共服務」等三項功能，並且隨著社會變遷而分別突顯其不同功能的重要性。[5]

綜合上述三項警察功能的影響治安因素，我們可以分別透過國際性治安議題，和國內政治性治安議題、經濟性治安議題、社會性治安議題等四項不同「影響因素群」（influence factors）的層面，且其又會有相互糾葛的現象來檢視台灣治安史的結構與變遷，並從中勾勒出台灣治安史的分爲1895年以前的前現代傳統治安、1895~1987年的現代軍管治安，和1987年解嚴以後的後現代官警治安等三個時期。

本文因受限於篇幅，僅能就上述影響台灣治安的四項不同層面議題整合化約爲任何其中任何一項因素，而其重要性足以影響權力結構或社會安定的重大治安議題，來檢視台灣傳統治安、軍管治安和警管治安等三個時期的檔案與文獻。

參、研究台灣傳統治安時期的檔案與文獻

台灣傳統治安時期主要涵蓋原住民（~1624）、荷西（1624~1662），和明清（1662~1895）等階段的治安，亦即指台灣日治以前（~1895）的傳統治安時期，而這時期的治安特色是「亦法亦政亦兵亦警」的「法政軍警同體」，亦即涉以「國政」爲警察工作的「國政即警政」意涵。以下將就這一時期的三個階段重要檔案與文獻進行分析：

一、研究台灣原住民階段治安的檔案與文獻

[5] 陳添壽，《台灣治安史研究—警察與政經體制關係的演變》，（台北：蘭臺，2012年8月），頁16-17。

原住民階段由於至今尚未被發現正式文字，亦即沒有政府公文書和檔案被保存下來，因而被稱之爲所謂的「失竊的年代」。[6]所以，論述當時原住民治安議題的文獻並不多，例如僅能從：〈東蕃記〉是1603年（明萬曆31）陳第所撰寫踏查台灣留下「最古的台灣實地考察報告」，其中部分描述當時原住民社會的治安。[7]以及《閩海贈言》（卷五）的張燮〈贈沈將軍東番捷〉，也有首描述沈有容飛掃倭穴的維護治安等非常有限的文獻資料。[8]

二、研究台灣荷西階段治安的檔案與文獻

（一）檔案部分：1.《巴達維亞城日記》分上、中、下三卷，是紀錄荷蘭東印度公司在亞洲總部負責與台灣等地區政經活動。[9]而《東印度事務報告》保存了荷治台灣的歷史檔案，

[6] 參閱：陳添壽，《台灣治安制度史—警察與政治經濟的對話》，（台北：蘭臺，2010年2月），頁26-28。

[7] 文內特別指出，「盜賊之禁嚴，有則戮於社，故夜門不閉，禾積場，無敢竊。」陳第〈東蕃記〉全文的注解，可參閱：周婉窈，《海洋與殖民地台灣論集》【台灣研究叢刊】，（台北：聯經，2012年3月），頁147-150。

[8] 詩：「羽林東發事從戎，四十威名劍盾中。海上樓船吞巨浪，日南夷國懾雄風。揚旌萬里烽煙淨，挾纊三軍苦樂同。會識勳標銅柱早，只今誰并伏波功。」沈有容輯，《閩海贈言》【台灣文獻叢刊第56種】，（台北：台灣銀行經濟研究室，1959年4月），頁24-26、28、85、96；《龍海縣志》（卷三十一）還有福建南路參軍施德政、沈有容、和陳第三人的合唱詩。轉引：陳自強，《漳州古代海外交通與海洋文化》，（漳州：漳州師院閩南文化研究院，2012年10月），頁164-165。

[9] 包括1624年1月福建巡撫派出的代表黃合興、陳士瑛來到巴達維亞（今雅加達）交涉荷蘭人在中國沿海貿易的事務，數次表明只要荷蘭人退出澎湖，荷蘭人跑到大員（安平）一帶沒有意見《荷蘭人

特別是荷蘭人統治台灣後期有關漢人郭懷一的武力抗爭的治安事件，而該《報告》內容大部分與《巴達維亞城日記》相同。2.《熱蘭遮城日誌》是17世紀以荷蘭文撰寫荷蘭東印度公司治理台灣的重要歷史文件。[10]另外《梅氏日記》則是作者敘述鄭成功收復台灣過程中的見證。[11]

（二）文獻部分：1.《被遺誤的台灣》是荷治台灣的末代總督揆一（Frederic Coyett）及其同僚敘述如何與鄭成功交手，

在福爾摩莎》是從《東印度事務報告》的檔案中所摘錄出有關福爾摩莎（台灣）的部分。參閱：程紹剛 譯註，《荷蘭人在福爾摩莎》【台灣研究叢刊】，（台北：聯經，2000年10月），頁xvii。《巴達維亞城日記》只出版上、中兩卷，曾由村上直次郎譯為日文版（東京：平凡社，2003年9月），郭輝再依此版翻譯為中文《巴達維亞城日記》，（台北：台灣文獻委員會，1970年6月）。有關這期間荷蘭人與日本人爭奪台灣的心機和台灣的命運，參閱：〈外國傳・6〉，《明史》卷325，轉引，林景淵，《濱田彌兵衛事件及十七世紀東亞海上商貿》，（台北：南天，2011年9月），頁143-144。

[10] 江樹生 譯註，《熱蘭遮城日誌》（共四冊），分別於2000年8月、2002年7月、2003年12月、2011年5月先後由台南市政府出版。http：//www.libertytimes.com.tw/2011/new/may/25/today-south10.htm（2013.02.08瀏覽）

[11] 《梅氏日記》原是東荷蘭東印度公司檔案中的一份文件，現與荷治台灣相關史料珍藏在海牙荷蘭國家檔案館。作者菲力普・梅被東印度公司派到亞洲工作，曾在台灣住了19年。鄭成功登陸台灣以後，在與荷蘭的談判過程中，梅氏曾參與翻譯工作，并協助鄭成功測量屯墾土地。梅氏勾畫的鄭成功，道出其他檔案史料所沒有的細節，補足了《閩海紀要》、《從征實錄》、《海上見聞錄》等較少描寫鄭成功驅走荷蘭人的過程。http：//www.66163.com/Fujian_w/news/fj-today/030529big5/1_6.html（2013.02.08瀏覽）

最後退出台灣的經過。[12]2.《濱田彌兵衛事件及十七世紀東亞海上商貿》是敘述1628年先是荷方綁架日本船長濱田彌兵衛；接著濱田彌兵衛綁架荷蘭台灣長官奴易茲（Pieter Nuijts）所導致商業利益和台灣土地主權糾紛的治安事件。[13]3.《西班牙人的台灣體驗（1626~1642）——一項文藝復興時代的志業及其巴洛克的結局》主要探討當時西班牙的約600名守城士兵，如何擔負當時北臺灣的治安工作。[14]

三、研究台灣明清階段治安的檔案與文獻

（一）檔案部分：明鄭治台凡二十三年，此階段戶官楊英的《從征實錄》比較接近於直接史料之外，幾乎沒有遺留檔案。在清治台灣階段的主要檔案如：1.《宮中檔》現存故宮博物院檔案，主要爲清代康熙中葉開始各朝君主親手御批的滿漢文奏摺及其附件，其中有關台灣社會的分類械鬥與會黨等資料可供參考；另《軍機處檔》中有關治安議題的小刀會、乾隆年間台灣人口統計、偷渡、沈葆楨請設台北府奏章等等，特別是審訊朱一貴之供詞、台灣之民變分類械鬥事件、林爽文起事

[12] 特別在辯解當鄭成功登陸鹿耳門時，當事人又如何在無援軍的情況下，奮力抵抗。參閱：C. E. S. 原著，William Campbell（甘為霖）英譯，林野文漢譯，《被遺誤的台灣—荷鄭台江決戰史末記》，（台北：前衛，2011年12月），頁5。對於這一影響國際性治安事件，《決戰熱蘭遮—歐洲與中國的第一場戰爭》有更深入的探討。參閱：歐陽泰（Tonio Andrade），陳信良譯，《決戰熱蘭遮—歐洲與中國的第一場戰爭》，（台北：時報，2012年11月）。

[13] 林景淵，《濱田彌兵衛事件及十七世紀東亞海上商貿》，（台北：南天，2011年9月）。

[14] 鮑曉鷗（Jose Eugenio Borao）著，若到瓜（Nakao Eki）譯，《西班牙人的台灣體驗（1626~1642）——一項文藝復興時代的志業及其巴洛克的結局》，（台北：南天，2008年12月），頁xi。

後軍機大臣訊問閩浙督撫大員的供詞。故宮博物院業於1995、1996、1998、2001年分別編輯出版《清宮月摺檔台灣史料》、《清宮諭旨檔台灣史料》、《清宮廷寄檔台灣史料》、《清宮宮中檔台灣史料》。[15]該院現已將清代宮中奏摺及軍機處檔摺件全文影像資料庫提供使用。[16]

2.《內閣大庫檔案》現存於中央研究院史語所，此中有關台灣開闢和治安議題的史料，其年代大多在康熙至咸豐年間。[17]《明清史料（戊編）》爲中研究史語所遷台之後繼續

[15] 《宮中檔》中頗多涉及台灣史的資料，例如閩浙總督、福建巡撫、福建布政使、福建水師提督、福建台灣鎮總兵官、巡視台灣監察御史、巡視台灣給事中等人的摺件，奏報台郡事宜者頗多。王世慶，《台灣史料論文集（上冊）》，（台北：稻香，2004年2月），頁19-20、323-324。莊吉發，〈國立故宮博物院現藏清代台灣檔案舉隅〉，國學文獻館 主編，《台灣地區開闢史料學術論文集》，（台北：聯經，2003年3月），頁1~36。

[16] http：//npmhost.npm.gov.tw/tts/npmmeta/GC/indexcg.html（2013.01.22瀏覽）

[17] 其內容依事由可以分為：（1）鄭成功在台灣開拓以及反清復明的資料。（2）清代海禁、防止偷渡和抑止海盜的資料。（3）政府有限開放移民並加管理的資料。（4）設官及駐軍以維持治安推行政令的資料。（5）開墾及水利的資料。（6）有關新移民和原居民之間的爭執及解決的資料。（7）有關個人之間侵犯人身、財產權益及判決的刑案資料。（8）有關地方團體間比較大規模的械鬥處理資料。（9）有關台灣附近海盜危害及處理辦法的資料。（10）有關人民反抗滿清政府的民變資料。（11）有關天地會、小刀會等祕密會社的資料。（12）有關台灣物產和稅收的經濟資料。（13）有關上級官員彈劾下級官員失職行為的參劾資料。參閱：張偉仁，〈略述內閣大庫檔案中有關台灣的開闢史料〉，國學文獻館 主編，《台灣地區開闢史料學術論文集》，（台北：聯經，2003年3月），頁37-39。

編印與台灣有關的歷史，特別是朱一貴、林爽文的史料；史語所並與聯經出版公司合作出版《明清檔案》，是研究台灣明清階段治安的重要史料；另《淡新檔案》係1812年至1895年間（嘉慶17年至光緒21年），台灣淡水廳、台北府及新竹縣的行政與司法檔案。《劉銘傳撫臺檔案》是有關清光緒年間，恆春、彰化之檔案。《淡新檔案》與《劉銘傳撫臺檔案》同為僅存清代台灣各府州縣廳的檔案。[18]

3.《總理衙門檔案》存於中央研究院近代史研究所，概略分為26大類，其中第3大類的《海防檔》、第10大類的《禁令緝捕檔》與台灣治安有關。[19]該所檔案館備有檢索系統，可同時查閱影像和目錄。[20]

4.遠流版的《明清台灣檔案彙編》（第壹輯至第五輯）是由台灣史料集成編輯委員會編，台北遠流公司從2004年3月至2009年10月出齊110冊，總字數1億4仟萬字，例如保甲制度與

[18] 《淡新檔案》經戴炎輝和其學生將其內容整理分為三大類，共1163案，分行政、民事、刑事三個部門。西雅圖華盛頓大學曾來台將這批檔案拍成微卷，現在中央研究院史語所、社科所，還有台灣分館都有一部，原件收藏在台大研究圖書館。王世慶，《台灣史料論文集（上冊）》，（台北：稻香，2004年2月），頁324-325。又《清代台灣之鄉治》是充分運用《淡新檔案》將墾隘、保甲、團練及清庄聯甲如何影響於自然街庄及聯庄的治安的論述。參閱：戴炎輝，《清代台灣之鄉治》【台灣研究叢刊】，（台北：聯經，2005年11月），頁2-3；陳添壽，《台灣治安史研究—警察與政經體制關係的演變》，（台北：蘭臺，2012年8月），頁24。

[19] 王世慶，《台灣史料論文集（上冊）》，（台北：稻香，2004年2月），頁21。

[20] http：//aslib.sinica.edu.tw/special/special1.html（2013.01.22瀏覽）

治安的史料等。[21]而遠流版的《清代臺灣關係諭旨檔案彙編》共9冊，則是收錄清雍正元年（1723）至宣統3年（1911）清帝國所頒發之臺灣相關諭旨以及保存於諭旨類檔冊中的奏摺、奏片等非諭旨文件。[22]

（二）文獻部分：明鄭階段的重要文獻如：《台灣外記》是江日昇記載從鄭芝龍起至鄭克塽出降的鄭氏王國興亡史。[23]

---

[21] 《明清臺灣檔案彙編》第壹輯（1~8冊），收錄自明嘉靖26年（1547）至清康熙22年（1683）清帝國領有臺灣以前，第貳輯（9~30冊）的起迄年代為清康熙23年至清乾隆52年3月，第參輯（31~60冊）起迄年代為清乾隆52年3月至清道光29年5月，有關臺灣本島及鄰近海域的公文史料。第肆輯（61~85冊）收錄自清道光29年（1849）至清光緒10年（1884）間，第伍輯（86~110冊）收錄自清光緒10年（1884）至清宣統2年（1910）間，與臺灣歷史相關之中外政府檔案、方志、碑刻以及文集等史料。參閱：http：//www.ylib.com/set_cont.aspx？bookno=0U-Z（2013.01.28瀏覽）。又有關保甲與治安史料例如：福建陸路提督楊捷〈為諮請嚴飭力行保甲良法以清響應之奸以杜接濟之弊俾山海宴安地方鞏固事〉，台灣史料集成編輯委員會編，《明清臺灣檔案彙編》第壹輯第八冊，（台北：遠流，2004年3月），頁165，

[22] 該套書選錄文件之資料來源，以中國第一歷史檔案館出版的《雍正朝漢文諭旨匯編》（共十冊）、《乾隆朝上諭檔》（共十八冊）、《嘉慶道光兩朝上諭檔》（共五十五冊）、《咸豐同治兩朝上諭檔》（共二十四冊）、《光緒宣統兩朝上諭檔》（共二十冊）為主體，輔以臺灣故宮博物院出版的《清宮諭旨檔臺灣史料》（共六冊）、《清宮廷寄檔臺灣史料》（共三冊），主、輔重複之件選擇前者，匯合兩大機構的清代文獻典藏，整理出較為完備的諭旨類臺灣關係史料。參閱：http：//www.ylib.com/set_cont.aspx？bookno=46-R（2013.01.26瀏覽）

[23] 參閱：周婉窈，《海洋與殖民地台灣論集》【台灣研究叢刊】，（台北：聯經，2012年3月），頁184；陳添壽，《台灣治安史研究—警察與政經體制關係的演變》，（台北：蘭臺，2012年8月），

5.《素描福爾摩沙：甘爲霖台灣筆記》是甘爲霖（Rev. William Campbell）來台灣傳教並記錄下當時的社會治安。[30]

6.《台灣紀行》是李仙得（Charles W. Legendre）未發表的文稿（包括若干1872年以來關於台灣的插圖及攝影），現存美國華盛頓國會圖書館，其中紀錄日本侵略台灣的「牡丹社事件」。[31]

另外，連橫《臺灣通史》的網羅清代臺灣舊有方志撰寫而成，是臺灣三百年來第一部通史巨著，內容分紀四、志二十四、傳六十，凡八十八篇。[32]特別是《中央研究院漢籍電子文獻資料庫》蒐錄了包括台灣銀行經濟研究室編的「台灣文獻叢刊」等漢籍文獻。[33]

肆、研究台灣軍管治安時期的檔案與文獻

期的「士林保甲局關係文書」，因受限篇幅未加以蒐錄，而這部分卻與台灣治安有關，期望未來能整理出版。參閱：張炎憲、曾品滄主編，《楊雲萍藏台灣古文書》，（台北：國史館，2003年12月）。

[30] 甘為霖（Rev. William Campbell）原著，林弘宣等譯，阮宗興校註，《素描福爾摩沙：甘為霖台灣筆記》，（台北：前衛，2009年10月）。

[31] 《台灣紀行》（Notes of Travel in Formosa）經Douglas L. Fix and John Shufelt合編，於2012年由台南國立台灣歷史博物館出版。坊間出版的節譯本，是譯自美國專門研究日本殖民主義的學者Robert Eskilsen教授，他利用美國國會圖書館珍藏的稿本，於2005年集結成書的《Foreign Adventurers and the Aborigines of Southern Taiwan, 1867-1874》。參閱：黃怡漢譯、陳秋坤校註，《南台灣踏查手記》，（台北：前衛，2012年11月）。

[32] 連橫，《台灣通史》【台灣文獻叢刊第128種】，（台北：台灣銀行，1962年2月）。

[33] http：//aslib.sinica.edu.tw/special/special1.html （2013.01.22瀏覽）。

以及《裨海紀遊》是郁永河來台灣，除對明鄭歷史做敘述之外，也紀實漢族與原住民之間所引發的治安問題。[24]清治台灣階段的重要文獻如：

1.《東征集》、《平台紀略》等書是藍鼎元針對台灣治安的防範內賊與杜絕外寇的重要文獻。[25]

2.《東瀛紀事》（二卷）是清金門舉人林豪針對台灣「戴潮春事變」的重要治安文獻，有助於了解清代末期社會權力結構、秘密會社的在台灣發展、駐台文武官員的相互拮抗、台灣各地豪族之間的縱橫捭闔等治安議題。[26]

頁23。

[24] 郁永河 原著，《裨海紀遊》，參閱：楊龢之 譯註，《預見三百年前的台灣—裨海紀遊》，（台北：圓神，2005年）；宋澤萊，《台灣文學三百年》，（台北：印刻（INK），2011年4月），頁39-43。

[25] 《東征集》、《鹿州初集》、《鹿州奏疏》和《平台紀略》等書全收錄《鹿州全集》。《鹿州全集》，蔣炳釗、王鈿點校本，（廈門：廈門大學出版社，1995年）；參閱：陳自強，《漳州古代海外交通與海洋文化》，（漳州：漳州師院閩南文化研究院，2012年10月），頁114~121。《東征集》（卷四）有篇草擬致閩浙總督滿保的〈論台鎮不可移澎書〉，這見解得到提督姚瑩等人的支持，台灣總兵一職一直設置於台灣；《鹿州初集》（卷一）亦有篇〈論海洋弭捕盜賊書〉，建議准許商船擁有禦敵防盜的槍砲，以確保海上行舟的安全；《平台紀略》則記載發生於1721年的朱一貴事件。《鹿州初集》亦收錄在近代中國史料叢刊續編第41輯，（台北：文海出版社，1977年）。

[26] 該書成於1870年（同治9年），上卷分戴逆倡亂、賊黨陷彰化縣、郡治籌防始末、鹿港防勦始末、北路防勦始末、大甲城守、嘉義城守、斗六門之陷、南路防勦始末等九小節；下卷也分九小節：官軍收復彰化縣始末、塗庫拒賊始末、翁仔社屯軍始末、逆守戴潮春伏誅、戇虎晟伏誅、餘匪、災祥、叢談（上）、叢談（下）。參

3.蔣毓英《台灣府志》卷八官制和武衛、高拱乾《台灣府志》卷四武備志、余文儀《續修台灣府志》卷九~十一的武備（一~三）、范咸《重修台灣府志》卷九~十一的武備（一~三）都是清治台灣的重要治安文獻。[27]完整的清代台灣方志遠流版的《清代台灣方志彙刊》，已出版34冊可提供地方治安的參考。

4.《岸裡大社文書》爲瞭解十八、九世紀台灣中部地區開拓歷史的重要資料，以台大圖書館的典藏數量最多且最完整，並已翻拍成微捲。[28]《大甲東西社古文書集》、《苑裡古文書集》則對於台灣聚落和隘寮地名的出現，有助於了解地方治安情形。[29]

閱：林豪 原著《東瀛紀事》，顧敏耀 校釋，《東瀛紀事校注》，（台北：台灣書房，2011年10月），頁2-7。

[27] 蔣毓英修《台灣府志》現藏於上海圖書館；高拱乾，《台灣府志》，（台北：國史館台灣文獻館，2002年11月），頁69-112；余文儀《續修台灣府志》，（台北：台灣銀行經濟研究所，1962年4月），頁367-456；范咸，《重修台灣府志》，（南投：台灣省文獻委員會，1993年6月），頁293-366。參閱：吳密察等，《台灣史料集成提要》，（台北：遠流，2004年3月），頁51-72。

[28] 現存《岸裡大社文書》分別收藏於台灣大學圖書館特藏組、國立台灣博物館、台中（縣立）文化中心、中央研究院台灣史研究所籌備處等，坊間亦有根據台大典藏登錄地0001~0550號的《岸裡大社文書》校注出書供作研究。參閱：林春成校注，《岸裡大社文書（卷I：台大典藏登錄地0001~0550號》，（台北：鯨奇數位科技，2006年10月）。

[29] 參閱：謝嘉梁、林金田訪問，劉澤民紀錄，《文獻人生—洪敏麟先生訪問錄/洪敏麟口述》，（南投：國史館台灣文獻館，2010年6月），頁229-233。另外，《楊雲萍藏台灣古文書》蒐錄了清代的地契古文書，書內提及在楊雲萍蒐集的豐富古文書裡，還有日治初

台灣軍管治安時期主要是涵蓋1895年至1945年日治台灣的殖民治安階段，和1945年國民政府接收台灣至1987年的戒嚴治安階段。整體而言，這時期治安特色是警察附屬於軍人指揮的「以軍治警」。以下將就這一時期的重要檔案與文獻進行分析：

一、研究台灣日本政府殖民階段治安的檔案與文獻

（一）檔案部分：1.《臺灣總督府檔案》原名爲《臺灣總督府公文類纂》，是日本治台時期總督府所收發的公文，收編範圍自光緒21年（明治28）5月起至民國34年（昭和20）10月止，共有12358冊。係按年整理並依行政上公文處理法分門別類，起初別29門，最後調整爲13門，下酌情分類，從警務業務的調整部門和分類，可幫助了解當時治安的結構與變遷。[34]

2.《臺灣總督府舊縣廳公文類纂》主要包括台北、台中、台南、新竹、嘉義、鳳山、台東等七縣廳的檔案，就中收錄了

[34] 有關《臺灣總督府公文類纂》的出版，國史館台灣文獻館從民國80年（1991年）起至85年（1996年）業翻譯出版11鉅冊，後改選擇專題翻譯方式，計分教育、涉外關係、郵政、原住民、官制、宗教、殖產、衛生等八項專題，分頭進行翻譯，迄今出版32冊。其中原住民系列之四「日治時期台北桃園地區原住民史料彙編之一：理蕃政策」，和「日治時期台北桃園地區原住民史料彙編之二：蕃地拓殖」，在內容上所涉及的治安工作可做為參考資料。參閱：王世慶，《台灣史料論文集（上冊）》，（台北：稻香，2004年2月），頁50-70。例如《日據初期官吏失職檔案》是從《臺灣總督府公文類纂》有關政治性議題治安的檔案中選譯編印。參閱：謝嘉梁、林金田訪問，劉澤民紀錄，《文獻人生—洪敏麟先生訪問錄/洪敏麟口述》，（南投：國史館台灣文獻館，2010年6月），頁137-140。

地方治安的資料。[35]

3.《日治時期南台灣治安報告書》係由曾擔任台灣總督府警察官及司獄官訓練所教官的鷲巣敦哉負責編纂。[36]

4.《台灣史料》（稿本）是由台灣總督府史料編纂會依據《日清戰史》、《台灣總督府陸軍幕僚歷史草案》、《臺灣總督府公文類纂》、《台灣總督府府報》、《警察通報》等，選錄光緒21年（明治28）至民國八年（大正8）爲止之重要史料編纂而成。其中收編了台胞抗日，乃至於台灣之軍事、防戍和警察等原始資料。[37]

（二）文獻部分：1.《台灣總督田健治郎日記（上、中、下）》是1919年10月至1923年9月田健總督在台灣推動文人統治的階段，提供了軍人治安轉型的重要史料。[38]

2.《台灣文化志》、《理蕃沿革志》、《理蕃誌稿》和

---

[35] 參閱：王世慶，《台灣史料論文集（上冊）》，（台北：稻香，2004年2月），頁72-77。另洪敏麟根據台灣總督府等檔案編輯而成《雲林、六甲等抗日事件關係檔案》、《日據初期之鴉片政策（附錄：保甲制度），參閱：謝嘉梁、林金田訪問，劉澤民紀錄，《文獻人生—洪敏麟先生訪問錄/洪敏麟口述》，（南投：國史館台灣文獻館，2010年6月），頁142-147。

[36] 鷲巣敦哉，曾玉昆譯，《日治時期南台灣治安報告書》，（高雄：高雄市文獻會）。

[37] 《台灣總督府陸軍幕僚歷史草案》則為日本統治台灣初期（1895~1905）有關其鎮壓台灣及其軍事配備的軍事和治安資料，現台灣分館典藏一部。參閱：王世慶，《台灣史料論文集（下冊）》，（台北：稻香，2004年2月），頁212-218。

[38] 田健治郎，《台灣總督田健治郎日記（上、中、下）》，上冊於2001年7月由中研院台灣史研究所籌備處出版；中冊於2006年2月由中研院台灣史研究所出版；下冊於2009年11月由中研院台灣史研究所出版。以上三冊皆由吳文星等人負責編譯。

《伊能嘉矩の台灣踏查日記》都是伊能嘉矩以田野調查記錄台灣原住民、漢人之間關係的發展，提供清治和日治台灣治安的第一手資料。[39]

3.《台灣總督府警察沿革誌》[40]【南天版（一~五）】，該五冊書內容共分爲三篇（編），第一冊是第一篇〈警察機關的構成〉，第二冊是第二篇〈領台以後的治安狀況（上卷）〉，第三冊是第二篇〈領台以後的治安狀況（中卷）—台灣社會運動史〉，第四冊是第二篇〈領台以後的治安狀況（下卷）—司法警察及犯罪即決的變遷史〉，第五冊是第三篇〈警務事蹟〉，由於該五冊書和別編（第六冊）先後分別出版於1933年至1942年間，所以，得對照書成於1945年《台灣統治概要》內容的其中第五篇兵事及國民動員、第六篇警察、第七篇衛生，以及書成於1932年（昭和7）現藏台灣分館的《台灣憲兵隊史》文獻，更有助於完整對日治51年來台灣治安的研究。[41]

[39] 參閱：陳添壽，《台灣治安史研究—警察與政經體制關係的演變》，（台北：蘭臺，2012年8月），頁25-26。

[40] 台灣總督府警務局編的《台灣總督府警察沿革誌》，主要引用不少台灣總督府檔案提供當局施政參考，該部書分為三編及別編，共六冊，分別編寫於1933~1942，雖都署名台灣總督府警務局編，但根據第一編、第二編上卷、第三編的〈凡例〉中都註明實際執筆者係由當時台灣總督府警察官及司獄官訓練所教官的鷲巢敦哉擔任編纂，亦即在整部《台灣總督府警察沿革誌》的編纂過程中，鷲巢敦哉是主要的撰述者。第一編是第一冊出版於1933年12月、第二編（上卷）是第二冊出版於1938年3月，（中卷）是第三冊出版於1939年7月，（下卷）是第四冊出版於1942年3月，第三編是第五冊出版於1934年12月，別編的主要內容含《詔敕、令旨、諭告、訓達類纂》是第六冊出版於1941年。參閱：盧修一，《日據時代台灣共產黨史》，（台北：前衛，1990年5月），頁245。

[41] 《台灣總督府警察沿革誌》【南天版】的一~五冊，於1995年6月

另外，《台灣青年》、《台灣民報》、《台灣新民報》、《民俗台灣》、《台灣文獻》、《台灣日日新報》、《台南新報》、《台灣新聞》等報紙和期刊提供了當時治安的第一手資料，漢珍公司業已建置《漢文台灣日日新報》與《台灣日日新報》資料庫。[42]《日治時期期刊全文影像系統》與《日治時期圖書全文影像系統》是由國家圖書館台灣分館建置完成，以及《台灣總督府文書目錄》是由國史館台灣文獻館與日本中京大學社會科學研究所合編，都是搜尋有關治安檔案與文獻的工具書。

二、研究台灣國民政府戒嚴階段治安的檔案與文獻

（一）檔案部分：1.《臺灣省政府檔案史料彙編—台灣省行政長官公署時期（一~三）》，是根據國史館典藏《台灣省政府檔案》彙編台灣省行政長官公署時期的檔案，內容包括《台灣省警務檔案彙編》。[43]

由台北南天書局重刊發行，參閱：台灣總督府警務局，《台灣總督府警察沿革誌（一~五冊）》，（台北：台灣總督府警務局，台北南天書局，1995年6月）。另外，台灣總督府編纂，《台灣統治概要》，（台北：台灣總督府，1945年）；台灣憲兵隊編，《台灣憲兵隊史》，（台北：台灣憲兵隊，昭和7年【1932年】；1978年，東京：龍溪書舍重刊）。

[42] 參閱：陳添壽，〈論警察的民主與人文素養：以日治中期台灣設置議會及新文化運動為例（1920~1937）〉，收錄：氏著，《台灣治安史研究—警察與政經體制關係的演變》，（台北：蘭臺，2012年8月），頁266-300。

[43] 薛月順編，《台灣省政府檔案史料彙編—台灣省政府長官公署時期（一~三）》，參閱：《國史館出版目錄》，（台北：國史館，2011年12月），頁11-12；何鳳嬌，《台灣省警務檔案彙編》，（台北：國史館，1996年）。http：//www.th.gov.tw/（2012.11.23瀏覽）。

2.《二二八事件檔案彙編（一~十八冊）》是國史館典藏《國民政府檔案》中，新發現有關二二八事件檔案，以及事件發生時台灣高等法院首席檢察官王建今所呈之「二二八事件報告書」。[44]

3.國史館藏《蔣中正總統檔案》（俗稱大溪檔案）、《蔣經國總統檔案》。[45]該館數位典藏資料庫有：《國民政府檔案》、《蔣中正總統文物》、《蔣經國總統文物》、《李登輝總統文物》等全宗檔案的目錄。又該館《國家歷史資料庫》應用數位將國史館的史料典藏與學術研究成果等以全文方式，配合照片圖像、影音等各種國家歷史資源，整合成一個可快速傳播的網路資料庫。例如建置完成的二二八事件、參與聯合國等與治安有關議題。[46]

---

[44] 第一、二冊收錄立法院及國家安全局有關二二八檔案；第三、四冊收錄司法機關有關二二八檔案；第五、六和第七、八冊分別收錄國營事業單位和各學校有關二二八檔案；第九至十五冊是省諮議會和各地方政府有關二二八檔案；第十六冊收錄國防部保密局、台灣警備總司令部、台灣省警務處等單位；第十七冊《蔣中正總統檔案》特交檔案、特交文電、事略稿本、革命文獻中有關二二八檔案；第十八冊《陳儀叛亂案》，參閱：侯坤宏等，《二二八事件檔案彙編（一~十八）》，參閱：《國史館出版目錄》，（台北：國史館，2011年12月），頁18-19。

[45] 《蔣中正總統檔案》時間斷限自民國12年8月至61年6月，每件內容均詳加摘由編目，錄製成《蔣中正總統檔案目錄—籌筆》光碟。參閱：國史館秘書處文書科，《國史館出版目錄》，（台北：國史館，2011年12月），頁119。至於2010年12月引發中央研究院近史所即將出版《蔣介石日記》，而與2005年存放史丹佛大學胡佛研究所之間的版權爭議，使得《兩蔣日記》的整理工作進度受到影響。參閱：（台北：中國時報，2010年12月1~3日）。

[46] http：//www.drnh.gov.tw/Content_Display.aspx？MenuKey=11

4.《二二八事件資料選輯（一~六）》是由中研院近代史研究所收錄1947年2月28日在台灣所發生重大治安事件的相關史料。[47]

（二）文獻部分：1.《臺灣省通志》的完成歷經《臺灣省通志稿》、《增修臺灣省通志稿》和《整修臺灣省通志稿》的三個階段才完成。該部書以1961年爲斷代，其中的卷3政事志保安篇，敘述治安議題。[48]

2.《重修臺灣省通志》乃斷代於1981年，分別爲土地、住民、經濟、武備、文教、政治、職官、人物、及藝文等十志，其中的卷5武備志，分保安篇與防戍篇，保安篇下分綜說、保甲制度、團練、警察、光復後之警政、警備治安、民防、警察與戶籍等八章；防戍篇下分下分綜說、役政、防戍、重要戰役等四章，皆與治安議題有關。[49]

3.《六十年來的中國警察》敘述民國成立至民國六十年的中華民國警政發展史。[50]

（2013.01.22瀏覽）

[47] 中研院近代史研究所編印的《史料叢刊》，《二二八事件資料選輯（一~二）》分別於1992年2月和5月出版；《二二八事件資料選輯（三~四）》於1993年6月出版；《二二八事件資料選輯（五~六）》於1997年6月出版。

[48] 張炳楠監修、李汝何等纂，《臺灣省通志》，（台北市：台灣省文獻委員會，1970年）；參閱：王世慶，《台灣史料論文集（下冊）》，（台北：稻香，2004年2月），頁280-324。

[49] 林洋港、李登輝、邱創煥、連戰監修，台灣省文獻委員會編，《重修臺灣省通志》，（台中：台灣省文獻委員會，1989年）；參閱：王世慶，《台灣史料論文集（下冊）》，（台北：稻香，2004年2月），頁324-349。

[50] 內容包括：第一章六十年來的警察發展簡史，第二章六十年來的

4.《中華民國史社會志（初稿）》是國史館於1999年編印，其中下冊第13章朱浤源撰寫的〈社會犯罪與治安維護〉是中華民國時期有關社會治安的重要參考文獻。5.《戒嚴時期台北地區政治案件相關人士口述歷史—白色恐怖事件查訪（上、下）》。[51]《台籍首位上將總司令—陳守山口述歷史》、《汪敬熙先生訪談錄》、《從一線一星到警政署長—盧毓鈞先生訪談錄》。《警察與二、二八事件》主要敘述台灣光復後中央警校台幹班接管台灣警察機關的情形，並在附錄裡紀錄37位人士的「二二八事件」見聞訪談錄。[52]

另外，「台灣警察」、「警民導報」、「親民」和「警光雜誌」是研究台灣治安變遷的重要期刊文獻。[53]

伍、研究台灣警管治安時期的檔案與文獻

警察法令，第三章六十年來的警察組織，第四章六十年來的行政警察，第五章六十年來的刑事警察，第六章六十年來的專業警察，第七章六十年來的警民關係，第八章六十年來的警察教育，最後附錄六十年來警察大事記。參閱：「六十年來的中國警察」編輯委員會，《六十年來的中國警察》，（桃園：中央警官學校，1971年12月）。

[51] 呂芳上，《戒嚴時期台北地區政治案件相關人士口述歷史—白色恐怖事件查訪（上、下）》，（台北市文獻會，1999年）。

[52] 習賢德，《警察與二、二八事件》，（台北：時英，2012年7月）。

[53] 「台灣警察」民國37年12月台灣省警務處創刊，38年2月停刊。「警民導報」民國38年8月台灣省警務處創刊，民國54年4月《警光雜誌》合併當時的「警民導報」和「親民」半月刊違現在內政部警政署出版的刊物。參閱：陳瑞南，〈慶祝建國百年警察歷史圖片回顧展之1〉，《警光雜誌》第656期，（台北：警政署，2011年3月），頁75-87。

台灣警管治安時期主要是從1987年解嚴之後迄今，這時期台灣治安的特色是已「脫軍人化」而建立具有警察專業化、法治化的「官警法治」功能。以下將就這一時期的重要檔案與文獻進行分析：

（一）檔案部分：1.警政署的《慶祝建國一百年警察歷史文物展活動資料》。[54]

2.國史館典藏：朱匯森主編、賴淑卿編《警政史料（一~五）》，第一、二冊整建時期、第三、四冊改建時期、第五冊復員時期。[55]《戰後台灣政治案件史料彙編叢書》係就國防部典藏《國防部後備司令部檔案》，輔以國史館與檔案管理局所藏檔案，及相關人士提供資料彙編而成。內容主要為台灣警備總司令部調查過程、偵訊、筆錄、自白書、軍事法庭審制，及各界人士關注書函等史料。[56]《戰後台灣民主運動史料彙編》係國史館於2000年開始整理戰後台灣民主運動的相關文件史料。[57]

[54] 2011年警政署提供。

[55] 朱匯森主編、賴淑卿編，《警政史料（一~五）》，參閱：國史館秘書處文書科，《國史館出版目錄》，（台北：國史館，2011年12月），頁151。

[56] 以專書出版如李武忠案史料彙編、余登發案史料彙編（一）（二）、林日高案史料彙編等。參閱：國史館秘書處文書科，《國史館出版目錄》，（台北：國史館，2011年12月），頁26-32。

[57] 陸續出版《從戒嚴到解嚴》、《組黨運動》、《從黨外助選團到黨外總部》、《國會改造》、《地方自治與選舉》、《新聞自由》、《言論自由》等7 種共12冊的史料彙編。例如：《戰後台灣民主運動史料彙編》（一）：從戒嚴到解嚴》，旨在蒐集戒嚴與解嚴的相關史料，係以戒嚴令為中心，始於戰後1947年「二二八事件」發生時政府第一次頒布戒嚴令，終於1987年7月15日解除戒嚴令。主要

3.檔案管理局保存「二二八事件類」、「美麗島事件類」，及「其他重大政治類」等重要檔案，例如〈台灣省保安司令部判決書〉（流水號000009059）、〈呈為台省二二八事件留日台胞請願案〉（流水號000329597）等。[58]

（二）文獻部分：1.《台灣全志》卷四政治志治安篇，分警政、警備保安、消防、海巡、民防等五章，敘述民國三十四年（1945）至民國九十年（2001）台灣治安興革。[59]

2.《孔令晟先生訪問錄—永不停止永不放棄‧為革新而持續奮鬥》是孔令晟口述，由遲景德、林秋敏訪問紀錄，內容是從孔令晟從1976年受命接掌警政署長，開始推動警政現代化工作，也是台灣警政的轉型階段。[60]

3.《孔令晟與警政現代化（訪問紀錄稿）》則是郭世雅從2000年10月12日起至2001年3月28日止專訪孔令晟的紀錄，共收錄了21篇的訪問稿，第一篇至第十六篇是專訪孔令晟，第十七篇至二十一篇則是就與孔令晟和警政現代化議題紀錄了學者專

資料來源為國史館等機關所典藏的檔案與當時政府或民間發行的報刊雜誌，包括了《自由中國》以及1980年代「美麗島事件」之後的黨外雜誌，而《總統府公報》、《立法院公報》等各類政府公文書也是重要的輯錄對象。參閱：薛月順等編註，《戰後台灣民主運動史料彙編（一）：從戒嚴到解嚴》，（台北：國史館，2002年11月），頁I。

[58] https：//aa.archives.gov.tw/ArcPublish1.aspx（2013.02.07瀏覽）

[59] 台灣省文獻委員會編，陳純瑩撰，《台灣全志》，（台中：台灣省文獻委員會，2007年10月）。

[60] 遲景德、林秋敏訪問，林秋敏紀錄整理，《孔令晟先生訪問錄—永不停止永不放棄‧為革新而持續奮鬥》，（台北：國史館口述歷史叢書（22），2001年6月）。

家的訪問稿。[61]

4.《中華民國（台灣地區） 警察大事記》是由警政署特別蒐集民國三十四年（1945）至八十三年（1994）的台灣地區警察大事，按年、月、日之順序記載，彙編出版爲專輯。[62]

5.《李登輝執政告白實錄》是從1988年談起到卸任的這一段時期的受訪紀錄，內容攸關解嚴後國內政治權力結構的調整和兩岸與台美關係的議題。[63]《李登輝總統訪談錄（全四冊）》是李登輝主政12年期間，因應國內外變局和社會期盼的各項改革措施。[64]

另外，呂實強與許雪姬、許介鱗、陳純瑩分別在《台灣近代史（政治篇）》中論述清治時期、日治時期，和中華民國在台灣時期有關警政的發展。[65]以及《警察叢刊》是中央警察大學發行的學術性期刊等等都是研究台灣治安議題和變遷的重要文獻。

---

[61] 郭世雅紀錄，《孔令晟與警政現代化（訪問紀錄稿）》，後來整理為中央警察大學行政警察研究所碩士論文，2001年6月。

[62] 內政部警政署，《中華民國（台灣地區） 警察大事記》，（台北：內政部警政署，1995年12月）。

[63] 鄒景雯訪問，《李登輝執政告白實錄》，（台北：INK，2001年5月）。

[64] 張炎憲主編，《李登輝總統訪談錄（全四冊）》，參閱：國史館秘書處文書科，《國史館出版目錄》，（台北：國史館，2011年12月），頁103-104。

[65] 參閱：呂實強與許雪姬，〈清季政治的演進（1840~1895）〉；許介鱗，〈日據時期統治政策〉；陳純瑩，〈戶政、警政與役政〉，分別收入：台灣省文獻委員會編印，《台灣近代史（政治篇）》，（南投：台灣省文獻委員會，1995年6月），頁1-84、223-290、433-456。

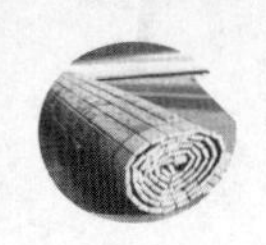

陸、結論

一、檢視台灣三個時期治安的檔案與文獻特色，「前現代的傳統治安」時期荷治台灣的檔案主要現存於荷蘭檔案館；明清階段台灣治安議題檔案已在相關保存機關的努力下，配合數位科技的功能，發揮整合的效用。「現代的軍管治安」時期日治台灣治安議題檔案的保存比較完整，可惜的是多出於統治者立場；而國民政府戒嚴時期典藏檔案現已陸續整理，並依相關法令規定辦理閱覽或出借。在「後現代的警管治安」時期隨著國家民主化，警察業務朝專業化、行政中立化和依法行政，治安工作也就比較不似以往的「政治性」敏感度，對於檔案與文獻的處理自然就可以降低爭議性。

二、政府與民間角色：檔案和部分文獻的保存、整理是政府的職責，民間團體和個人也應有參與或提供使用的共識，這是一個現代社會的成熟表現。現在政府訂有「檔案法」、「檔案法實施細則」和負責推動的行政院研考會檔案局，雖然依法以「儘量開放，最小限制」爲原則，但該項管理工作的保存和整理或許還可以做得更積極。如果「國家檔案館」是現代文明國家的象徵，當更能發揮檔案功能，例如中國國民黨所保存早期的黨員、幹部和受訓人員的檔案資料，應可移轉政府單位列管，並數位化提供應用。

三、研究者使用角色：目前使用者除了可以透過網路、百科全書、辭典、目錄、提要、年表等文獻的工具書方便做研究之外，對於相關檔案的搜集是否完整、齊全和開放使用程度遂成爲研究者關心的焦點。[66]就本研究而言，針對治安議題攸關

[66] 具體成果，參閱：《開誠佈公・鑑往之來：二二八事件檔案蒐集整理及開放應用成果紀實》，（台北：檔案管理局，2001年12月）。

的機密檔案，政府部門在依據「個人資料保護法」的相關規定下，亦積極進行處理，但該法未將歷史檔案涉及有關個資部分加以詳細規範，致使仍有少數的爭議事件發生。[67]此外，政府應可考慮特別針對有關台灣治安議題編輯專題目錄和資料庫，也是目前研究治安史者迫切需要的工具。

最後，本文因所限於篇幅未能蒐錄有關國民政府大陸時期（1912~1949）有關治安議題的檔案與文獻，將另文探討，以充實研究台灣治安史的內容。

[67] 例如2012年11月7日中國時報刊登前民進黨主席施明德到檔案管理局調閱檔案，但多處資料被遮掩，當場發怒。又如在「個人資料保護法」未實施之前，2002年9月發表的《國防部檔案選輯》，國史館根據解密資料摘要編入《雷震案史料彙編》系列，並發行電子書，該系列雖已包括《雷震案史料彙編—黃杰警總日記選輯》、《雷震案史料彙編—雷震回憶錄焚毀案》，但雷震獄中力作「回憶錄」原稿的爭議仍在。參閱：雷震 著，林淇瀁 校註，《雷震回憶錄之新黨運動黑皮書》，（台北：遠流，2003年9月），頁7-10。

清治台灣紀遊文獻與檔案[1]

壹、前言

我在整理《台灣治安史》的檔案文獻時，發現有關台灣歷史的檔案文獻，尤其是以往比較受忽視的1945年之前的檔案文獻，都在學術界和政府有關部門的努力下，陸續被整理或重新修訂發表，達成社會資源共享的具體目標，這是一件可喜的現象。特別是近年來所發表有關台灣記遊或踏查日記的檔案文獻，諸如：

一、荷蘭統治台灣時期的紀遊文獻如：菲力普・梅（Philippus Daniel Meij van Meijensteen）留下當時他受聘於荷蘭東印度公司派駐台灣的《梅氏日記》檔案文獻。梅氏曾於1661年4月30日在普羅民遮城堡內，目睹鄭成功率大軍經過鹿耳門登陸台灣。5月4日他帶著普羅民遮城堡長官的求和信去見鄭成功。兩天後，他又跟著普羅民遮城堡的荷蘭人一起步出城堡投降，成爲鄭成功的俘虜。自此以後，一直到次年2月搭船離開台灣爲止，梅氏被鄭成功留在身邊擔任翻譯，參與鄭、荷雙方的談判、協助測量土地，尤其是梅氏在《梅氏日記》中記載當時國姓爺正進行在佔有地發放牛隻、犁具的協助犁田階段，以及處置荷蘭俘虜的情景，梅氏對他自己目睹的現象震驚不已，遂而將其經過情形記錄下來的日記。[2]

---

[1] 本文原名〈清治台灣紀遊文獻中的治安性議題探討—兼論檔案文獻資訊化〉，2014年 5月25日發表於中華檔案暨資訊微縮管理學會、中國檔案局於台北共同舉行「2014年海峽兩岸檔案暨微縮學術交流會」。

[2] 歐陽泰 原著，陳信宏 譯，《決戰熱蘭遮：歐洲與中國的第一場戰

易言之，《梅氏日記》原是東荷蘭東印度公司（VOC）檔案中的一份文件，現存於荷蘭國家檔案館珍藏VOC檔案的編號VOC1238,fol.848-914。台灣大學特將該日記選錄於1997年出版《荷蘭東印度公司有關台灣檔案目錄》中的編號第二三四六號。該份文件的原始標題是：「以下是用備忘錄記載中國關官吏國姓爺猛烈攻擊福爾摩沙的經過情形，以及我們被俘擄的人在那期間的狀況」。[3]凸顯《梅氏日記》是研究和補遺荷蘭和鄭氏統治台灣時期檔案文獻的意義與價值。

二、日治時期的記遊文獻如：（一）、《台灣踏查日記（上、下冊）》文獻是伊能嘉矩記述其於1897年5月至1912年6月在台灣期間的踏查日記。該踏查日記分四篇：第一篇〈巡台日乘〉，紀遊時間從1897年5月至1897年12月；第二篇〈東瀛遊記〉，紀遊時間包括〈南游日乘〉的1900年7月至9月，〈澎湖踏查〉的1900年12月至1901年1月；第三篇〈遊台日草〉，紀遊時間從1909年9月至11月；第四篇〈南游日乘〉，紀遊時間從1912年5月至6月。該踏查日記的時間是伊能受命於兵馬倥傯、治安與衛生極差的行腳於原住民地區，而且內容有很多部分是從未收入於官方報告書與其他著作的珍貴私人資料，可以視爲伊能的一部獨立文書，深具文學與學術價值。[4]因此，有別於1925年伊能去世後，由板澤武雄、小長谷達吉、柳田國

爭》，（台北：時報出版，2012年11月），頁215-217。

[3] 江樹生 譯註，《梅氏日記——荷蘭土地測量師看鄭成功》，（台北：漢聲雜誌社，2003年3月）。參閱：http：//www.hanshenggifts.com/front/bin/ptdetail.phtml？Part=MAG132&Category=100031（2013.12.02瀏覽）。

[4] 伊能嘉矩 原著，楊南郡 譯註，《台灣踏查日記—伊能嘉矩的台灣田野探勘（上、下冊）》，（台北：遠流，2月），頁目次二~三。

男等人依據其遺稿及資料編輯，於1928年日本刀江書院出版的《台灣文化志》。[5]

（二）、《台灣征蕃記》文獻是水野遵記載1874年發生於台灣史上著名的「牡丹社事件」。除外，樺山資紀也有針對該事件所寫的〈日記〉。樺山與水野在該事件發生之後的二十一年，分別擔任過台灣總督府第一任總督，和第一任總督府民政局長。有關樺山與水野二氏的記錄遺稿謄寫本，目前珍藏於國家圖書館台灣分館。同時，亦收錄在日治時期相繼出版的《台灣史與樺山大將》、《大路水野遵先生》的紀念傳記中。由於水野在「牡丹社事件」角色僅是一名低階的譯官，從低層人員的角度看整個事件的發展，與具有較高層位階、且全然是軍職背景的樺山，無論在視野、或眼界上自是不同，這也是水野的《台灣征蕃記》與樺山的〈日記〉有明顯不同觀點之處，兩套文獻記錄各有所長。[6]

（三）、《日本帝國主義下之台灣》文獻是矢內原忠雄於1927年3月至4月來台灣考察，並將其所見聞發表後，於1929年10月由東京岩波書店出版。由於該書內容批評日本統治台灣殖民化政策的諸多不當，而於1934年被日本當局以「自發性」手

[5] 《臺灣文化志》最初以日本文言文體呈現，台灣於1985年由國史館臺灣文獻館的前身臺灣省文獻委員會分工合作完成中譯本。2008年起國史館臺灣文獻館重校新訂，並於2011完成修訂版，全書分上、中、下三卷刊行，約一百五十餘萬言。參閱：伊能嘉矩 原著，國史館台灣文獻館編印，《台灣文化志（上、中、下卷）修訂版》，（台北：台灣書房，2011年3月）。

[6] 林呈蓉，《水野遵——一個台灣未來的擘畫者》，（台北：台灣書房，2011年12月），頁36-63。參閱：《http：//www.twcenter.org.tw/g02/g02_05_02_04.htm（2013.11.30瀏覽）。

段，要求出版社停止印刷。易言之，矢內原當時非官方立場的文獻，對於被統治的庶民觀點提供了多重面向的意涵，有助於批評軍國主義體制檔案文獻的蒐集、整理與應用。[7]

承上所述，日治時期伊能、樺山、水野等人的檔案文獻，在治安上除了可以補遺台灣總督府警務局編印《台灣總督府警察沿革誌》[8]的日治台灣治安檔案文獻之外，他們的共同特色就是代表官方立場。相對地，本文要在檢視清治時期台灣紀遊文獻的性質，採取儘量避開官方檔案文獻的途徑。因此，如何就其中庶民觀點的聚焦治安論述，引發本文對清治台灣時期紀遊文獻中治安性議題的探討。

因此，前言部分，首先就台灣紀遊文獻所引發的研究動機作了敘述；其次，說明了清治時期台灣紀遊文獻的意涵，和列舉了重要紀遊文獻的內容；第三部分，分析台灣治安史的結構性意義；第四部分，將就列舉台灣紀遊文獻中的治安性議題加以分析；最後，是簡單的代結論，檢討目前台灣檔案文獻資訊化存在的問題。

貳、清治台灣紀遊文獻的意涵與內容

一般對於「紀遊」，或稱「遊記」的界定，係指文學體裁之一，散文的一種。以輕快的筆調、生動的描寫，記述旅途中

[7] 陳添壽，〈論檔案與文獻的整合應用—以研究台灣治安史為例〉，《2013年海峽兩岸檔案暨微縮學術交流會論文集》，（台北：中華檔案暨資訊微縮管理學會，2013年7月），頁9-19。

[8] 《日本帝國主義下之台灣》一書台灣中譯本由周憲文翻譯，曾由台灣銀行經濟研究室出版，後經其授權，帕米爾書店重印，本文所採用版本係1999年10月由海峽學術出版社印行。有關矢內原忠雄一生和其與台灣的關係，可參閱由其公子矢內原伊作所寫的《矢內原忠雄傳》，李明峻 譯，（台北：行人文化，2011年3月）。

的見聞，某地的政治生活、社會生活、風土人情和山川景物、名勝古蹟等，並表達作者的思想感情。[9]換言之，「紀遊」或「遊記」兼具有文學、文化、文獻與歷史的價值。因此，本文所指清治時期台灣紀遊除了強調作者遊記或踏查，其本人親歷台灣之外，還獨具下列幾項意涵：

第一、海洋性：這類台灣遊記文獻的作者主要來自中國大陸的宦遊文人，他們不但深具有中原文化素養的背景，而且必須橫跨重洋，渡過險惡的「黑水溝」，才能順利抵達台灣；

第二、移民性：他們都半來自大陸沿海的省份，而在台灣停留的時間，不論長短，都必須面對台灣特殊的人文地理環境，尤其是與台灣原住民之間的融合相處，逐漸形成屬於台灣漢民族的風俗習慣；

第三、綜合性：台灣遊記文獻中，不論是仕宦紀錄或視察報告、奏摺和建議書等，有政治的、有軍事的、有地理的、有經濟的、有社會的相關記載，突顯台灣遊記的綜合性內容；

第四、歷史性：明清時期台灣紀遊文獻的開始與台灣接觸時間，可追溯從17世紀初到19世紀末的近300年；

第五、現代性：台灣開發的歷史從南部至北部，在漸次拓展到東部，後期更受到西方帝國勢力的入侵，清朝治台策略始從消極轉爲積極的推動近代化，台灣也同時輸入西方的現代文明。[10]

因此，檢視清治時期台灣紀遊文獻意涵的特殊性，比較具

[9] 夏征農 主編，《辭海》，（台北：東華書局，1998年4月），頁3058。

[10] 黃美玲，《明清時期台灣遊記研究》，（台北：文津，2012年5月），頁1-2。

有代表性的重要紀遊文獻諸如：

一、清治初期的重要紀遊文獻有：康熙25年（1686）季麒光的《蓉洲文稿》、康熙29年（1690）林謙光的〈台灣紀略〉、康熙32年（1693）高拱乾的〈澄臺記〉、康熙35年（1696）徐懷祖的〈台灣隨筆〉、康熙37年（1698）郁永河的《裨海紀遊》、康熙46年（1707）宋永清的〈息機亭小記〉、康熙52年（1713）陳璸的〈新建文昌閣碑記〉、康熙54年（1715）吳振臣的《閩遊偶記》、康熙55年（1716）陳夢林的〈九日由北香湖記〉與〈望玉山記〉。雍正1年（1723）藍鼎元的《平台記略》與《東征集》、雍正5年（1727）黃叔璥的《臺海使槎錄》。乾隆15年（1750）董天工的《臺海見聞錄》、乾隆30年（1765）朱仕玠的《小琉球漫誌》、乾隆39年（1774）朱景英的《海東札記》、乾隆49年（1784）章甫的《半崧集》。

二、清治中期的重要紀遊文獻有：嘉慶18年（1813）翟灝的《臺陽筆記》。道光9年（1829）姚瑩的《東槎紀略》、道光10年（1830）鄧傳安的《蠡測彙鈔》、道光27年（1847）曹士桂的《宦海日記》。[11]同治9年（1870）林豪的《東瀛記事》、同治10年（1871）丁紹儀的《東瀛事略》與甘爲霖（William Campbell）的《素描福爾摩沙—甘爲霖筆記》、同治13年（1874）李仙得（Charles W. LeGendre）的《台灣紀行》。

三、清治末期的重要紀遊文獻有：光緒1年（1875）羅大春的《台灣海防並開山日記》、光緒3年（1877）吳子光的《一肚皮集》、光緒17年（1891）唐贊袞的《臺陽見聞錄》、

[11] 黃美玲，《明清時期台灣遊記研究》，（台北：文津，2012年5月），頁6。

光緒18年（1892）蔣師轍的《臺遊日記》、光緒20年（1894）池志徵的《全臺遊記》、光緒21年（1895）胡傳的《臺灣日記與稟啓》、光緒22年（1896）史九龍的《憶臺雜記》等多位紀遊或日記的作品。

本文將根據上述諸多紀遊文獻中選擇其內容極具有意涵治安議題的代表性文獻加以探討。

參、台灣治安史的主要結構性因素

影響台灣治安史的結構性環境因素，可分爲透過國際環境因素的涉外性治安，和國內環境因素的政治性治安、經濟性治安、社會性治安等四個面向。亦即清治時期治安議題包括：

一、清治時期在涉外性治安議題方面，主要包括：因18、19世紀國際工業革命時代的主權、海盜、走私、人口販運、非法入境、鴉片、人口販運、瘟疫、危險物及武器販運、開港通商等與台灣治安議題所引發的涉外性治安；

二、清治時期在政治性治安議題方面，主要包括：因清朝皇權體制的權力鬥爭、或滿人、原住民、漢人之間權力分配，以及中央與地方爭權等與台灣治安議題所引發的政治性治安；

三、清治時期在經濟性治安議題方面，主要包括：因飢荒、糧食不足、土地開墾、大小租戶等與台灣治安議題所引發的經濟性治安；

四、清治時期在社會性治安議題方面，主要包括：因竊盜、姦淫、賭博、傷害、殺人、酗酒、民變、分類械鬥等與台灣治安議題所引發的社會性治安。[12]

---

[12] 陳添壽，〈歷史警學建立的嘗試：我的台灣治安史研究、教學與書寫〉，《通識教育教學與人文學術研討會論文集》，（桃園：中央警察大學通識教育中心，2013年11月），頁69-88。

綜合上述影響治安的結構性因素，雖然可以細分為國際環境因素的涉外性治安，和國內環境因素的政治性治安、經濟性治安、社會性治安等四個面向，但是這四項環境因素並非是分立的單獨因素，而是彼此會相互糾葛的影響治安。因此，當我們發現一時期或階段治安議題的一項環境因素與其他的環境因素相互糾葛所形成為整體環境因素時，其所造成對治安的影響因素則有時候可視為是一種綜合性環境因素的影響治安，諸如清治時期發生於1721年的朱一貴、1786年的林爽文、1806年的蔡牽、1860年的戴潮春等四大治安事件。

肆、台灣紀遊文獻中的治安性議題分析

承上述台灣紀遊文獻中，本文將分別從涉外性治安、政治性治安、經濟性治安、社會性治安等四個結構性因素的面向來加以檢視，並從中分別勾勒出其文獻所記載具有治安性議題的內容。鑒此，本文特別選擇了李仙得所寫《台灣紀行》代表涉外性治安的紀遊文獻、黃叔璥所寫《臺海使槎錄》代表政治性治安的紀遊文獻、林豪所寫《東瀛記事》代表經濟性治安的紀遊文獻、郁永河所寫《裨海紀遊》代表社會性治安的紀遊文獻。以下分別敘述：

一、李仙得《台灣紀行》文獻所代表清治台灣工業革命時代的涉外性治安：1874年李仙得的《台灣紀行》（Notes of Travel in Formosa）文獻是他總結多年來處理台灣事務的結案報告，也是上呈日本外務省長官大隈重信的「侵台備忘錄」。

該文獻現珍藏於美國國會圖書館，經由費德廉（Douglas L. Fix）、蘇約翰（John Shufelt）合編，羅效德、費德廉中譯，於2013年9月台南國立台灣歷史博物館出版。[13]另一坊間節譯本，書名改稱《南台灣踏查手記》，是譯自《台灣紀行》的第15~25章。[14]

李仙得的開始密切介入台灣事務，始於1867年3月美國商船羅發號（Rover）在南灣觸礁失事，他前後來台至少八次。李仙得《台灣紀行》的檔案文獻，大約書寫於1874年5月，他隨日本遠征軍前來台灣南部所發生的「牡丹社事件」，與他個人8月擔任日本代表團對清國談判顧問的期間所寫下的這些筆記。簡言之，這文獻成為紀錄日本侵略台灣「牡丹社事件」的有關涉外性治安議題的重要檔案文獻。

二、黃叔璥《臺海使槎錄》文獻所代表清治台灣皇權體制的政治性治安：雍正5年（1727）黃叔璥的《臺海使槎錄》文獻是台灣在「朱一貴事件」平定之後，福建水師提督姚堂和閩浙總督覺羅滿保上奏增添駐台兵員，防止叛亂。但因康熙皇帝認為當時的駐台兵力應已足夠因應，台灣治安不好是因台灣地處偏遠，吏治敗壞，而導致民變。所以，決定新設巡台御史，每年任派滿、漢御史各一員來台稽查吏治，避免台灣再次發生治安事件。當時的黃叔璥（漢人）、吳克禮（滿人）受命為首任巡台御史。黃叔璥於康熙61年（1722）6月的來台兩年，在

[13] 參閱http：//www.sanmin.com.tw/page-qsearch.asp？ct=search_publisher&qu=%E5%9C%8B%E7%AB%8B%E8%87%BA%E7%81%A3%E6%AD%B7%E5%8F%B2%E5%8D%9A%E7%89%A9%E9%A4%A8（2013.12.28瀏覽）。

[14] 參閱：黃怡 漢譯、陳秋坤 校註，《南台灣踏查手記》，（台北：前衛，2012年11月），頁6-8。

離台前完成了近九萬字的《臺海使槎錄》。

由於黃叔璥的《臺海使槎錄》大量蒐集閱覽明鄭時期及清治以來台灣府志、縣志等文獻，並以實地巡視考察撰寫成此書，成爲重要的台灣檔案文獻之一。該書內容包括：一爲〈赤崁筆談〉，蒐羅整理出關於台灣歷史、地理、海洋、氣候、交通、物產、財稅、武備、風俗、宗教、商販等文獻；另一部份則是〈番俗六考〉，爲一次有系統的調查及記錄台灣平埔族的文化。[15]雖然該書完成的時間要比藍鼎元的《東征集》與《平台記略》晚些，但是對於發生「朱一貴事件」始末的書寫角度卻提出有別於代表統治者的立場。加上，因爲朱一貴的自稱「中興王」，是大明洪武帝的後裔，其舉兵有「反清復明」的皇室政權爭奪意涵，提供了清治台灣時期重要政治性治安議題的文獻。

三、林豪《東瀛記事》文獻所代表清治台灣君主式的經濟性治安：同治9年（1870）林豪的《東瀛記事》文獻係針對台灣「戴潮春（萬生）事變」的重要經濟性治安文獻。《東瀛紀事》（二卷）是清金門舉人林豪針對台灣「戴潮春事變」的書寫所提供的重要治安文獻，有助於了解清代末期社會權力結構、秘密會社的在台灣發展、駐台文武官員的相互拮抗、台灣各地豪族之間引發的治安議題。

該書寫於1870年（同治9年），上卷分戴逆倡亂、賊黨陷彰化縣、郡治籌防始末、鹿港防勦始末、北路防勦始末、大甲城守、嘉義城守、斗六門之陷、南路防勦始末等九小節；下卷也分九小節：官軍收復彰化縣始末、塗庫拒賊始末、翁仔社屯

[15] 參閱：http：//www.tonyhuang39.com/tony0718/tony0718.html（2013.11.30瀏覽）。

軍始末、逆守戴潮春伏誅、戇虎晟伏誅、餘匪、災祥、叢談（上）、叢談（下）。[16]由於戴氏家族之所以在地方上富甲一方，與其家族「世爲北路協稿識」殆有密切關連，戴潮春起事除了是對清政府施政的不滿之外，最主要反抗因素乃是出自於其對自家經濟利益保護所引發的經濟性治安議題。

四、郁永河《裨海紀遊》文獻所代表清治台灣定著化的社會性治安：郁永河的《裨海紀遊》主要紀實了漢族與原住民之間所引發的社會治安性議題。康熙35年（1696）冬，郁永河因福州火藥庫爆炸，清廷聞知臺灣北部盛產硫磺可供煉製火藥，於是派郁永河接下此任務前往臺灣，成爲他日後撰述《採硫日記》的重要機緣。

該書成於清朝統治臺灣初期的1698年，且記載內容皆爲作者親身經歷，故不僅呈現三百年前老臺灣未開闢的面貌，當中所詳記的山川、氣候、風物、政事、民情、番俗等社會發展與變遷，亦爲研究臺灣開發歷史的重要參考文獻，尤其是紀實了漢族與原住民之間所引發的社會治安性議題，雖然在該書內容中處處仍見郁永河的大漢沙文主義觀點。[17]

伍、代結論：檔案文獻資訊化所存在的問題

總結上述，從影響治安結構因素的研究途徑分析，清治時

[16] 參閱：林 豪 原著《東瀛紀事》，顧敏耀 校釋，《東瀛紀事校注》，（台北：台灣書房，2011年10月），頁2-7。陳添壽，〈論檔案與文獻的整合應用—以研究台灣治安史為例〉，《2013年海峽兩岸檔案暨微縮學術交流會論文集》，（台北：中華檔案暨資訊微縮管理學會，2013年7月），頁13。

[17] 本書為清道光13年（1833）吳江沈氏世楷堂本《昭代叢書 戊集續編．第62》，全書共一卷。參閱：http：//ebook.teldap.tw/ebook_detail.jsp？id=69（2013.11.30瀏覽）。

期在國際環境正處於18、19世紀工業革命時代的涉外性治安；在政權體制環境是處在皇權統治下的政治性治安；在經濟政策環境則是受制於君主式經濟性治安；在移民社會環境則是台灣已進入定著化社會性治安。亦即清治台灣時期工業革命時代涉外性治安、皇權體制政治性治安、君主式經濟性治安、定著化社會性治安的環境因素所糾葛構成的綜合性治安因素，型塑了清治台灣時期「邊陲政府」的治安角色和功能。

檢視以往有關台灣治安史的論述，大多由當權人掌控話語權，皆由統治者的立場出發，因而忽視庶民的觀點，對於清治時期官方的檔案文獻亦難避免此一現象。因此，本文所特別選用《台灣紀行》的李仙得身分是日本侵略台灣遠征軍的顧問；《臺海使槎錄》的黃叔璥身分是巡台御史；《東瀛紀事》的林豪身分是籌辦團練林占梅幕府；《裨海紀遊》的郁永河身分是來台採硫遊幕。其主因鑒於這四人紀遊文獻作者所擔任職務皆屬宦遊性質，並非如官書、奏摺的檔案文獻必須受囿於官方立場，就文獻書寫內容而論當更貼近民意，彰顯本文探討清治台灣時期治安的意旨。

也由於官方常因角色關係，對於檔案文獻的蒐集、保存與應用往往容易受制於意識形態和立場而有所偏頗，容易模糊真相，甚至於誤導事實，尤其是從治安史研究的角度。因此，鼓勵庶民記憶的檔案文獻有其必要性，只是民間的推動力量畢竟非常有限，這也只能期待有心人士或非政府組織的自覺行動。當然我們也要爲文化部推動「國民記憶庫」，邀集民眾參與這

項「由下而上」，以「個人史」爲核心的檔案文獻數位化工程表示喝采。

所幸近年來從庶民角度提供的口述歷史，或公開檔案資料的風氣已趨普遍，例如下山一自述、下山操子譯寫的《流轉家族—泰雅公主媽媽日本警察爸爸和我的故事》[18]，是一本從庶民角度書寫有關霧社事件的歷史文獻；又如陳姃湲等人書寫《看不見的殖民邊緣：日治台灣邊緣史讀本》[19]的角度，其做法值得鼓勵與支持。又如上述本文所列舉的《裨海紀遊》、《臺海使槎錄》與《東瀛記事》文獻已由中央研究院歷史語言研究所的《漢籍電子文獻資料庫》[20]建置完成，其電子數位檔全文提供了檔案文獻資訊化的功能，有效地發揮檔案文獻的徵集、儲存與應用。

至於當前台灣檔案文獻資訊化所存在的問題，就以江樹生譯註的《梅氏日記—荷蘭土地測量師看鄭成功》爲例，如果透過網路要尋找它的全文，很容易就可以從《新浪愛問共享資料網站》[21]搜尋，只是這網站並非由繁（正）體字網站所提供。另外，當前國人對「國家意識」認同的尚存爭議，往往會影響政府政策的擬定、執行與公務人員主觀性的看法，因而對比較有爭議性議題採取儘量迴避的行事態度；加上，現在部分民選官員和民意代表經常受制於民選壓力，深怕自己選票受到牽

[18] 下山一 自述、下山操子 譯寫，《流轉家族—泰雅公主媽媽日本警察爸爸和我的故事》，（台北：遠流，2011年7月）。

[19] 陳姃湲 編著，《看不見的殖民邊緣：日治台灣邊緣史讀本》，（台北：玉山，2012年7月）。

[20] 參閱：http：//hanji.sinica.edu.tw/（2013.12.21瀏覽）。

[21] 參閱：http：//ishare.iask.sina.com.cn/f/20105401.html（2013.12.21瀏覽）。

連，導致國家機器陷入空轉，影響行事的效率。

根據2013年12月5日檔案管理局公告101年度機關通過公文及檔案系統驗證的單位，包括中央一、二級和地方二級僅占所有比率的38.84%。[22]這數據顯見各單位對檔案的工作效能並不是很理想，如果癥結問題未能建立國民共識，檔案文獻資訊化工程縱使能有充裕的經費也難有顯著的進展與具體成果，更奢談「文化軟實力」的國家建設了。

最後，藉此建議國民黨對於現藏黨史館的300多萬件檔案文獻，不要僅守「黨史資料屬於國民黨的，使用上屬於全民的」小格局心態，應該考慮先將1949年以前「黨國一體」的國民黨黨史文物全數捐給國史館，讓資源利益由全民所共享；另外，又如現藏美國史丹佛大學《蔣介石日記》的版權爭議，以及「國共內戰」時期相關檔案文獻的公開，政府都應該有更積極的態度與作爲，以符合民主化社會人民知的權利。

[22] 參閱檔案管理局網站：https：//online.archives.gov.tw/others/downloadFolder/101%e5%b9%b4%e5%ba%a6%e6%a9%9f%97%9c%e6%aa%94%e6%a1%88%e7%ae%a1%e7%90%86%e8%aa%bf%e6%9f%a5%e7%b5%90%e6%9e%9c%e5%85%ac%e5%b8%83.pdf（2013.12.22瀏覽）。

清治台灣地方志文獻治安記述[1]

「方志」，又稱「地方志」，是綜合記載一個地區自然、社會和人文發展情況的文獻。尤其在傳統中國官府為了有利於地方統治所彙編的地方性知識，內容包括一地的歷史、地理、社會風俗、物產資源、行政建志與運作、地方政府財政、人物列傳、藝文創作等方面，其編纂且多具連續性，可以說是「地方百科全書」，是地方行政重要的「施政參考書」。

「方志」的體裁，則是指志書是用來記述各類事物的文字表現形式，並隨着修志內容的需要，體裁也逐漸形成了有：概述介紹、大事記體、單項分志、人物列傳、圖片編制、表列記述、志尾附錄等多種形式。檢視清代「方志」，除為日治台灣時期「史志」的仿效之外，也因「方志」鮮有如殖民政府官撰、編印其他施政的專門文獻，更加凸顯清代台灣方志中有關治安記述的重要性。

本文所採用清代台灣方志文獻，係根據2004年11月行政院文化建設委員會發行、台灣史料集成編輯委員會編輯，由行政院文化建設委員會與遠流出版公司共同印行的【清代台灣方志彙刊】。這套彙刊是綜合了近代「台灣全志本」、「台灣研究叢刊本」、「台灣文獻叢刊本」、「台灣方志彙編本」、「成文中國方志本」、「中國地方志集成」等六家版本，並經納入新出版本、舊版重新校勘、加上新式標點，一共選列39種台灣方志，有利於提供研究清代台灣時期有關地方治安的參考。

---

[1] 本文原以〈淺介清治台灣方志治安記述〉為名，發表於2015年12月中央警察大學出刊的《警大雙月刊》第182期，頁30-32。

限於篇幅，本文此次僅先介紹《台灣府志》、《諸羅縣志》、《鳳山縣志》、《台灣縣志》，和《澎湖志略》等五種方志，並依其刊出時間的先後，就有關治安記述的內容介紹如下：

一、《台灣府志》：主要可歸列有4個版本：（一）1683年（康熙22年刊）金鋐主修《康熙福建通治台灣府》，【卷九】兵防，分國朝兵制與福建全省防禦處所（頁70-2），惟此一內容大抵取自1685年（康熙24年）（刊）蔣毓英纂修《台灣府志》，【卷八】官制與武衛（頁240-8）。（二）1742年（乾隆7年刊）劉良璧纂輯《重修福建台灣府志》，【卷之十】兵制（頁473-87）。（三）1696年（康熙35年刊）高拱乾纂輯、1710年（康熙49年刊）周元文增修《台灣府志》，【卷四】武備志，分述水陸營制、道標營制、營障、道標、歷官、墩臺、教場、總論（頁155-228）。（四）1747年（乾隆12年刊）六十七、范咸纂輯《重修台灣府志》，【卷九】武備一，分述營制、營署恤賞，並在介紹營制的最後，增列〈附考〉部分，是有關治安內容的重要匯集（頁415-26）；【卷十】武備二，主述官秩；【卷十一】武備三，分述列傳、義民、船政（頁408-80）。

二、《諸羅縣志》：有1個版本，1716年（康熙55年刊）周鍾瑄主修《諸羅縣志》，【卷之七】兵防志，分述營制、陸路防汛、水師防汛、教場、歷官、列傳（頁187-215），並在分述前，加入〈總論〉，完整記述了發生在諸羅縣內的重大治安問題，例如吳球、劉却、鄭盡心等事件（頁187-92）。

三、《鳳山縣志》：有1個版本，1720年（康熙59年刊）李丕煜主修《鳳山縣志》，【卷之五】武備志，分述營制、陸

路防汛、歷官、水師防汛、墩臺瞭望、教場（頁118-28）。

四、《台灣縣志》：有2個版本，（一）1720年（康熙59年刊）王禮主修《台灣縣志》，【卷四】武備志，分述兵防考、營制（附防汛）、砲臺墩臺（附澎湖各澳嶼）、教場、武職（頁173-205）。（二）1752年（乾隆17年刊）王必昌《重修台灣縣志》，【卷之八】武衛志，分述營制、汛塘、教場、船政、賞恤（頁349-69）。

五、《澎湖志略》：有2個版本，（一）1740年（乾隆5年刊）周于仁、胡格纂輯《澎湖志略》，文員、武員與煙墩砲臺（頁388-98）。（二）1771年（乾隆36年刊）胡建偉纂輯《澎湖紀略》，【卷六】武備紀，分述營制、俸餉、營署、調補、班兵、哨船、汛防、巡哨、恤賞、題名、列傳（頁150-81）。特別在【卷十二】藝文紀，增列施琅的〈陳海上情形疏〉、〈密陳航海進剿機宜疏〉、〈請決計進剿疏〉、〈飛報澎湖大捷疏〉等有關澎湖的海上治安議題。

綜合上述《台灣府志》、《諸羅縣志》、《鳳山縣志》、《台灣縣志》，和《澎湖志略》等五種方志，就其治安記述內容的不論是以兵防、武衛（志）、兵制、武備志（紀）等，或有不同的字眼用語，但其意涵都在凸顯清治台灣時期治安「亦兵亦警」、「軍警一體」的組織型態，和強調軍事武力的維護政權、安定社會秩序的工具化角色。台灣治安功能的結構與變遷也一直要到1987年政府體制解嚴的「軍警分立」階段之後，才確立了警察治安的專業、法治時代。

日治時期台灣治安文獻與檔案[1]

當我在撰寫《警察與國家發展—台灣治安史的結構與變遷》時，發現對日治台灣時期的治安研究，大都是根據當時台灣總督府所留下的檔案為主。諸如我在《警大雙月刊》第174期已略介紹的《台灣總督府警察沿革誌》（1995），由於該原書先後出版於1933年至1942年間，所以，得再對照於1945年由台灣總督府編纂出版的《台灣統治概要》（山本壽賀子 等譯，1999）當可更完整深入了解日治台灣長達51年的殖民地治安。

檢視日治台灣時期與治安有關的檔案還可參考：《台灣拓植株式會社檔案》、《台灣樟腦專賣志》、《臺灣總督府公文類纂》、《臺灣總督府舊縣廳公文類纂》、《台灣總督府專賣局公文類纂》、《臨時台灣土地調查局公文類纂》、《高等林業調查委員會公文類纂》、《糖務局公文類纂》，以及伊能嘉矩《理蕃沿革志》、《理蕃誌稿》之外的《台灣踏查日記—伊能嘉矩的台灣田野探勘（上、下冊）》（楊南郡 譯注，1996）等。

另外，與治安有關的文獻包括：軍人總督樺山資紀針對「牡丹社事件」所寫的〈日記〉、民政長官水野遵的《台灣征蕃記》、文人總督的《田健治郎日記（1919~1923）》（吳文星 等譯，2001、2006、2009）、警察出身寺奧德三郎的《台灣特高警察物語》（2000）、學者背景宮川次郎的《台灣の政

[1] 本文原以〈平論日治台灣時期治安的檔案與文獻〉為名，發表於中央警察大學2015年2月出版的《警大雙月刊》第177期，頁19-23。

治運動》（1931）與矢內原忠雄的《日本帝國主義下の台灣》（1929）等等。

然而，以上有關治安的檔案與文獻皆屬日本官方和學者所出版，其中除了極少數如矢內原忠雄的評論較為中肯之外，大都持殖民國家的立場來書寫，其內容敘述難免偏向官方立場，檔案與文獻的整理也就容易有所偏頗，甚至於扭曲。為彌補此一缺憾，本文特選擇從民間（庶民）社會的角度，介紹這一治安時期的重要檔案與文獻。

一、台灣省文獻委員會主編的《纂修台灣省通志稿》、《增修台灣省通志稿》、《整修台灣省通志》、《重修台灣通志》。從1948年起的《纂修台灣省通志稿》、1960年至1961年的《增修台灣省通志稿》，到1961年至1973年的完成《整修台灣省通志》，前後歷經整整25年。在這期間台灣省文獻委員會接受歷史學家蔣廷黻建議，由台灣省政府委託台灣大學編製近代式台灣省的通志。為使讓這一部新通志能夠符合高度的科學化，編撰者不僅要充分研究圖書及檔案，作一切研究應做的紙面工作，編撰者尤其要注重實地調查。因此，當從1982年起至1998年先後出版的《重修台灣通志》時，也特別依此原則編撰。《重修台灣通志》（1990）分十卷和卷尾，其中卷五武備志分保安篇與防戍篇，兩篇合為一冊。該冊屬於保安篇的第二章第四節專述日治時期的保甲制度、第三章第二節專述日治時期的團練（壯丁團）、第四章第二節專述日治時期的警察。該冊屬於防戍篇的第四章第六節專述日治時期的日軍攻台與北、南部的抗敵，和台中、南投山胞的抗日之役，還特別是介紹了霧社之役。

二、《台灣民族運動史》（1971）。這書是由蔡培火、陳逢源、林柏壽、吳三連、葉榮鐘等五人具名，委由葉榮鐘執筆初稿，自1970年4月1日起，先後在自立晚報用「日據時期台灣政治社會運動史」之標題刊載，自1971年1月10日完結，前後278回，合計約50萬字。倣記事本末體，逐件整理編輯而成，目的在於保存史料。主要記述台灣近代民族運動自1914年源起於梁啓超與台灣民族運動、台中中學的創設，經歷六三法的撤廢運動，海外台灣留學生的活動，台灣議會設置運動的請願，「治警事件」始末，台灣文化協會，台灣民眾黨，台灣地方自治聯盟，農民運動等台灣民族的抗日所引發的治安性議題。該書的最後一章則記述了台灣人的唯一喉舌《台灣民報》，如何有別於《台灣日日新報》的爲台灣總督府喉舌。另外，該書在凡例中特別指出，台灣近代民族運動係由資產階級與知識分子領導。是故左翼的抗日運動與階級運動均不在敘述之列。

三、《帝國之守—日治時期台灣的郡制與地方統治》（藍奕青，2012） 從地方行政區劃導致總督府與地方權力的緊張關係所引發政治性治安議題；《台灣人的抵抗與認同（1920-1950）》（陳翠蓮，2008）則是論述了台灣菁英從對日本殖民統治的抵抗到認同過程所引發的政治文化議題；《日據台灣時期警察制度研究》（李理，2007）則是一本針對日本統治台灣實質就是「警察政治」的歷史結構性分析。藍奕青、陳翠蓮、李理等三人著作雖屬次級資料，其中有些觀點仍可作爲政治性治安議題的參考。

四、《日本帝國主義下の台灣》（涂照彥，1975）從台灣經濟的殖民化過程，論述日本資本對台灣本地資本的分化與併吞；《米糖相剋—日本殖民主義下台灣的發展與從屬》（柯志

明，2003）則從日本在台灣鼓勵糖業與抑制稻米種植，因而導致利益失衡所引發經濟性治安議題；《發展與帝國邊陲：日治臺灣經濟史研究文集》（薛化元主編，2012）是匯集多篇論文論述臺灣作爲日本帝國的殖民地，經濟發展的策略仍不可避免地，帶有邊陲與附庸的性質，因此，發展與帝國邊陲的產業結構失衡現象所引發經濟性治安議題的焦點。凃照彥、柯志明、薛化元等人的文獻，對於日治台灣殖民化經濟的剝削多所著墨。

五、《看不見的殖民邊緣：日治台灣邊緣史讀本》（陳征淢，2012）。這是一本匯集評論日治時期台灣社會邊緣人的底層生活，諸如鴉片吸食者、娼妓、罪犯、浮浪者、不良少年、窮人、精神病患、漢生病患等這些在日治台灣社會中，被排除在「正常」社會之外的群體，是怎樣的環境致使他們會有這樣的遭遇，而導致引發社會性的治安議題。該書亦蒐錄了不少珍貴的圖片，諸如基隆田寮遊廓、日治初期的台北舊監獄、台東的岩灣浮浪者收容所、成德學院生徒的手工實習、嘉義市婦人病院、台灣總督府養神院全景、更生院內的阿片吸食者身影、台灣花柳闾女性系譜（包括藝旦、娼妓、藝妓、酌婦、女給）等。另外，《日治時期台灣的社會領導階層》（吳文星，2008），和《重層現代性鏡像：日治時代台灣傳統文人的文化視域與文學想像》（黃美娥，2004），以及《荊棘之道：台灣旅日青年的文學活動與文化抗爭》（柳書琴，2009）是論述台灣社會領導階層與旅日青年是如何因應殖民化社會性治安議題的文獻。

六、《流轉家族—泰雅公主媽媽日本警察爸爸和我的故事》（下山一自述、下山操子 譯，2011）。這書寫的是一個家族的真實故事，書名雖然稱「故事」，但從字裡行間流露出自述者對於日本統治下的無奈與感嘆。無奈的是他的父親下山志平是日本警官，和她母親泰雅族公主貝克・道雷是在總督府「政略婚姻」政策下於1911年5月結婚。這時間也就是日治台灣第五任總督佐久間左馬太執行「五年理蕃計畫（1910~1915）」期間，殖民政府對原住民族採取武力鎮壓的行動綱領。同時，基於木材、樟腦等經濟利益因而遠因埋下1930年發生泰雅族賽德克人一日之間殺死130多位日本人的「霧社事件」。近因之一除了是日本軍警強暴高砂族婦女之外，導火線就是由義務勞動搬運整修霧社公學校宿舍、小學教室及宿舍的才木問題所引發。尤其是針對「霧社事件」發生的前後，以及後續整個家族悲歡離合的敘述，及其所附的珍貴照片，是研究「霧社事件」重要的口述歷史。

七、目前國內檔案數位化資料庫雖無建置日治台灣時期的治安專題，但仍可從下列已經建置完成的數位化資料庫，來檢索相關的治安議題，包括有：《數位圖書館—日文舊籍數位典藏資料庫檢索系統》、《中央研究院數位典藏資源網》、《台灣人文及社會科學引文索引資料庫》、《台灣日日新報（1898-1944》、《漢文台灣日日新報（1905~1911》資料庫、《日治時期期刊全文影像系統》與《日治時期圖書全文影像系統》，以及《聯合百科電子出版聯合百科知識庫》等等資料庫。

隨著「灣生」，即指日治時期在台出生日本人的回台尋根熱潮，有關日治台灣時期檔案與文獻的保存運用也受到重視，同時凸顯了台灣發展歷史的特殊性，和當前國際與東亞情勢的複雜性。因此，透過文史之學與社會科學的「兩者喜相逢」，

探討台灣日治時期治安史的檔案與文獻顯得更具有意義。

因此，就警察與國家發展關係的探討台灣日治時期治安史的結構與變遷而論，研究者應該秉持台灣人之於日本，參與其文明（civilization）而不合作其文化（culture），亦即日本對台灣的現代建設，及中華民族的抗爭為此時期特徵，才能真正認清楚日本殖民統治台灣的本質。因此，迫切需要從庶民社會的觀點，評論這時期的檔案與文獻，當有助於國人理解日治時期台灣警察所扮演的功能與角色。

參考文獻

下山一自述，下山操子 譯，（2011），《流轉家族—泰雅公主媽媽日本警察爸爸和我的故事》，（台北：遠流）。

山本壽賀子 等譯，（1999），台灣總督府編，《台灣統治概要》，（台中：大社會文化）。

矢內原忠雄，（1929），《日本帝國主義下の台灣》，（東京：岩波）。

台灣省文獻委員會編印，（1990），《重修台灣通志》，（台中：台灣省文獻委員會）。

台灣總督府警務局，（1995），《台灣總督府警察沿革誌（一~五），（台北：南天重刊）。

李理，（2007），《日據台灣時期警察制度研究》，（台北：海峽出版社）。

寺奧德三郎，（2000），《台灣特高警察物語》，（台北：文英堂）。

凃照彥，（1975），《日本帝國主義下の台灣》，（東京：東京大學出版會）。

吳文星 等譯，（2001、2006、2009），《台灣總督田健治郎日記（上、中、下）》，（台北：中研院台灣史研究所）。

柳書琴，（2009），《荊棘之道：台灣旅日青年的文學活動與文化抗爭》，（台北：聯經）。

柯志明，（2003），《米糖相剋—日本殖民主義下台灣的發展與從屬》，（台北：群學）。

宮川次郎，（1931），《台灣の政治運動》，（台北：台灣實業界社）。

陳翠蓮，（2008），《台灣人的抵抗與認同（1920~1950）》，（台北：遠流）。

陳征湲，（2012），《看不見的殖民邊緣：日治台灣邊緣史讀本》，（台北：玉山社）。

黃美娥，（2004），《重層現代性鏡像：日治時代台灣傳統文人的文化視域與文學想像》，（台北：國立編譯館）。

薛化元主編，（2012），《發展與帝國邊陲：日治臺灣經濟史研究文集》，（台北：台大出版中心）。

藍奕青，（2012），《帝國之守—日治時期台灣的郡制與地方統治》，（台北：國史館）。

參、文創與管理篇

文創產業發展導論

——講於台北城市科技大學

檢視產業結構的發展再繼第三波「資訊產業」之後，簡稱爲「文創產業」的「文化創意產業」（Cultural Creative Industries）被視爲是產業結構「第四波」發展經濟的動力。文創產業主要憑藉著由各國文化創造力與文化產業的價值觀，亦即是文化特色，也是生活方式的顯現。文化顯現不僅是國力的指標，也是文化驅動政治、經濟、社會前進的引擎。

換言之，發展台灣文創產業不但可以增強國家競爭力，和國民的自信心與榮譽感，更讓台灣成爲繼「經濟發展奇蹟者」、「政治寧靜革命者」、「社會多元融合者」之後，締造成爲「文化藝術創意者」。

文化是社群生活的產物，也是一種經濟的力量，台灣早在1995年文化部的前身文化建設委員會時期，就曾經提出「文化產業化、產業文化化」的概念，特別強調要以「社區總體營造」爲核心，概化成爲台灣「文化產業」發展的主軸，但「社區總體營造」與「文化產業」的概念上，畢竟有所差異，「社區總體營造」所涵蓋的範圍，要比「文化產業」來的複雜。

2002年行政院遂再以〈挑戰二〇〇八——國家發展重點計畫〉中，深化進一步提出「文化創意產業」的具體思維，期以產業的概念形態，重新定義「文化產業」價值，開拓創意領域結合人文與經濟，以發展兼顧文化積累與經濟效益的產業，特別強調是以在地文化的特色，結合豐富的創造力，運用創意的

概念來思考優質化的人文素養，創造就業與提升生活美學。

壹、文創產業的源起

「文創產業」源起於1997年英國首相布萊爾（Tony Blair）的 成立「創意產業籌備小組」，並積極展開推動工作。從此，文創產業繼科技創新後，成爲各國競相投入的新產業。尤其是英國、美國、日本等經濟與文化成熟發展的國家，甚至於新興亞洲國家（Newly Industrializing Asian Countries）也都意識到文化創意產業的發展，具有帶動國家經濟成長和產業升級的能量，因而開始將文化創意產業發展與政策視爲國家的重點計畫。

以亞洲國家爲例，新加坡在1998年就制定了「創意新加坡計畫」，日本雖於20世紀初面臨經濟泡沫化的沖擊，開始從科技產業的經濟的硬實力轉而發展文化創意的軟性國力。經過10多年的努力，其發展成功的動畫、遊戲等文創產業，已在全世界展現了強勁的文化滲透力。1997年韓國經濟雖然遭遇亞洲金融風暴的重擊，卻也催化了韓國重視軟性文創產業的發展，而今「韓流」文創產品的風靡全球，更說明了韓國在流行影視產業上的實力。

貳、文創產業的特性

文化是經濟學中的所謂「公共財」（public goods）。公共財如重要的消防、交通、立法、司法、國民教育與國防建設等，需要政府以非單純的經濟觀點來提供，以確保國家的安全與經濟的繁榮。因此，公共財的增加，例如蓋捷運對公共運輸的效益，大家都可以享用，就不會發生相對比較消費的問題，要不然光是私人的消費增加，只增加其私人效用，其表現外溢到別人身上可能反使別人效用減少，也就是有負的外部性，其他消費者不一定能接受。因此，公共財具有的兩項特徵是無排他性與非獨享性。

公共財是指在同一期間內，可以同時提供效益給二個以上的經濟個體，而具有集體消費滿足公共慾望，並由政府預算提供的財貨。因此，公共財具有兩項特徵：無排他性與非獨享性。無排他性是指此等財貨不能排除他人使用，或排除他人消費的特質。即使自己不支付價款，也不會被排除使用，因而造成使用者不付費，出現免費享用者。而非獨享性是指公共財不僅數量上不可細分，其所提供的利益，也不易分割由個別消費者獨占享有，故它必須整體提供，由兩人以上聯合消費。且多增加一人消費，原來消費者消費量並不因之減少，換言之，多增加一人消費並不增加財貨提供的成本，即隱含該財貨之邊際成本為零。

凱因斯（J. M. Keynes）指出，我們一般皆認為，世界所累積的財富乃是由個人拋棄了消費的直接享受，克勤克儉地建立起來的。但是很明顯地，光憑節慾與節儉本身是無法建立起城市或排水道等等。建立及改善世界財務的乃是企業的經濟機能，如果企業發展起來的話，那麼財富便可以累積節儉所得到的一切；如果企業沒有生機的話，那麼不管我們怎麼節儉，財富還是會衰退的。

簡言之，政府要做的事有兩個條件：第一是這個社會有很多事情大家想要，但又沒有人願意做，只好要求政府來做；第二是有一種事情（產品）很特別，一但生產出來後，在怎麼多人消費享用，都不會增加成本，也就是所謂的「公共財」。所以，水、電、郵政、石油、電信等是「私有財」，而不是「公

共財」。1998年諾貝爾經濟學獎得主沈恩（Amartya Sen）就認爲消防、國防、治安等公共財的提供，政府在這方面的表現要比透過私人市場機制來得好，但也不是所有「公共財」都非由政府來做不可，何況人民對「公共財」也會有不同的偏好。

參、文創產業的意義與範疇

根據《文化創意產業發展法》第三條指出，文化創意產業的意義所指的是，凡源自創意或文化積累，透過智慧財產之形成及運用，具有創造財富與就業機會之潛力，並促進全民美學素養，使國民生活環境提升之產業。綜合上述，根據《文化創意產業發展法》第三條指出，文化創意產業的範圍涵蓋：一、視覺藝術產業。二、音樂及表演藝術產業。三、文化資產應用及展演設施產業。四、工藝產業。五、電影產業。六、廣播電視產業。七、出版產業。八、廣告產業。九、產品設計產業。十、視覺傳達設計產業。十一、設計品牌時尚產業。十二、建築設計產業。十三、數位內容產業。十四、創意生活產業。十五、流行音樂及文化內容產業。十六、其他經中央主管機關指定之產業。

當然， 對於文創產業的內容尙有不同的看法，爲本書在定義文創產業的範疇上，仍以此爲基礎來加以論述，以免失焦。所以，根據2014年3月19日文化部公告的《文化創意產業內容及範圍》指出：

一、視覺藝術產業是指凡從事繪畫、雕塑及其他藝術品的創作、藝術品的拍賣零售、畫廊、藝術品展覽、藝術經紀代理、藝術品的公證鑑價、藝術品修復等之行業均屬之，諸如書法、素描、繪畫、攝影、版畫。視覺藝術產業的中央目的事業主管機關是文化部。

二、音樂及表演藝術產業是指從事音樂、戲劇、舞蹈之創作、訓練、表演等相關業務、表演藝術軟硬體（舞台、燈光、音響、道具、服裝、造型等）設計服務、經紀、藝術節經營等行業。本項所稱之「音樂」專指第十五項所稱「流行音樂」以外之音樂類型。音樂及表演藝術產業的中央目的事業主管機關是文化部。

三、文化資產應用及展演設施產業是指從事文化資產利用、展演設施經營管理之行業，諸如劇院、音樂廳、露天廣場、美術館、博物館、藝術館（村）、演藝廳等。另外，所稱「資產利用」，限於該資產之場地或空間之利用。文化資產應用及展演設施產業的中央目的事業主管機關是文化部。

四、工藝產業是指從事工藝創作、工藝設計、模具製作、材料製作、工藝品生產、工藝品展售流通、工藝品鑑定等行業，諸如三義木雕、鶯歌陶瓷。工藝產業的中央目的事業主管機關是文化部。

五、電影產業是指從事電影片製作、電影片發行、電影片映演，及提供器材、設施、技術以完成電影片製作等行業，包括動畫電影之製作、發行、映演。電影產業的中央目的事業主管機關是文化部。

六、廣播電視產業是指利用無線、有線、衛星或其他廣播電視平台，從事節目播送、製作、發行等之行業，包括動畫節目之製作、發行、播送。廣播電視產業的中央目的事業主管機關是文化部。

七、出版產業是指從事新聞、雜誌（期刊）、圖書等紙本或以數位方式創作、企劃編輯、發行流通等之行業。數位創作係指將圖像、字元、影像、語言等內容，以數位處理或數位形

式（含以電子化流通方式）公開傳輸或發行。出版產業的中央目的事業主管機關是文化部。

八、廣告產業是指從事各種媒體宣傳物之設計、繪製、攝影、模型、製作及裝置、獨立經營分送廣告、招攬廣告、廣告設計等行業。廣告產業的中央目的事業主管機關是經濟部。

九、產品設計產業是指從事產品設計調查、設計企劃、外觀設計、機構設計、人機介面設計、原型與模型製作、包裝設計、設計諮詢顧問等行業。產品設計產業的中央目的事業主管機關是經濟部。

十、視覺傳達設計產業是指從事企業識別系統設計（CIS）、品牌形象設計、平面視覺設計、網頁多媒體設計、商業包裝設計等行業。視覺傳達設計產業包括「商業包裝設計」，但不包括「繪本設計」。商業包裝設計包括食品、民生用品、伴手禮產品等包裝。視覺傳達設計產業的中央目的事業主管機關是經濟部。

十一、設計品牌時尚產業是指從事以設計師為品牌，或由其協助成立品牌之設計、顧問、製造、流通等行業。設計品牌時尚產業的中央目的事業主管機關是經濟部。

十二、建築設計產業是指從事建築物設計、室內裝修設計等行業。建築設計產業的中央目的事業主管機關是內政部。

十三、數位內容產業是指從事提供將圖像、文字、影像或語音等資料，運用資訊科技加以數位化，並整合運用之技術、產品或服務之行業，包括數位遊戲、行動應用服務、內容軟體、數位學習，以及提供數位內容創作、企畫編輯、發行流通所需之技術面產品或服務。以數位方式創作、企畫編輯、發行流通新聞報紙、雜誌（期刊）、圖書、電影、電視、音樂，包括將其典藏數位化，仍分屬其原有之出版、電影、電視、音樂產業。數位內容產業的中央目的事業主管機關是經濟部。

十四、創意生活產業是指從事以創意整合生活產業之核心知識，提供具有深度體驗及高質美感之行業，如飲食文化體驗、生活教育體驗、自然生態體驗、流行時尚體驗、特定文物體驗、工藝文化體驗等行業。創意生活產業的中央目的事業主管機關是經濟部。

十五、流行音樂及文化內容產業是指從事具有大眾普遍接受特色之音樂及文化之創作、出版、發行、展演、經紀及其周邊產製技術服務等之行業。流行音樂及文化內容產業的中央目的事業主管機關是文化部。

肆、台灣發展文創產業的優勢

首先，以企業的SWOT理論來分析發展台灣文創產業的優勢（Strength）、弱勢（Weakness）、機會（Opportunity），和威脅（Threat）。

台灣文化創意產業 SWOT 分析

優勢 Strength	弱勢 Weakness
（1）自由創作環境，優秀人才輩出，民間創造力源源不絕。 （2）開放多元社會，藝文活動呈現多元性與多樣性。 （3）充分透明的資訊，社會接受新事物與新觀念的可塑性強。 （4）科技發達，文化創意產業可藉由新科技優勢，多元結合，多元傳播創新發展。 （5）地方文化活力強，民眾對藝文活動與創意生活的需求日增。	（1）可以產業化與不需要產業化的分際不夠明確，與民間的需求和期待產生落差。 （2）政府主管部門分散，缺乏整合平台。 （3）市場小、規模小，無法靠內需市場形成產業，國際市場的開發力弱。 （4）文化政策亦受政經環境影響，民間對政策的延續性存有疑慮。 （5）資金來源不足，缺乏文化投資的鼓勵措施。 （6）智慧財產權未受尊重保護。 （7）藝文界缺乏整合、行銷與管理人才。

機會 Opportunity	威脅 Threat
（1）台灣文化自由開放特色，可成為華人世界品牌，可帶動華人文創產業經濟。 （2）華人經濟崛起，大中華區域經濟形成。 （3）兩岸開放的大趨勢，使台灣文創產業有開拓的空間。 （4）民間人才充足，自主性與參與性高。	（1）大陸有廣大內需市場，易於進軍世界市場，且大陸亦以文創為重點發展產業，兩岸有競爭壓力。 （2）文化差異，讓台灣文創產業進入大陸有優勢，但大陸法令限制，有待兩岸談判解決。 （3）世界各國重視文創產業，亞洲國家如韓國、日本、泰國、印度等不斷崛起，形成競爭。

資料來源：文建會，《創意臺灣Creative Taiwan「文化創意產業發展方案」行動計畫2009～2013》，（台北：文建會、新聞局、經濟部，2009年10月），頁10。

換言之，台灣在全球華人中的文創產業具有下列優勢：第一，台灣擁有海洋文化的特性，介於東北亞和東南亞的交會處，具有得天獨厚的地理優勢。第二，台灣是一個移民社會，具有原住民、荷蘭人、日本人和中國人的多元民族的包容特質，具備開放自由的胸襟，開創新局的勇氣，和寬廣的世界觀，充滿追求創新的能量。第三，台灣擁有深厚的中華文化傳統，底蘊溫厚，特別是保存著儒家精神，成爲創新的人文基礎。第四，台灣教育普及，網際網路的科技發展迅速。第五，台灣具有市場經濟的企業管理和知識管理經驗。第六，台灣是華人社會最先具有實現民主制度的地方，擁有自由開創的心靈，提供可以自由創作的環境，是文化創意產業的生命力。[1]因此，特別是經過了「相互融合的文化」，「匯聚人才的創意」，「累積經營的產業」，朝向發展具有「台灣特色的中華文化」優勢。所以說文化是融合的，創意是人才的，產業是經

[1] 參閱：文建會，《創意臺灣Creative Taiwan「文化創意產業發展方案」行動計畫2009～2013》，（台北：文建會、新聞局、經濟部，2009年10月），頁1。

營的。

台灣發展文創產業溯自2002年政府宣示推動文創產業，並列爲《挑戰2008：國家發展重點計畫》的〈文化創意產業發展計劃〉中，政府提出五大策略要來推動國內文化創意產業，包括整備文化創意產業發展機制、設置文化創意產業資源中心、文創園區與工藝產業發展計畫、振興流行文化產業方案與台灣設計產業起飛計畫等。

2009年5月14日行政院院會通過〈創意臺灣-文化創意產業發展方案〉，主要係針對台灣當前發展文化創意產業發展之優勢、潛力、困境及產業需求，提出推動策略，期能達到以台灣爲基地，拓展華文市場，進軍國際，打造台灣成爲亞太文化創意產業匯流中心的願景。

2010年1月和10月政府通過《文化創意產業發展法》和〈文化創意產業發展法實施細則〉，希望藉由政府的積極推動，以獎勵、補助的方式，加強與民間文化工作者、企業界的結合，同時也要教育消費者的支持，共同來帶動台灣文化創意產業的發展。

伍、文創產業的發展趨勢

美國未來學家托佛勒（Alvin Toffler）人類產業發展階段從西元前8千年左右，直到約西元1650到1750年的第一波農業時代，繼之而起的是到1955年左右的第二波工業時代，此後進入所謂《第三波》（The Third Wave）的電腦資訊化的服務業時代。[2]而1980年代當網際網路興起，美國哈佛大學甘迺迪政府

[2] Alvin Toffler, 黃明堅譯，《第三波》，（台北：時報文化，1994年6月），頁11。

學院院長約瑟夫・奈伊（Joseph Nye），提出「軟實力」（soft power）的強調文化和價值觀的概念，可以說就是進入第四波的知識革命的時代。

農業文明生產依賴的是以人力，輔之以鐵材料製成犁、鋤等耕作的農具；工業文明生產依賴的是以機器，輔之以馬達、蒸氣機的發明，和運用在機械化大量生產線上；服務業文明生產依賴的是電腦，輔之以資本密集，技術改良，人性化服務品質的提升；知識業文明生產依賴的是智慧，輔之以知識密集的網路連結，人才想像力、冒險精神、自由創作爲本的創意產業爲發展目標。

整體而言，文化創意產業有以下四項發展趨勢：一、產業創新的關鍵角色：文創產業有不錯的環境調整能力，主要是歸功於產業的創新以及市場的靈活反應。二、大者恆大的狀態：台灣的產業發展有個明顯的趨勢，即規模越大的企業越具有競爭力，出現大者恆大的樣貌。三、集中化的問題：文化創意產業出現集中化的現象。四、越來越嚴酷的市場競爭：文化創意產業市場的競爭變得越來越激烈、非常嚴酷。

換言之，台灣發展從1950年代的強調軍事力，1960年代的強調經濟力，1970年代的強調政治力，1980年代的強調社會力，進入1990年代以後的開始強調文化力。文化力的內涵是什麼？哪些的文化內涵可以代表台灣的文化力。這一思考方向，首先面臨的是台灣發展的歷史面向和對文化的省思。台灣要去否定與中國的關係，和與中華文化的歷史關係嗎？這是一個解不斷理還亂的嚴肅課題。

台灣受到中華文化的影響很深，所謂「文化興國」是以文化來發揚台灣的優勢，台灣在文化方面的表現本來就很突出，尤其發展一套具有台灣特色的中華文化。它的核心價值就是開放進取、善良勤奮與誠信包容，表現在外的就是海洋文化、多元文化、創意文化，以及志工文化和愛心文化。但無可否認的台灣發展史實，台灣的原住民文化，還有台灣因受到荷蘭、日本的統治，在文化層面也受到相當程度的影響。這一四百多年的演變所形塑的台灣政治、經濟和社會發展，已經在文化發展上有其獨特性。

換言之，論述文化創意產業的在地化（本土化）與全球化議題，凸顯台灣文化的獨特性意義。設計的動力來自歷史文化的使命感，設計的目的即是改善人的生活。設計不應只是風格與式樣的改變，好的設計要能發展出新的產業。設計是創造文化、創造未來，創新教育應重視的是由心出發的經營哲學，而不只是追求可被機械人取代的生產技術變革而已。如深入探究設計與藝術的最大不同在於：設計是不斷的解決，尋求更好的方案；藝術則是不斷的突破，尋求創新的作品。換言之，設計可以有規則可循；藝術則在凸顯不按理出牌。因此，不尋求突破、創新是很難成爲一位藝術家，頂多是一位靠過去和經驗創作的設計師。

陸、結論

文化創意重要，產業更關係經濟發展和國計民生，但文化如同教育，是立國精神之所繫，有其核心價值與發展脈絡。文創產業所研究內容與產值，都從文化本質發揮經濟效益。所以，文創產業是指一種理念、創意或人文素養。它的精神在於強調產業發展要有文化思維，藝文也須兼顧應用與行銷的部分，並搭建跨界合作的平臺，擴大文化影響層面，提高產業品

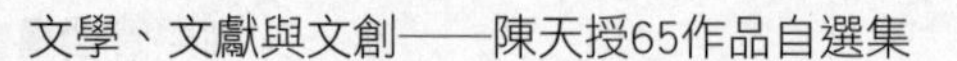

質與競爭力。[3]

例如，如果深入對照《文化創意產業發展法》第三條的內容，其中有關文化資產應用及展演設施產業是，指從事文化資產利用、展演設施（如劇院、音樂廳、露天廣場、美術館、博物館、藝術館（村）、演藝廳等）經營管理之行業。這裡面應該也要加入了列舉圖書館，千萬不能忽略其所扮演重要文創產業的意涵與角色。

[3] 文建會，《創意臺灣Creative Taiwan「文化創意產業發展方案」行動計畫2009～2013》，（台北：文建會、新聞局、經濟部，2009年10月），頁8~9。

文創產業政策的政治經濟學省思

——《台灣商報》〈全民專欄〉文創漫談之1

2015年4月新聞，台北市政府與文創產業園區業主之間的複雜關係，鬧得沸沸揚揚，令人不但眼花撩亂，而且還搞不清楚政府的文創產業政策在哪裡？報載有官員嗆「台灣文創產業需要國家資本支持，而不是『無本求暴利』的私人資本」，並點名的假文創園區，包括「餐廳加餐廳加餐廳的華山」、「史上最大附屬設施的三創」、「還我森林的大巨蛋」，及「董事長隔海喊話談分配利潤的松菸」。承上所述，華山、三創、大巨蛋和松菸等四個文創產業園區，凸顯政府希望透過市場機制，藉由提供國家資本，結合私人資本的企業經營方式，來共同推動國內文創產業的發展。

這也正說明文創產業政策是，所謂各自「代表政治權力的國家機器，和代表經濟利益的市場機制」的政治經濟學。因此，文創產業暨不能獨以實施管制政策的國營事業視之；亦不能純以自由市場的企業利潤看待，而是要政府與企業如何在兩者利益之間的取得平衡。然而，政府與市場都會各自發生不同程度的失靈現象，現在的台北市政府與文創產業園區業主之間的政商關係，正接受著文創產業政策政治經濟學的檢驗。我們以期待政府的發揮行政效能與效率，也同樣寄託企業的展現職場倫理與道德。或許這對於發展文創產業既要維護文化資產，又要顧及經濟利益，實在容易讓人陷入兩難困境，更何況這難題還不斷地被重複發生。

今天，我們是不是又看到了文創工作者，爲搶救鹿港「黃慶源商行」老宅—「金銀廳」，而文化局又才緊急將其列爲暫定古蹟的情事發生。事事都在警惕著我們：文創產業政策的政治經濟學，其所要凸顯政府爲維護文化與企業爲爭取利益的糾葛，到底兩者之間的關係如何釐清，是我們要引爲思的。

以創意整合生活產業的飲食文化

——《台灣商報》〈全民專欄〉文創漫談之2

三創園區開發案遭台北市財政局發現，原八、九層樓要用來育成文創，如今卻準備改爲餐廳。讓人聯想到前些日子華山文創園區的被譏「餐廳、餐廳加餐廳」，當時根據立委質詢的餐廳總數有十二家，文化部的算法是五家「純餐廳」，其他七家是文創業者在其賣店以外經營的複合式餐廳，文化部認定是屬於「文創餐廳」。然而，到底哪一家餐廳是屬於文創的界定？或是一個文創園區內該有多少家餐廳爲最適量？文化部長洪孟啓的答案：「文創要有文化底蘊，文創園區不能一面倒，想賺錢，要沖淡商業色彩。」

我支持文化部的規劃園區來發展台灣文創產業；就如同當年經濟部以出口加工區、科學工業園區，以及設立管理處的模式，帶動台灣經濟的蓬勃發展。《文創產業發展法》所列舉的產業類別中，有一項是創意生活產業，它是強調以創意整合生活產業的核心知識，提供具有深度體驗及高質感的產業。而餐飲文創產業應類屬於創意生活的飲食文化，其核心元素就脫離不了要注入市場經濟的機制，進而結合休閒旅遊等複合式經營，帶動觀光產業的發展。

因此，文創園區裡餐廳數量的多寡，除了尊重市場的競爭機制之外，也要求政府官員要盡到善用國家資本的責任，考核其是否如林語堂所言「生活的藝術」，來凸顯餐飲文創產業的特性。我們期望社會在追求「靈性文化」的同時，亦能接受「庶民文創」的發展。

以流行音樂文創紀念兩位名家

——《台灣商報》〈全民專欄〉文創漫談之3

今年（2015）是鄧麗君的逝世二十周年，也是鄧雨賢的一百一十歲冥誕。這兩位音樂名家，鄧麗君生前常以甜美的歌聲赴軍中勞軍，贏得「愛國藝人」的美稱；而鄧雨賢寫實台灣社會的音樂創作，被尊稱爲「台灣歌謠之父」。 回溯1970年代我在成功嶺接受大專生訓練的期間，中心有時候會舉辦比較大場面的文康教育，而最被阿兵哥歡迎的就屬演藝人員的聯歡晚會了。由於時間總是安排在晚間，而且場面又非常盛大，如果隊伍的位置不是在很前面的話，根本就看不清楚台上的表演者。

我已經不記得那時剛出道不久的鄧麗君是否曾經來過，但是1970年代以後，鄧麗君歌聲確實給國軍部隊帶來鼓舞的作用。 鄧雨賢創作許多膾炙人口的歌曲，其中〈雨夜花〉和〈月夜愁〉帶給我特別深的感觸，讓我對於先父和母親他們所曾經經歷過日本殖民統治時期的生活情景，有著更深一層的了解。當我知道台灣歌曲〈雨夜花〉的被日軍改編爲〈榮譽的軍夫〉，我才豁然清楚，爲什麼不擅長於唱歌的先父，每次在家人掌聲鼓勵下，只能勉強哼出〈雨夜花〉的曲調，因爲先父曾在二戰末期被日軍徵調南洋當軍夫。在那時間點上，我母親還要照顧幼小的大哥、二哥和大姊，我不知道母親是否還唱得出來，那首被日軍改編爲〈軍夫之妻〉的台灣歌曲〈月夜愁〉。

台灣這兩位才華橫溢的流行音樂名家，留給有我們許多共同的歷史記憶，更是台灣寶貴的文化資產。現在鄧麗君除了成立有「鄧麗君文教基金會」之外，雲林縣褒忠鄉田洋村還保存有「鄧麗君幼年故居」。鄧雨賢也除了成立有「鄧雨賢音樂文化協會」之外，在新竹也特別建有「鄧雨賢文化紀念公園」。台灣要經濟發展，目前正積極推動文創產業，我們也應該善用這珍貴的台灣流行音樂資產，為紀念台灣的「二鄧」，創造出更有意義的價值來。

「寡婦樓」被夷平的文化感慨

——《台灣商報》〈全民專欄〉文創漫談之4

位在新竹市東區的赤土崎新村，俗稱「寡婦樓」的建物，日前慘遭大型機具的連夜夷平，讓許多文化界人士爲之扼腕和痛心，這又是重演一樁台灣歷史文物遭受破壞殆盡的悲劇。「寡婦樓」爲二次大戰期間，日本海軍第六燃料廠的遺址。之所以被稱爲「寡婦樓」，是1949年國民政府撤退來台，有許多的女眷和軍眷陸續被安置於此，這些眷屬的先生，有的不幸戰死或失聯，因此這地方遂有「寡婦樓」之稱。而這地方後來也逐漸形成具有眷村文化特色的聚落，和共同的集體記憶。

「寡婦樓」在二次大戰期間，既原爲日本海軍第六燃料廠遺址的歷史背景，讓我想起同是二戰遺址的哈爾濱731部隊遺址。2013年我有機會應「中國檔案學會」之邀，參加海峽兩岸檔案暨縮微學術的研討會，並順道參觀了位在哈爾濱市平房區的731部隊遺址。這地點是發生於二次大戰末期，日軍爲實驗化學作戰的遺址，現已經被中國大陸刻意保存的建物。這遺址的陳列館，還可以看到當年許多被拍攝下來的照片、證據實物，和見證人的控訴文字。

據報載「寡婦樓」遺址，新竹市政府係列入商業區，國防部則爲進行眷村改建，計畫拆除作爲興建住宅之用。然而，文化界則希望將其列爲歷史建築。結果今天「寡婦樓」的下場，凸顯了歷史文化的保存最後還是不敵商業實際的利益。相較於中國大陸的保存哈爾濱731部隊遺址，在爭取有利對日抗戰的話語權上，政府顯然喪失了一項優勢。

令人更不解的是，台灣在歷經1960年代的「加工出口區」，和1980年代的「科學工業園區」之後，現在是要積極推動「文創產業園區」之時，如果我們對於歷史建築的保存都持這種可有可無的消極態度，那我們又將如何來發展台灣的文化創意產業和經濟呢？

吳家舊宅的「府城歷史之窗」

——《台灣商報》〈全民專欄〉文創漫談之5

與吳烟村教授的見面已屬第二次，在這兩次的場合，都是同時受邀參加同一位同事，為女兒舉辦的喜宴上，不同的是大、小女兒的歸寧。由於第一次的同桌，我們坐的位置離的較遠，講起話來就沒有這次來的方便。吳教授知道我在台北城市大學開設「文化創意產業」的課程時，就談起他位在台南市永福路2段227巷的老家舊宅。這舊宅經過吳教授費神的請專家整修，並將其三樓圍牆在陽台改為鏤空後，可藉其高處一覽赤崁樓、大天后宮和祀典武廟的三處古蹟，吳教授因此將其取名為「府城歷史之窗」。

從吳家舊宅獨有「府城歷史之窗」的呈現三處古蹟，似乎在述說著：赤崁樓為東印度公司建立的普羅民遮城，和是鄭成功家族治台時期的承天府署；而大天后宮和祀典武廟的原為寧靜王府，到了清治時期更是施琅的提督府、朱一貴的登基處，和劉永福的總統府。這些都是我們這一代必須要清楚的台灣歷史。

吳家舊宅所在的巷子，還具有特別的一項意義，就是強調台灣文學主體性，而有「台灣文學之父」尊稱的葉石濤先生，在他第一部小說《葫蘆巷春夢》所描寫的葫蘆巷口。最後，令我敬佩的是吳教授對自家舊宅的不藏私，反將其視為文化公共財的提供導覽服務，爲促進台灣歷史的教育而奉獻心力。想想吳家舊宅，也想想我家祖厝的現況，還有許多我要借鏡學習的地方。

「古蹟仙」林衡道的在地文創底蘊

——《台灣商報》〈全民專欄〉文創漫談之6

2015年5月初的這一禮拜，文化界充滿了古蹟味。文化部在台中文化創意產業園區，特爲「台灣古蹟仙」林衡道教授的百歲冥誕，舉行座談會，和紀念展。民間的中華文化資產維護學會、中華文物保護協會、中華海峽兩岸文化資產促進會，亦結合國立台灣博物館、台北市中山堂及文化部文化資產局共同主辦古蹟導覽活動。檢視台灣移民開墾史的自清代以來，有基隆顏家、板橋林家、霧峰林家、鹿港辜家和高雄陳家的五大家族，林衡道爲板橋林本源家族的後代。他在大學時期主修的是經濟領域的課程，卻一輩子專研台灣的民俗藝術文化，蔚然有成。

「台灣古蹟仙」林衡道走遍全台的古城牆、古寺廟、古宅第、甚至古墓，他不但實地進行田野調查，而且蒐尋古蹟文獻，大量著書推廣，大家尊稱他是「本土古蹟仙」、「台灣史蹟百科」的美名。我的初識林衡道之名，始於1970年代的初期，當我在系圖書館裡發現《台灣歷史百講》和《台灣的歷史與民俗》二書，是我接觸有關台灣歷史專書的開始，雖然這兩本書的包裝、字體和印刷，以現在的標準而論，都不屬上品，但是在歷史通俗的內容方面，對一個剛負笈北上的青年學子而言，卻帶有極大吸引力，和不少的啓發作用，迄今我仍保存二書。

「古蹟仙」林衡道有句名言：「看古蹟如看花，慢了看不到。」我近日來更能感受到「古蹟仙」這句話的哲理。我家的祖厝雖談不上有古蹟的價值，房屋材料除了部分梁柱是檜木材料之外，大都是屬於當年木石磚造的閩南式建築。但是根據我的考證資料，我家現保留下來的祖厝，應是蓋於一九三一年新營地區大地震之後的第六年，也就是我祖父爲了我父母親結婚的那一年所建。當時我的父母親同是十九歲年紀，而我的叔叔才剛兩歲。再過了兩年以後，我的祖父即離開人世，祖厝則由他們兄弟二人繼承。如今回溯祖厝的起造意義和艱辛，除了凸顯家族歷史記憶之外，實令人增添幾分的感傷。

詩品文學生命的文創效益

——《台灣商報》〈全民專欄〉文創漫談之7

時間過得真快，詩人周夢蝶自去年的五月逝世已屆滿周年，這幾天文化界人士不但爲他辦了追思會，同時宣布爲他籌募獎金來辦理「周夢蝶詩獎」，以及未來準備爲他出版紀念詩集《夢蝶草》，希望透過這些活動以延續詩人作品的文學生命，和傳遞詩人的人道主義精神。

初識周夢蝶大名始於1960年代中期，我開始寄宿在外的高中階段，當時我正着迷於文星書店出版的一系列作品。我時常流連於嘉義市的文友和明山書局，陸陸續續購齊文星叢刊編號115《胡適選集》（1966年版）的一共12集，和編號118《傅斯年選集》（1967年版）的一共十冊。 我在那爲賦新詞強說愁的年紀，也就特別喜歡《胡適選集》其中的《詩詞》這一冊。由於受到胡適詩的影響，我就注意到文星叢刊編號163，周夢蝶出版《還魂草》的詩集，只是當時在嘉義尋覓不著，畢竟嘉義不若台北的買書方便。

1970年代初的北上念書，系上每學年都會舉辦小型書展，書商擺設的攤位經常會出現有三民書局的三民文庫、新潮出版社的新潮文庫等書，唯獨不見文星書店的文星叢刊，當然難買到周夢蝶的《還魂草》。一直到我加入《輔大新聞》的編務時，當時的工作夥伴經常談到周夢蝶的詩，我才知道他當時在明星咖啡廳門口擺攤賣書，堅持過著他自己獨特風格的文人生活，並且書寫不斷地完成他的詩作。

詩人周夢蝶的作品和人格，誠如藝術文化是無價的，是獨一無二的，在華人文學史上也會有他該有的地位。如果從詩人作品的文學生命所創造出來的印刷、出版、書店等產業，乃至於詩人建立紀念館所衍生出來的會展、觀光、文化休閒等產業，我們深知其文化產業所具備市場機制的意涵，也就不再那麼會排斥文創效益了。

文化中心與文創園區

——《台灣商報》〈全民專欄〉文創漫談之8

2015年6月12日文化部有二項重要的活動，一是部長洪孟啓在日本主持「台灣文化中心」的掛牌儀式，成爲文化部在東京設立的第一個展演平台；一是該部政務次長邱于芸參加「台南文化創意產業園區」的啓用典禮，成爲政府推動文創園區的第一個委由大學經營管理的平台。從一個關心文創產業發展的教學研究者立場，我們給予文化部高度的肯定，也樂見未來台灣文創產業的蓬勃發展。

不論是「台灣文化中心」，或是「台南文化創意產業園區」，這兩者畢竟都是官方主導的文化政策。「台灣文化中心」的「文化中心」概念，讓我聯想到1970年代蔣經國推動十大建設項目中的文化建設，要在每一個縣市成立一個文化中心。「一縣市一中心」的目標最後在硬體上是達成了，但是在軟體內容的充實方面似乎也引發不少的議論。「台南文化創意產業園區」的「產業園區」概念，則讓我聯想到1980年代李國鼎推動的「科學園區」，「新竹科學園區」的經濟發展目標是達成了，但是有些縣市推動的「工業園區」效果並不理想。檢討縣市所推動的「文化中心」和「工業園區」，之所以成效不彰，其中有一項重要的因素，就是未能凸顯它近乎無可取代的特色。

「台灣文化中心」在東京，如果不能凸顯台灣文化的特色；而「台南文化創意產業園區」，如果未能凸顯台南文化的特色，可以預料的它們將都會走上「了了」的收場。台灣文化的特色是多元文化，它不僅僅是只有中華文化的元素；台南文化的特色是在地化文化，它不僅僅是只有古都文化的元素。台灣文化中心就日本而言，還有殖民文化；台南文創園區就在地化而言，還有南瀛文化。

金曲獎頒獎與彩色派對粉塵爆的兩樣情

——《台灣商報》〈全民專欄〉文創漫談之9

2015年6月27日晚間，對於關心國內流行音樂的愛好者而言，有兩件重大新聞的報導。第一件新聞報導是：國內第26屆金曲獎隆重在小巨蛋舉行，陳奕迅以《米。閃》、張惠妹以《偏執面》，分別獲得最佳男女國語歌手；蕭煌奇以《上水的花》、李愛綺以《微風・城市》分別獲得最佳男女台語歌手；黃連煜以《山歌一條路》獲得最佳客語歌手；查勞・巴西瓦里以《玻里尼西亞》獲得最佳原住民語歌手。

另外，蔡依林以《呸》獲得最佳國語專輯獎。大會除了還頒有其他各類獎項之外，也頒發特別貢獻獎給江蕙和陳揚。陳揚是資深音樂人，他克服右耳失聰障礙，從十二歲開始創作，迄今近五十年，累積如《魯冰花》等無數經典歌曲。江蕙更是爲自己流行音樂的歌唱生涯創下完美紀錄，尤其從她的演藝事業貴人黃義雄手中接過獎座，而她一度哽咽道出的「台語歌是我的生命，能幫台語歌進到一點點力量，也是我的榮幸」，這是多謙虛、多感人的話。第二件新聞報導是：國內第四場彩色派對在八仙樂園舉行，根據主辦單位「玩色創意」的人員指出，彩色派對兩年來累積參與人數超過兩萬兩千人，粉末爲玉米粉混合食用色素，「兼顧環保與安全」卻仍不幸驚爆粉塵爆炸的重大意外。

據報導，這次在彩色派對事件中受傷的人數已高達近五百人，其中多以青年學生爲主。出借場地的八仙樂園現已被新北市政府下令暫時停業，它係屬萬海航運集團的關係企業，萬海航運集團旗下成立的慈善基金會，平時就積極從事和贊助許多的公益活動。在此，我們除了要對受傷人員表示慰問之意外，也期望大家能盡速走出悲痛，恢復正常生活。當天的金曲獎頒獎典禮以喜劇收場，而彩色派對活動卻以悲劇收場。喜與悲的感受，是迥然不同的兩樣情，但是它們對於提倡國內流行音樂活動是具有正面的意義，尤其正當我們努力引領華人世界流行音樂的時刻，絕不能因爲發生在八仙樂園彩色派對的粉塵爆事件，來影響推動華語流行音樂文創產業的展。

台北二二八紀念館與典藏台灣歷史文物

——《台灣商報》〈全民專欄〉文創漫談之10

2015年6月24日台北二二八紀念館展出三本十七至十九世紀的典藏外文圖書，其中之一的《台灣民政事務手冊》，是由美國海軍計畫參謀室出版，主要內容是提供佔領台灣軍政人員的訓練教材，同時也是做爲戰後治理的參考。《台灣民政事務手冊》既牽涉可以做爲1945年戰後治理台灣的參考，也凸顯距離時間不到兩年之久，台灣在1947年二月二十八日所發生「二二八事件」複雜背景中的國際環境因素。

現在我們參展了《台灣民政事務手冊》之外，可以嘗試閱意義與價值，讓該館成爲臺灣人民集體歷史記憶的場域。

而台北二二八紀念館與二二八事件的連結，源自於日治時期設在原址臺灣放送協會的負責廣播業務。戰後國民政府接收將其改爲臺灣廣播公司。二二八事件發生，當時的廣播電台扮演著政府與人民之間的重要橋梁。1949年中華民國政府撤退來台，改爲國民黨經營的中國廣播公司，直到1972年中廣在仁愛路的新建廳舍完成，交還臺北市政府。1996年市府基於這棟建物在二二八事件中的歷史意義，選定作爲台北二二八紀念館的館址。

從台北二二八紀念館的原址追溯中國廣播公司，讓人聯想在1950年至1968年擔任中國廣播公司董事長的張道藩，以及他在1950年成立中華文藝獎金委員會和1951年的中國文藝協會。而1949年年底到1959年五月張道藩住所就在台北市溫州街96

巷，現已改爲羅斯福路3段283巷，而中國文藝協會就在鄰近的羅斯福路3段277號的羅斯福大廈。而我翻閱書櫃上的藏書，赫然見到我在1970年10月2日，當時剛負笈北上的大一新生，我現在已經完全記不起，我會是如何特地從新莊來到這棟大樓，參看由中國文藝協會舉辦的十月文藝書展，而我又是如何高興地會買了水牛出版社孟祥森翻譯的《齊克果日記》和晚蟬叢書許逖所編的《近代學人印象記》。《近代學人印象記》這書更影響後來我要撰寫《近代學人著作書目提要》的構想。

1950年代時期的張道藩住所，還是一戶日式建築的宿舍，也還曾是張道藩與蔣碧薇有過一段情史的記憶。但是世事誠難料，我也真沒想到我會在1970年代的後期，住進了這戶改建成四樓公寓的三樓。我也未能預料，我又會在該地方住了近三十年才搬離。現在我想：如果這戶張道藩的日式住所不改建成公寓，我就沒有機緣與張道藩住所有了牽連。如果這戶張道藩的日式住所被保存下來，現在或許成爲張道藩紀念館，而與附近梁實秋、殷海光的紀念館，成爲台大、師大的公館文創園區。

傳統大木作建築藝術的傳承

——《台灣商報》〈全民專欄〉文創漫談之11

2015年5月甫經文化部授證國家指定重要傳統藝術及文化資產保存技術保存者的人間國寶廖枝德，不幸於7月8日上午辭世，享年八十六歲。廖枝德是1930年（昭和5年）出生，公學校畢業曾在台南後壁區烏樹林的一戶人家當長工。二十歲以後轉學木工技藝，幸遇唐山來台灣蓋廟的余燦師傅，並拜其爲師。廖枝德在學得一身技藝，其中也學會最難的「落丈篙」技術之後，從此展開台灣傳統閩南式厝屋營建，及傳承大木作技術的保存，其建物遍及後壁、白河、東山等地。

「大木作」指的是傳統建築的結構體，如柱、樑、斗、栱等構架，及其構件的榫接、組構、豎立等工作。亦即台灣社會所稱承建閩南式房屋，從建築主體結構及外觀設計外，並擬定工程進度、指揮、調度及統籌土水、建築裝飾等工程所需傳統匠師的組合；「小木作」則指的是做傢俱、窗戶的師傅。論及廖枝德的出身和專業背景，讓我想起與其同蓋在後壁區的閩南式祖厝。根據我手邊僅有的資料，我家祖厝第一階起造的木石磚造（雜木以外）完工時間應是在1937年（昭和12年）7月（前）；第二階段增建的土竹造（純土造）完工時間是1942年7月（前）。如果以這時間推算，當時廖枝德才分別是七歲與十二歲，他是不可能參與我家祖厝的興建，而是否會和其師傅余燦有牽連，目前缺少資料佐證。至於第三階段1966年7月土竹造（竹造），和第四階段1968年木石磚造（雜木）部分都屬於非常簡陋的建物。第五階段1979年3月的將第三、四階段建物的改建成（木石磚造（雜木以外）是目前保存下來的模樣。

我家目前閩南式祖厝保存下來的，主要還是以1937年和1942年興建的爲主體建物，而這時間點也正是我祖父爲我父母親的結婚喜事而興建落成。這棟祖厝的起造歷史迄今已近八十年，可是傳到我們這一代，卻有人主張要拆除，在拆除不成後，又堅持要任其凋敝。我們陳氏家族雖不是大富大貴人家，但後人如不能體會先人的營建苦心與家族文化，而只顧私心小利，不願善加維護祖厝，實有愧祖先上天之靈。

策展平台的締造文創風華

——《台灣商報》〈全民專欄〉文創漫談之12

國立台灣圖書館的前身「台灣總督府圖書館」，早成立於台灣人武裝抗日已近尾聲的1914年（大正3），最先辦公地點設在艋舺清水祖師廟內。隔年即遷入現今的博愛大樓。1945年由台灣省行政長官公署接收，改稱台灣省圖書館後，歷經1948年的更名「台灣省立台北圖書館」，1973年在遷至台北市八德路、新生南路口的新館，改名「國立中央圖書館台灣分館」，2004年遷至現在位在新北市中和的新館，2013年改爲今名「國立台灣圖書館」，其館名的變遷就宛如一部近代台灣圖書館史。

國立台灣圖書館的隨著台灣政經發展歷史，如今成爲國內外有關台灣文獻藏書最豐富的公共圖書館之一，不但保存了有關台灣珍貴的歷史資料，更因爲新館建築設備的隨著科技進步，提供了多項現代化圖書館的服務，除了提供最完整的族譜微縮文獻資料之外，其中重要一項就是具備展示平台功能的舉辦各類型活動。例如現在又重新炒著要廢掉監察院的新聞，目前在國立台灣圖書館舉辦監察院國定古蹟建築「百年風華 千秋博台」的策展活動。

監察院的前身是日治台灣時期台北州廳的辦公室，它的興建和完工與台灣總督府圖書館的成立時間極爲相近，1958年成爲監察院廳舍後，1998年正式成爲國定古蹟。這次監察院爲迎接古蹟的百歲生日，特地假台灣圖書館舉辦的策展，除了重現該館的兼具藝術、歷史及文化意涵的建築美學之外，也彰顯台灣圖書館具備策展平台的文創效果。

策展平台的文創效果除了圖書館可以提供之外，舉凡社教館、紀念館、文化中心等，尤其是具有國家級的戲劇院、音樂廳的舉辦活動，更是具有提高國民生活美學，增加國民就業機會，和帶動文創產業發展的領頭羊作用。這是我們發展台灣文創產業不能忽視的重要一環。

明華園的表演藝術

——《台灣商報》〈全民專欄〉文創漫談之13

台灣明華園歌仔戲團的2015年美國之行，是繼上次前往非洲義演之後的另一次海外壯舉。明華園不只是重視國外的場域表演，在國內也克服困難到各偏遠地區舉行公演。猶記得去年明華園才在國內展開一連串的歌仔戲表演活動，乃至於前進綠島、金門、馬祖和蘭嶼等外島的藝術行腳，在在展露了明華園歌仔戲深耕戲劇表演文化的用心和苦心。如果深入分析明華園劇團的演出，當體會大部分戲劇內容都隱含豐富的中華傳統文化元素，和深具融合多元文化所形塑台灣特有的現代性表演藝術。

回溯台灣歌仔戲的表演藝術，陪伴多少台灣人認同的歷史文化與生活經驗。我的觀賞歌仔戲記憶，是來自於幼年時期喜歡「看戲尾」的深刻體驗。「看戲尾」是一句閩南話，指的是1950、60年代在台灣比較窮困的鄉下家庭，不管是大人或是小孩都會善於利用，戲院每場戲演出的剩下最後10分鐘，藉由戲院老闆開放給在戲院外面未能進場看戲的觀眾免費進入。戲院老闆的精準盤算，當然是希望藉由提供「看戲尾」的精采片段，能吸引這些觀眾下次會自動購票入場看戲。

1970年代以後，台灣進入電視歌仔戲的階段，我母親最喜歡看楊麗花、葉青所演的歌仔戲。記憶中的母親總是在吃過晚飯之後，最盼望的就是觀賞歌仔戲節目，尤其在父親過世之後，電視歌仔戲更是成爲母親唯一的休閒娛樂，陪著她度過許多的歲月。1990年代以後台灣進入劇坊歌仔戲的精緻階段，令我印象最深刻的是，有一年明華園在中正紀念堂演出《水淹金山寺》的噴水和觀眾的被淋水景象，還讓觀眾興奮得驚叫聲連連。

近年來，明華園歌仔戲的結合3D科技，更帶領台灣傳統戲劇表演邁入新的境界。明華園歌仔戲藝術表演的深入人心，是具有現代性文化的傳統戲曲，也是具有國際性文化的地方戲曲，更是具有大眾性文化的庶民戲曲。最令人感到敬佩的是明華園劇團堅持自己的培養演員、自己的培養觀眾，要爲台灣表演藝術建立起新文化創意產業的價值來。

清華大學「月涵堂」的文創意涵

——《台灣商報》〈全民專欄〉文創漫談之14

新竹清華大學位在台北市金華街110號台北辦事處的「月涵堂」建築，原要被拆除改建新大樓，現在除了清大自己部分校友籲請校方保留這棟具有歷史價值的建物之外，亦有台灣現代建築學會等團體發起聯署，期望台北市文化局能夠趕快通過歷史建築的審查，以保存這棟具有歷史文化的集體記憶。

「月涵堂」建物有1960年代以後大家的共同歷史記憶。在主建物入口處上方的「月涵堂」是教育家羅家倫的題字，「月涵」是負責清大在台復校校長梅貽琦的別號。綜覽梅月涵校長一生，溯自1909年其受惠於清華基金的培植，學成回國在清華任教，1931年自羅家倫手中接任校長一職，直至1962年，在他擔任長達31年的校長任內過世。清大爲感念梅校長終其一生的奉獻清華，經選定、購置現址，初建完成於1967年。

「月涵堂」這處所，也有我曾經留下過的足跡和美好回憶。1970年代末期，我有兩年時間的辦公地點就在這棟建物的二樓，而一樓通常是作爲舉辦活動之用。這裡留給我的印象是充滿文化學術的氣息，這當然是我希望「月涵堂」能被保存下來的重要因素之一。

另外，我認爲還應該保存下來的理由有：其一、從「城市區域文創」的觀點，「月涵堂」可以結合師範大學和梁實秋故居等成爲重要文化景點；其二、從「區域城市文創」的觀點，

「月涵堂」是連接兩岸重要城市的歷史文化，和清大學術交流的據點。特別是「月涵堂」背後，還有許多說不完「1949，渡海傳燈人的故事…」。

江蕙與台灣流行音樂

——《台灣商報》〈全民專欄〉文創漫談之15

被尊稱爲台語歌后的江蕙，之所以受到眾多國人的喜愛，除了她個人天生的歌喉和音色之外，還有她出道40年的累積舞台經驗，加上她唱的〈惜別的海岸〉、〈酒後的心聲〉、〈家後〉等許許多多膾炙人口的曲子，都緊緊伴著台灣人辛苦打拼的奮鬥歷程，深深撫慰著台灣人的心靈。

台灣在各行業都有建立自己專業的典範，然而，江蕙不但爲人謙和，而且在台語流行歌曲方面得獎無數之後，宣布她不再參與各項的得獎活動，願意將機會留給新秀，以鼓勵後進的人才，這種與人爲善的胸襟，讓她贏得在台語歌壇的地位。

如果大家關心這位台語歌后引退之後，生活有何安排？我建議她可以從事培養歌唱人才的教職，例如到台北城市科技大學流行音樂學程的教唱，亦不失爲好的選項。據悉台北城市科技大學已獲教育部同意以教育學程方式，自2016年起招生50名額的學生，研習流行音樂的學程。

回顧江蕙自宣布封麥的消息以來，不但發生告別演唱會的一票難求，更造成許多排隊買票的人群，爆發了激烈的口角衝突，導致建議加場演出的聲音不斷傳出，乃至於有歌迷期望「二姊」江蕙，乾脆就選在總統府前的凱道廣場，舉辦一場免費性的演唱會，來滿足未能順利購票入場聽歌的粉絲。

江蕙在她家姊妹中的排行第二，歌壇上大家也就跟著稱呼她爲「二姊」，這是粉絲對她的一份尊敬。雖然江蕙已經正式

「封麥」的退出台灣歌壇，自己希望能回到她在10歲以前，那種沒有鎂光燈的自由自在生活。但是台灣社會和喜愛江蕙的歌迷，對他爲人處事和嘹亮歌聲的懷念，卻是有增無減。我們也期望她在休息一段日子之後，能夠繼續發揮她的才能，爲台灣社會做出更大的貢獻。

話說管理與溝通行銷[1]

各位鄉親！因為老家在後壁鄉安溪寮，今天很榮幸有這個機會，能夠回到自己的家鄉，將自己所學及在學校裡教書的經驗與心得，與各位敬愛的鄉親，來話說管理並兼談現代社會工作中的人際關係。由於人是善變的，為什麼善變？因為整個環境也是變動不居的，所以我們才要學管理，假如人及外在環境都是靜態的話，那也許管理的發展可能就沒這麼精彩了！正因為人一直在變，環境也在變，所以管理才有它的意義及存在的空間，有必要去做深入的探討。

各位大概也時時可以感受得到，幾乎在人們每天的生活當中。時時刻刻都跟管理發生關係。因為，自己學管理，有時常開玩笑說：要過管理的人生，人生本身就必須要管理．我們可從各種角度來探討，像今天各位來聽這場演講，若運用管理的角度來分析；從開始要聽這場演講，時間上怎麼規劃？上午的工作怎麼安排？要以什麼方式到文化中心來？來了以後大概預定停留的時間有多久？希望達成的預定目標是什麼？這就是管理。這可說是我們以這個角度來說明了管理的意義。

今天講演的大綱是分為：管理與管理者，管理理論的發展，後工業時代企業的組織與管理形態，及如何在工作中建立良好的人際關係等四個部份，最後再做一個簡單的結語。在提到比較純理論性的地方，我會盡量把它口語化，而本文重點我們還是擺在後工業時代的企業組織形態和管理新趨勢，亦即在

[1] 本文原以〈話說管理—兼談工作中的人際關係〉為題，1997年1月18日講於台南縣文化中心，全文並刊載台南縣文化中心出版的「文化講座專輯9」，《人生贏家》，頁15-34。

後工業時代，當進入所謂資訊的社會裡面，在我們人際關係的建立上，應該怎麼做？如何調整？

先從管理的整個基本概念上跟各位介紹，什麼叫做管理？從比較簡單的字面上來講：管理等於是從規劃、組織、領導到控制執行，形成完整的一個程序。這樣一個方式，各位大概在工作上、生活上隨時都可以應用得上。換句話說：要達到一個目標，我們必須要做規劃，要把它組織起來，然後去執行，最後做一個評估，在這個過程當中，要能夠運用我們手上所有的資源，這個資源就包括你的學識、你的人際關係、你的物力，還包含了你擁有了那些科技或機械化的資源，然後有效率地來利用這些有限的資源，達到你效用極大化的最終預期目標，我想這就是管理的意義。

光從字面上講可能各位會覺得非常生硬，有點跟在學校裡面上課一樣，舉個例子來說明，各位可以隨時把它運用到生活上，假如說你今天要創業，在創業過程當中，你會想到：我要成立一家公司，牽涉到我怎麼來規劃這一家公司，要從事於什麼行業？我的資金大概要多少？投資那一方面的產品生產？這就是規劃的階段。之後，這個公司是以什麼形態成立？我到底要找那種人來幫忙？成員要多少？必須要把它組織起來，基本上組織是靜態的，可能只是一個架構，此時，必須要發揮機制，要有人去領導、運作，讓整個組織架構健全，公司才能夠很順暢地運作起來，於是進入開始執行的階段。之後，便到了管理中非常重要的控制階段，在公司成立或推動工作的過程當中，發現有不理想的地方，可能就隨時要做修正，最後是隨時作評估的階段，也就是所謂的回饋、績效，這就是所謂的管理機能。

在這樣的一個管理機能裡，如何能夠有效率、有效能的運用各方面的資源，包括公司裡面的人力、物力、機械、資金等資源，有效地統合運用、相輔相成，來達到目標。這樣的循環體系，就是一般所謂的管理，而所謂懂得管理，就是有什麼事情到你手上的時候，你能透過這樣的一個程序、概念，把它很快地組織起來，在這樣的情況下，懂得管理的人，就會覺得人生很有意思，碰到事情來的時候，能夠馬上應用管理的這一套模式，工作來了，就不會推卸責任，或是說這個工作你覺得太複雜，幾乎沒辦法達成，而你卻能夠在很有效率的情況之下，完成這個工作，且不會抱怨。在工作崗位上，可能是只怕事情太少，不怕事情多啦！事情再多，你能夠把管理的理念套上去，事情就能夠處理得非常好，懂得這樣的一個方式，每一項工作對你來講，都有步驟、有方法。

我們若能夠把這樣的一個概念應用到你的人生裡面來，這就是我所說的「管理的人生」。再往下介紹，各位就會更了解到，管理有好幾個層次，不過在講管理的範圍之前，我想跟各位再介紹和管理的定義非常有關係的效能跟效率，這兩者的區別是：一個是「做正確的事情」，一個是「以正確的方式來做事情」。

各位認爲效率跟效能那一個比較重要，應該是效能，因爲所謂效能就是要做正確的事情，就像在選擇對象、選擇行業一樣，所做的事情，到底是對的或不對的？是有意義的還是沒有意義的？這個就牽涉到效能的問題，有些人是把它稱爲效果，在字面上來講它是同樣的意義。那效率呢？效率就是說在工作的過程當中，如何能夠節省成本，時間上能夠節省，以發揮效率來。所以，必須要能先選擇有效能的工作，然後在工作的過程當中，去追求有效率的達成，假如只是一直很強調效率，工作一直求快，但是沒有選擇適當的效能，也就是說選擇了做不對的事情，或是說從事的行業是個夕陽產業，產品在整個市場上已經不符合時代潮流了。

譬如紡織業，屬於比較勞力密集的產業，雖然說懂得管理，能夠很有效率地來從事生產，問題是這個行業，已經不符合外在環境的需求，雖然很講求效率、懂得效率，結果產品還是在國際上沒有競爭力。例如在台灣地區，土地取得使生產成本增加了，生產成本一提高，縱使效率再好，產品價格還是太高，在國際上根本沒辦法與東南亞國家或是大陸地區來競爭啊。所以，要轉而選擇從事高科技的產業，然後在工作進行當中去追求效率的提升才行。

在管理裡面，你必須要有效地來運用你的人力（Manpower）、原料（Material）、機械（Machine）、技術（Method）、金錢（Money），這是早期強調的五M，因為時代的變遷，後來又強調市場（Market），強調員工的士氣（Morale），又從五M發展到所謂七M的時代，但即使是七M，在管理者來講的話，可能還有所欠缺，因為科技進步，所以要加入資訊、電腦、科技方面，既然要把這些尖端的科技運用到工作上，為了增加管理的效率，所以又增加了管理資訊，另外又考慮到所強調的不只是純粹在看得到，所謂形而下的物質方面，也必須要強調一些所謂的形而上的管理哲學，在管理的發展過程當中，如果僅完全偏重於很尖端的科技，或是說在各方面條件都非常優厚，是不是就能夠達到管理的目標呢？那也不見得，因為人的因素非常重要，就是說必須要進行人性化的管理，這就牽涉管理哲學形而上的這一個部份，另外我們也

要考慮到所謂的管理環境，瞭解四周的環境是在怎樣的一個情況之下，因環境不同，所採取的管理方式就會不一樣。

尤其現在強調的所謂心靈管理，可能有時候藉宗教的力量才能夠來協助達成管理的目標。從以上眾多狀況，會讓人感受管理的範圍這麼廣泛，到底該如何掌握。所以，我也特別強調人生就是管理，或稱所謂管理的人生，人生管理或是管理人生也好，如生涯規劃就是管理人生，也是管理的一部份。

至於管理的範圍可以分成五個層次：首先是屬於個人層次的管理範圍，各位在你的人生、生活、工作範圍裡面，個人時間怎麼管理，老天很公平，每人每天都只有二十四個小時，但是懂得時間管理的人就能夠發揮比較大的效果，譬如說你今天到底要不要來聽這一場演講，選擇權在你，因你今天來聽這場演講，也就沒辦法去做其他的事情，而且牽涉到你個人的決策管理，甚至於個人的婚姻管理，個人的身體管理，身體是自己的，一天裡面你要撥多少時間來做運動，這都是屬於你個人層次的範圍，你應該有周詳的規劃，採取怎樣人生管理的方式會比較理想。

現在我們將組織管理的層次範圍擴大，在一個公司或團體中，可能牽涉到的是財務管理、人事管理、行銷管理、生產管理、策略管理、危機管理、科技管理，這些都是屬組織層次方面的。第三是屬於產業層次，譬如說一個單位、一個行政系統、一個政府單位、或是一個社團裡面，私人企業是屬於營利事業範圍，有些社團是屬於非營利事業單位，譬如說基金會，或是一些慈善的社團，不管是福利事業單位或是營利事業單位，一樣要把管理的概念應用到這裡面來。第四個層級進入到所謂的政策層面，亦即政策管理，譬如汽車責任保險，這樣的一個政策，到底如何讓政府或是立法院能夠通過這個法案，最近在報紙上各位也看到，有位柯媽媽爲了讓這個保險法能夠趕快在立法院通過，爲了讓外界能夠了解這個汽車責任保險的重要性，採用什麼方式，能夠讓政府向立法院提出，並在立法院順利通過，她努力推動的過程其實也是一個政策管理，在整個目標達成的過程當中，就必須要去做規劃、組織、運作，就屬於政策管理，另外如環境管理、衝突管理，像憲法，將來還要在修改，所謂的修憲管理，如此專業的領域裡面，都可以應用在管理上。

都屬於政策層面上的管理。第五是比較高的層次了，就是民主層次的範圍，譬如說國與國之間的，或是東方與西方的不同的管理模式，我們說這是中國式的管理，那是日本式的管理，說臺灣話或是臺灣俚語，依某個目標就可能會凸顯說臺灣話，它有什麼特別的意義，它跟其他語言比較有什麼不同，或是它有什麼特殊的時代意義，關係到如何整理、管理等問題。最後所謂的國政管理，一個國家的方向，國家的定位，如何治國、平天下，就是屬國政管理的範圍。 從個人層次，然後一直到國家的層次，都可以涵蓋在管理的範圍裡面。

我們再看所謂的管理者的角色，掌握時機是很重要的，記得以前在唸書的時候，有一個老師跟我說：「做生意要靠時機，做官要靠貴人，做學問要靠自己。」然後他就問我：「你到底要選擇走哪一條路？」這是個人將來的努力方向，我大概野心比較大，也想做學問，也想服務社會，這兩個方向希望兼而有之，時機、貴人、或者靠自己也好，我想都是必要的呀。

雖然有這樣的區別，尤其要成功時機非常重要，有時候我們講「大位不與智取」，也要看你的命啦！當個科長、股長最辛苦，是最基層的主管。靠你自己的努力，很容易達成，因爲你努力了，不努力的人顯然是被你比下去了嘛，而所謂大位譬如說當部長、司長，甚至總統這樣的位子，可能你很努力呀，然後又有貴人相助，有更高層次的長官來提拔你，每人機會又不相同，此時你用管理的方式，也許能夠有助於達成，但是能不能達成有時候要靠你有沒有這個命了。

管理學大師彼得杜拉克常講：「人一定要努力，但是，你努力並不一定成功；但是你不努力，一定不會成功。」個人努力是應該的，各位大概有時候常常這樣想：我都這麼努力了，二十四小時我都不睡覺，但是我事業的經營還是沒辦法成功，我怎麼沒辦法賺大錢，或是不能夠在職務上調升。然而，我們每個人都有機會從事於扮演著管理者角色的工作崗位上，不僅兩個人以上就需要管理，個人也需要管理。有時候我們容易把管理者跟領導者會混在一起，最明顯的區別兩個人以上就有領導者出現，有時候你稍微觀察一下，兩個人中一個走前面一個走後面，或是一個走右邊一個走左邊，你就知道是那一個職位比較高，或是那一個資望比較深，或是那一個是長輩，其中心也涉及到互相的影響力、權力。

再就管理者而言，工廠裡生產線上的領班就是一個管理者，兩個人裡面只要有一個是主管、負責人或是班長的話，他就扮演著管理者的角色，其他像「連絡者」－負責各部門的連繫；「偵察者」－他可能要去了解整個事情的真相；「傳達者」－董事會開會之後，有新的指示下來，總經理要把董事會的訊息傳達給公司裡面的員工、同事；「發言者」－負責對外發表聲明；「企業家」－負責公司的成敗；「清道夫」－負責處理有些事件發生之後的一些善後，可能是大家都不喜歡做，不願意去處理大大小小的事件，「資源分配者」－譬如三位裡面只有一位考績能夠八十分，上頭給的獎勵、獎品有限，到底要送給表現比較好的，還是比較特殊的，你就要妥善分配；「仲裁者」－同事間彼此發生口角，鬧得不愉快的時候，你就要出面調停。以上介紹的管理者角色，在我們的生活領域裡隨時都會出現，跟我們生活是息息相關的。

再談到管理是科學還是藝術，管理因爲是屬於社會科學的領域，在社會科學中能歸納出來的，普遍性的、或是通則性的一些概念，來做規範。它不像自然科學，氫加氧出來是水，自然科學的結果是可以預期的，是不變的，又如一加一等於二，屬於自然科學的數學範圍，都有一定的結果出來。但是管理科學就像我們剛才所講到的，你很努力，但不是一定成功。

若把管理列入在藝術範圍，可能又讓大家覺得管理跟藝術怎麼能夠扯得上邊呢？依照管理學大師彼得杜拉克的意思，他認爲管理是一種實務，管理者跟醫生、建築師扮演同樣的角色，工程師建造一棟大樓，醫生替人治病，建築師必須把他的生命昇華，變成它的作品，不是純粹的建築物而已，而是有生命的、建築物可能是藝術，醫生替人治病，不是單純的把病治好的概念，而是應該昇華到服務人生、尊重生命的崇高理念。

管理者我想也是一樣的情況，我們不只是單純的在一個範圍內、在一個工廠裡面，如何把效率達成、目標達成，應該將你的感情跟你的生命融合在裡面，所以管理應該是一門藝術，因爲它也是沒辦法像自然科學一樣，有一定的實驗結果，有一定法則，它是變動的。講到管理，到底應該採用比較柔性的管理，如老莊哲學的方式：或應該是採用比較剛性的管理，如法家亂世用重典的方式，就因爲管理沒有一定的模式，所以說管

理是一門藝術。

第二部分跟各位介紹管理理論的發展過程，十八世紀末、十九世紀的工業革命之後，因爲開始用機械化大量生產，必須考慮到怎樣使產品、產量能夠愈多愈好，所以這個時候的代表人物講的是科學管理，重視的是生產量怎樣能夠增加，這是第一個階段，德國管理學者韋伯所謂的官僚體制就是金字塔的組織結構，認爲每一個人在他固定的工作崗位上，做同樣的一項工作，因爲他很熟練，生產量就能夠增加。

大致說來，在十九世紀初，強調的是大量生產的時代，那時候管理的方式認爲組織要非常嚴密，每個人在固定的工作崗位上，就能夠管理得很好，法規制度要規定得非常清楚，強調的是職權階級、還有責任感。其中管理大師費堯談到企業功能跟管理的機能，管理機能，就是剛才提到的規劃、組織、領導和控制，而企業功能，就是我們講的財務管理、生產管理、行銷管理、人事管理、電腦資訊的管理、研究發展，希望能夠達成大量生產的目標，但卻不一定能夠達成，後來感受到這樣的方式，還是有所欠缺。

換句話說，因爲完全沒有考慮到員工的心理因素。所以到了一九三〇年左右，進入所謂的行爲科學時代，重視的是員工的行爲，因爲科學管理只重視到生產產量、強調的是機械化，沒有去考慮到員工能不能接受，行爲學派認爲要達到一個好的、有效的管理，除了金字塔的組織架構外，必須要重視員工的心理因素、員工的行爲。

實際上，員工能不能接受管理，對管理的效果、績效會有很大的影響，麥格里戈的X理論，認爲人是好逸惡勞的，是被動的，是有惰性的，管理者必須要採取嚴格的方式，監視員工是不是有在偷懶，採很嚴格的管教方式，使員工努力工作。這和荀子所講的「人性本惡」相近似，要把法律、規章定得很嚴格。反之， Y理論就像孟子認為「人性本善」，人是積極向上的，會主動去做工作的，管理方式不必那麼嚴格，只要能夠用適當的機會開導他，或是採鼓勵的方式使他能夠接受。

X理論和Y理論都有所偏差，儒家講究的是中庸之道，他既不偏X理論也不偏Y理論，用我們中國式管理來講的話，另派管理學者梅克利的Z理論等於是儒家思想的管理方式，認為強調行為科學。由於太討好員工，所以管理沒辦法達成，最有名的就是日本式的管理，這是第三個階段。

在一九六〇年左右，所謂管理科學的階段，科學管理跟管理科學有點不太一樣，管理科學強調的是要有數據、要有科學的理論、要應用到所謂的微積分、統計學、能量科學、決策理論。到了一九七〇年代，運用很多用數據邏輯的理論，統計的方法，建立起一個管理的模式，有助於管理的績效。但即使到了這個階段，還是有它不理想的地方，因為這樣的一套模式，完全是用數據、用邏輯的理論去做整體的管理方式，我們沒辦法預測員工或是這個單位裡面可能會發生的事情、行為，在管理上也有它的盲點。

因此，到八〇、九〇年代，甚至在今天的第四個階段，比較偏重強調一種情境因素，即是有些人稱為權變理論，例如：員工因為他個人的家庭影響他的情緒，使他由原本很開朗，變得很消沉，管理者在管理上可能就要用不同的方式；或則是東、西方國家，可能因為人性的不同，在行為上的表現、觀念上的不同，你的管理的方式就要隨著情境、環境、情緒而變化，剛才我們講到管理是個藝術也是基於這樣的一個認識。

因爲在變動的環境裡，管理很難說你用哪一套、由誰建立的模式，就一定能夠達到管理的效果，因爲情境是隨時在變化，也許今天天氣非常好，心情非常好，都會影響到員工的工作情緒，管理者當然要把這些因素都考慮在裡面，才能夠達成管理的效果。

第三個部分我們談到進入後工業化時代的組織與管理，在「第三波」一書中提到：第一波是所謂的農漁牧時代。第二波是工業時代。開始用機械化生產，第三波就是所謂的後工業化時代，這是我們從經濟發展的觀點裡面來做分類，台灣現在也慢慢進入所謂後工業時代，也就是所謂資訊化的社會。

因爲管理專家重視管理環境已受國際（international）、投資（investment）、個人（individual）、資訊（information）這四個I的影響，資訊時代最主要也是因爲電腦的革命變成沒有國界。或是超國界的，像INTERNET網際網路，在這樣的情況下，社會形態就產生了影響，因爲形態不同，資訊社會所呈現的現象也不同，我們很榮幸，生在這個時代，工業時代與後工業時代的兩個階段，我們都能夠恭逢其盛，工業時代與後工業時代主要是從二十世紀到二十一世紀，工業時代與後工業時代不同的地方，我們可以做一個對照：工業時代政府推動民主國家或是中央體制，屬於比較中央集權，對邊界很敏感，強調對於國內的資金運用，保護本國的公司，是透過開發與出口來導向生產階段。

各位回想一下，這與臺灣以外銷爲導向，來發展經濟的過程很類似，其產品的生產週期是比較長的。一些先進國家像德國、日本、英國、美國在進入資訊時代後，民間的資本愈來愈重要，強調資訊和主權在民、社區主義，本質上沒有國界之分，希望外資跟國際工業能夠來投資，重視企業的精神領導，產品的週期、壽命期卻非常短，產品經過兩、三年後馬上有新的產品出來競爭，對整個區域的情況，很多的國家爲求能適合在資訊社會中發展，所以其顯現出來的企業組織形態、方式也就不同，而管理方式針對企業形態的不同，就會調整。

至於後工業化時代的資訊社會裡，在組織形態有什麼特徵呢？第一，從金字塔的組織形態，層層節制的管理方式，變爲朝向扁平化的組織形態，就像橄欖球一樣，換句話說中間的層級減少了，最明顯就像現在省級政府精簡，從企業經營的觀點來講，也是爲了能夠提昇工作效率。扁平化的結果使每個人就是第一線，像以前的業務員、上面還有副理、經理、副總經理、總經理、董事長，現在可直接就面對總經理了，根本沒有中間這些層級。這當然有它特殊的用意、優點，有時總經理馬上要這個資訊，馬上要了解你這個行銷業務成果怎樣，就可以跳過副理、經理等層級，直接跟第一線這個行銷業務員連繫，既能節省很多時間。管理效率也能夠提升。

第二是由中央集權式走向分權式。以往很多企業設有總管理處的，慢慢調整，成立很多的子公司，所以會有控股公司的形態出現。

第三、從僵硬解化爲變形蟲，以前的金字塔組織形態，從這個部門調到另外一個部門，或是說從這個部門要支援到其他部門，可能都有困難，有時他是你這個部門的，實際上他在這一年裡面，卻都調到別的部門去工作了，考績、獎懲就很難處理。在這種情況下專案經理就出現了，很多的專案小組，這些專案小組它是隨時可以機動調整的，也許這個時候我們需要行銷部門，因爲有新的產品出來，行銷這一方面我們要加強，就可以成立行銷專案小組，我們可以把其他部門的人機動性的調到這個部門來支援，採取所謂任務編組的方式，當這個任務完成之後，他又馬上歸建回去了，隨時都根據任務的需要來做調整。

第四、由大趨小且目標集中，專業化時代在產品上要採取特定的市場區隔理論，必須開發針對自己比較有把握的、比較專長的、比較有創意性的產品，所以很多有創意性公司、廣告公司、管理顧問公司、投資股份公司等形態就出現了，組織形態裡也必須運用科技與環境的變化而改變，管理趨勢已經朝向所謂創新與學習的時代了。

未來管理趨勢的新方向、新的發展就是資訊管理，因爲產品的生命週期短，競爭環境激烈，所以我們必須不斷地創新、學習，而且必須要能夠跟資訊科技相結合，隨著資訊科技的發展而做調整，另外必須要跟消費者、顧客群能夠直接接觸，這與主權在民、民主政治一樣，政治人物要直接跟選民能夠結合在一起，生產者跟消費者能保持第一線的接觸，就能夠了解市場的變動，產品及管理方式才能夠在很快的時間內調整過來。

另外，所謂的知識管理，強調的是一種知識性的密集產業，強調專業、有創意的如廣告公司、管理顧問公司等，都是屬於知識性的密集產業，在高科技的產業情況之下，愈來愈重視所謂的知識力量，能夠創造知識就能夠創造力量，這也就是將來的管理方式，愈來愈偏重知識密集產業的原因。

臺灣的產業發展過程是從勞力的密集產業到技術密集產業，然後到所謂的科技或是稱策略性產業，再到第四個階段高科技的產業，高科技的產業就是屬於知識管理的領域。臺灣在民國四十、五十年的時候是屬於勞力密集的產業，那時的紡織廠或是一些加工業重視的是很多的工人，譬如臺南縣關廟地區很多的手工製品，如藤製品、竹製品的外銷。

到民國六十年間，政府推動十大建設後，如中船、中鋼這些產業，讓台灣能夠逐漸進入所謂的技術密集產業階段，到現階段臺灣發展的都是高科技的產業，像電腦、資訊方面的是屬於知識性的產業。當我們面對這環境的快速變遷時，整個管理方式都要調整、改變。

因爲時代的變遷使我們在工作上、在人際關係的建立上有所不同，基本上我把人際關係分成四大類型：第一是職務型的，工作上長官和部屬，同事之間，同在一個單位裡面工作，職務上的關係必須要跟他人做好人際關係。

第二是利益型的，因爲彼此間有利害關係存在，譬如從事企業經營的人，爲了生意上的來往，所建立的人際關係。

第三是感情型的，男女之間、有血緣關係的親戚之間、朋友之間，如何建立起良好的人際關係。

第四是綜合型的，上面三種關係同時或部分存在，譬如透過政治利益關係而結合的婚姻，人際關係就是綜合型的，這個婚姻有感情成分，又有政治利益糾葛。各位想一想，你每天所接觸的以及必須要面臨的，是什麼樣的人際關係？有了這樣的概念，釐清跟他人是什麼關係後，對你處理、經營、維持人際關係，效果較能事半功倍。

因爲人際關係是人跟人之間種種關係微妙的存在，是彼此互相的結構體，在這情況下，管理人際關係可將分爲「本體觀」與「應用觀」。本體觀是先從你個人來做調整的，你自己爲了要建立好人際關係，可能就要像佛家所講的要有修持，要修什麼呢？所謂的「十修」：修人我不計較、修彼此不計較、

修處事要有禮貌、修見人要微笑、修吃虧不要緊、修待人要厚道、修心中無煩惱、修口中多說好、修你所交的朋友都是君子、修有接受別人的雅量、修大家成佛道。所以，要有好的人際關係，就要達觀、積極進取，以誠心待人，把別人都認為是好人，都是可以交往的朋友，多多藉用佛家的說法，相信做這樣歸納整理後，你的人際關係處理才會比較有方法、步驟。

研究人際關係的著名學者曾仕強教授，在他的書裡提到人要注意「十要」與「十同」，我把它歸納在應用觀裡，一要一表人材，你要注意你的儀容，隨時注意到你的身份。二要有兩套西裝，是要能夠保持整潔，在衣著方面怎樣依場合來做適當的換穿。三要有三杯酒量，如果你完全都不喝酒，可能朋友會減少，但為了人際關係的擴展，你可能要有些許酒量。四要會四圈麻將，有時候交際應酬，陪長官打麻將，可能對人際擴展有所幫助，當然跟你的長官打麻將一定不能贏他，你贏了的話，反而比不打還糟糕。五要五方交遊，以結交各方面的朋友，並增廣見聞。六要六出祁山，像諸葛亮在非常艱困的過程中，仍能夠不屈不撓、不怕困難。七要七術打馬，打狗要看主人，要察顏觀色。八要八口吹牛，因為是行銷的時代，個人的意願，要做適度的自我表達，別人才了解你，要學習表達方式，具備與人溝通的能力。九要九分努力，努力去建立、去維持你的人際關係，建立自己的專業知識，贏得別人尊重。十要十全能耐，學習如德川家康的「堪忍哲學」。不管是從人際關係的角度或是從管理上的角度，這「十要」的功夫都可以提供給各位作參考。

李國鼎先生曾提倡第六倫，群我的關係，是強調群眾跟個人之間的關係，以往中國古代社會重視的只有五倫是指：君臣、父子、夫婦、兄弟跟朋友，而處現在主權在民的民主社會裡，群我觀念也是人際關係很重要的一環，在拓展群我關係上，雖然群眾不必都是你認識的，但爲了擴展人際關係，你可以應用所謂的「十同」。

尤其是當你要認識某個人，若無適當的管道，若彼此之問有交集，有個切入點，或有談話內容的話，對你人際關係的建立就會有幫助。譬如：也許你跟某人是同鄉，你如何透過同鄉的關係把關係拉進來；同年—都是同屬狗或同屬猴的：同一個社團—扶輪社、獅子會；同好－都喜歡打電腦、喜歡泡茶；同宗－同樣都是姓李的；同情—可能針對某一項事情，你們有相同的看法，英雄所見略同，也可能針對那一個事情有相同的心情、相同的看法，其他像同學、同行、同事、同社區，也都是可運用曾仕強教授所指出「十同」來建立人際關係，並可善加累積社會資源。

最後做個簡單的結語，有部連續劇「大地之子」，是大陸跟日本NHK一起拍的，它的主題曲中有一句話：「有大地就有城牆，有故鄉就有希望。」今天剛好有這個機會回到故鄉，跟各位鄉賢在一起探討話說管理兼談人際關係的建立，我覺得非常適合用這句話與各位互相勉勵，謝謝。

肆、陳天授65主要作品目錄

陳天授65主要作品目錄

2015.12.30.初輯

1968	8月〈從王尚義到野鴿子的黃昏〉 省立嘉義中學《嘉中青年》第3期。
1972	5月〈從三院圖書館到聯合目錄編製之芻議〉 輔仁大學《輔大青年》第7期。 6月9日〈胡適之先生著作書目提要〉 輔仁大學《圖書館學刊》創刊號。 6月9日〈胡適選集介紹〉輔仁大學《圖書館學刊》創刊號。 6月9日〈我們的方向—走進圖書館〉輔仁大學《圖書館學刊》創刊號。 11月16日〈學術研究在台灣〉輔仁大學《輔大新聞》第94期。 12月18日〈理想中的大學校園〉輔仁大學《輔大新聞》第96期。
1973	2月〈「胡適留學日記」底透視〉輔大圖書館系《耕書集》第8期。 3月29日〈論大學教育與大學圖書館〉 輔仁大學《輔大青年》第8期。 5月18日〈不為也，非不能也！〉 輔仁大學《輔大新聞》第98期。 6月12日〈請賜給農民精神食糧〉 輔仁大學《輔大新聞》第100期。 6月〈有待加強的台灣公共圖書館〉，輔仁大學圖書館系《圖書館學刊》第2期。 12月8日〈大學生與國家的現代化〉 輔仁大學《輔大新聞》第102期。 〈開拓凜然的新氣勢〉輔仁大學《輔大新聞》（未刊稿）。
1974	9月〈台灣公共圖書館事業發展的障礙在那裡？〉 《大學雜誌》第77期。
1975~1977	文學夢裡夢外——我的抒情詩與日記（未刊稿）
1986	〈中共經濟政策之研究〉（未定稿）
1987	2月《中小企業財務管理的改善方案之研究—台灣的中小企業為中心》（未定稿） 4月15日〈台灣產業發展策略與兩岸關係〉《空大學訊194期》。 5月22日〈溝通與服務—談圖書館的公共關係〉，講於中國圖書館學會第34屆公共關係委員會第1次會議）（未刊稿） 6月7日~6月13日〈開啟知識的寶庫〉 《現代日報》連載。 6月15日〈從組織觀點探討當前我國圖書館組織〉《台北市立圖書館訊》第4卷第4期。 6月〈我國最大百科全書—永樂大典與古今圖書集成〉（未刊稿） 6月〈建立富而好文的社會—我看前人編撰百科全書〉（未刊稿） 7月10日〈一段往事—我構思撰寫「近代學人著作書目提要」的經過〉《大華晚報》。 8月1日〈文化別館〉《台灣日報》。 8月3日〈豐收之行—韓國國會圖書館印象記〉《大華晚報》。 8月8日〈善利其器〉《台灣日報》。

1987	8月15日〈相看兩不厭〉《台灣日報》。 8月22日〈上窮碧落下黃泉〉《台灣日報》。 8月29日〈一架飛機百萬本書〉《台灣日報》。 8月〈立法資訊服務〉《黃河雜誌》第17卷第1期。 9月4日〈理想與現實〉《大華晚報》。 9月5日〈藏書樓不褪色〉《台灣日報》。 9月11日〈資源共享〉《台灣新聞報》。 9月12日〈改變中國的書〉《台灣日報》。 9月19日〈休閒新義〉《台灣日報》。 9月21日〈鄉愁，卻上心頭〉《台灣日報》。 9月24日〈書櫥的聯想〉《大華晚報》。 9月26日〈文化奇蹟〉《台灣日報》。 10月5日〈且看好戲上演〉《台灣日報》。 10月10日〈有感於富裕中的貧窮〉《台灣日報》。 10月15日〈資料會說話〉《大華晚報》。 10月17日〈選中國之美〉《台灣日報》。 10月24日〈踏實、穩健邁向資訊的大道上〉《台灣日報》。 10月31日〈人才第一〉《台灣日報》。 11月7日〈贏取尊敬〉《台灣日報》。 11月10日〈共享成長的喜悅〉《大華晚報》。 11月14日〈君子而時中〉《台灣日報》。 11月21日〈中國人的光輝〉《台灣日報》。 11月28日〈文學入門〉《台灣日報》。 12月5日〈一生的讀書計畫〉《台灣日報》。 12月12日〈資訊與決策〉《台灣日報》。 12月21日〈據論語把算盤〉《台灣日報》。 12月23日〈再談資料會說話〉《大華晚報》。 12月26日〈活出知書達禮的民族來〉《台灣日報》。 12月26日〈淺談資訊服務〉《台灣新聞報》。 12月30日〈經濟發展與企業責任（上）〉《更生日報》。 12月31日〈經濟發展與企業責任（下）〉《更生日報》。
1988	1月9日〈醫生夫人的一天〉《台灣日報》。 1月13日〈與星星為伍的女人〉《台灣日報》。 1月16日〈亦母亦師亦友〉《台灣日報》。 1月19日〈誰上大學〉《台灣日報》。 1月23日〈舊社會的新女性〉《台灣日報》。 1月26日〈哲學家的妹妹〉《台灣日報》。 1月30日〈節儉持家〉《台灣日報》。 2月1日〈愛如己出〉《台灣日報》。 2月5日台南縣「工業發展投資策進會講座」發表〈追求卓越—企業人才的培育與發展〉（未定稿）。 2月6日〈愛，本不在金珠寶石間〉《台灣日報》。 2月10日〈恩師・慈母・嚴父〉《台灣日報》。 2月13日〈心目中的理想先生〉《台灣日報》。 2月25日〈孫欲養而親不待〉《台灣日報》。 3月3日〈三談資料會說話〉《大華晚報》。

1988	3月4日〈母愛治癒悲痛心靈〉《台灣日報》。 3月14日〈先成富婆在做大使夫人〉《台灣日報》。 3月19日〈賭徒夫人〉《台灣日報》。 3月27日〈先生志盡大孝〉《台灣日報》。 4月3日〈健康是幸福的泉源〉《台灣日報》。 4月10日〈我國中小企業的困境與因應之道〉《更生日報》。 4月11日〈愛的回憶〉《台灣日報》。 4月17日〈假若心中有愛〉《台灣日報》。 4月25日〈汝若再說謊，汝將來便成竊盜〉《台灣日報》。 5月6日〈勵子從軍〉《台灣日報》。 5月12日〈電文救夫〉《台灣日報》。 5月24日〈風雨雪浪甜酸苦辣〉《台灣日報》。 5月〈我國中小企業人才的培育與發展〉《更生日報》。 6月5日〈包辦式婚姻又何妨〉《台灣日報》。 6月12日〈做一位受尊敬的女人〉《台灣日報》。 6月17日〈夫唱婦隨〉《台灣日報》。 6月27日〈朝鮮才女不辱使命〉《台灣日報》。 7月4日〈母親的啟蒙〉《台灣日報》。 7月18日〈買得青山伴汝如埋〉《台灣日報》。 8月8日〈相國媳婦〉《台灣日報》。 8月14日〈祖母是活觀音〉《台灣日報》。 8月21日〈糟糠之妻〉《台灣日報》。 8月27日〈女子無才便是德〉《台灣日報》。 9月8日〈不被擊倒的羸弱女子〉《台灣日報》。 9月15日〈深曉民族大義的母親〉《台灣日報》。 9月30日〈崇尚自由精神的院長夫人〉《台灣日報》。 10月7日〈生以師為尊〉《台灣日報》。 10月17日〈我愛我的先生〉《台灣日報》。 10月24日〈只有愛沒有恨〉《台灣日報》。 10月31日〈母愛是成功關鍵〉《台灣日報》。 11月4日〈再披禮服的高齡新娘〉《台灣日報》。 11月14日〈想發財必須求助於妻子〉《台灣日報》。 11月18日〈女人的「戰爭與和平」〉《台灣日報》。 11月19日〈維特的情人〉《台灣日報》。 12月2日〈寇脫的故事〉《台灣日報》。 12月6日〈組織變革與企業成長〉《更生日報》。 12月10日〈環保運動的女先覺者〉《台灣日報》。 12月15日〈以做一個中國人的妻子為榮〉《台灣日報》。 12月20日〈模範母親〉《台灣日報》。 12月24日〈她就是一首詩〉《台灣日報》。 12月30日〈經濟發展與生活素質〉《更生日報》。 12月31日〈組織與動員〉（未刊稿）
1989	1月8日〈女丈夫〉《台灣日報》。 1月12日〈聖女珍恩〉《台灣日報》。 1月20日〈「咆哮山莊」的女主人〉《台灣日報》。 1月21日〈提振黨德強化黨紀〉（未刊稿）

1989	1月26日〈引發大戰的小貴婦〉《台灣日報》。 1月30日〈趙博士的女菩薩〉《台灣日報》。 2月14日〈捨驢救子的義母〉《台灣日報》。 2月23日〈我懂得我的丈夫〉《台灣日報》。 2月26日〈富而不驕的小洛夫人〉《台灣日報》。 3月12日〈現代經濟學之母〉《台灣日報》。 3月20日〈不講求婚禮的女科學家〉《台灣日報》。 3月25日〈繼志承烈 再創新局〉（未刊稿） 3月31日〈唯有現代化政黨，才有現代化國家〉《中央日報》。 4月1日〈崇尚醫德的女大夫〉《台灣日報》。 4月11日〈愛是人生最大的試煉〉《台灣日報》。 4月16日〈讓孩子出生在自己的國土上〉《台灣日報》。 4月20日〈一盞油燈一盤豆腐〉《台灣日報》。 4月24日〈她是位誠摯的族長〉《台灣日報》。 4月30日〈絕不可寵壞自己〉《台灣日報》。 5月6日〈深具影響力的女秘書〉《台灣日報》。 5月12日〈富憐憫心者乃是幸福者〉《台灣日報》。 5月23日〈五易其居〉《台灣日報》。 6月1日〈賑濟飢民王太夫人〉《台灣日報》。 6月11日〈英雄配佳人〉《台灣日報》。 6月22日〈媽媽的願望〉《台灣日報》。 7月9日〈太太！我由衷地感謝你〉《台灣日報》。 7月25日〈小故事大道理〉《台灣日報》。 8月8日〈兩黨辦理初選之比較分析〉（未刊稿） 8月11日〈哥哥們的精神支柱〉《台灣日報》。 8月21日〈拯救祖國的農家女〉《台灣日報》。 8月25日〈母與子〉《台灣日報》。 9月4日〈拼命戒煙毒〉《台灣日報》。 9月19日〈助人為快樂之本〉《台灣日報》。 11月24日〈表揚大會參考資料〉（未刊稿） 12月2日〈好，還要更好〉《台灣日報》。 12月《上班族股票投資指南》武陵出版社。 12月《證券投資百科》武陵出版社。
1990	1月11日〈因勢引導〉《台灣日報》。 1月15日〈教我如何不想她〉《台灣日報》。 2月15日〈飲水思源〉《台灣日報》。 2月16日〈影響我最深的人〉《台灣日報》。 3月8日〈犧牲小我的精神〉《台灣日報》。 3月26日〈秋雨秋風愁煞人〉《台灣日報》。 4月24日〈一切榮耀歸功於母親〉《台灣日報》。 4月27日〈模範夫妻〉《台灣日報》。 5月7日〈母親我最珍視的人〉《台灣日報》。 6月11日〈走向文學創作之路〉《台灣日報》。 7月2日〈女教育家〉《台灣日報》。 7月3日〈愛國愛人重於自己〉《台灣日報》。 7月22日〈文學導師〉《台灣日報》。

1990	9月10日〈無此太太日子不好過〉《台灣日報》。
1991	1月17日 交通部「電信訓練所講座」發表〈人際關係與溝通技巧〉。（未定稿） 1月22 日中華海員服務中心」台北服務處」講座發表〈領導與溝通〉。（未定稿） 2月7日〈堅強勇敢的女性〉《台灣日報》。 4月19日〈領導統御與溝通技巧的應用〉，發表於台南縣政府「工業發展投資策進會講座」。（未定稿）
1992	1月9日〈管理溝通—企業組織的意見交流〉，發表於交通部「電信訓練所講座」。（未定稿） 3月27日〈企業經營與企業公關實務〉，發表於台南縣政府「工業發展投資策進會講座」。（未定稿） 5月〈LED車體電腦看板在選舉之運用〉發表於《空大學訊》101期。 5月以筆名陳天授由黎明公司出版《為有源頭活水來》一書。 6月25日〈人際溝通與管理〉，發表於台北自來水事業處職工訓練中心講座。（未定稿） 8月22日〈戰後台灣地方派系與政治發展〉，發表於台南後壁旅北同鄉會。（未定稿）
1993	7月8日〈政黨政治與政黨溝通〉，發表於台北南海扶輪社。（未定稿） 8月2日〈台灣威權政經體制的變遷〉，發表於台北明德扶輪社。（未定稿）
1994	3月5日〈企業發展與自我管理〉，發表於中華民國企業發展研究學會。（未定稿） 6月〈試析唐太宗的人力資源策略〉發表於《空大學訊》141期。 8月11日〈政黨關係與溝通〉，發表於台灣省「公共衛生研究所講座」。（未定稿） 12月20日〈贏的策略〉。（未刊稿）
1995	1月〈戰後台灣經濟發展的觀點之探討〉發表於《空大學訊》152期。 2月21日〈領導統御與溝通協調〉，發表於天威保全公司。（未定稿） 3月8日〈人際關係與企業管理〉，發表於銘傳大學管理研究所「管理學術講座」。（未刊稿） 6月6日〈台灣政經發展策略之經驗〉，發表於南陽保險代理人公司。（未定稿） 6月〈一九五〇年代台灣經濟發展策略的經驗〉空大《商學學報》第3期。 7月〈一九六〇年代台灣經濟發展策略的經驗〉《空大學訊》159期。 8月〈一九七〇年代台灣經濟發展策略的經驗〉《空大學訊》160期。 9月〈一九八〇年代台灣經濟發展策略的經驗〉《空大學訊》161期。 9月〈策略管理與台灣發展經驗〉《空大學訊》163期。
1996	3月黎明公司出版《台灣政經發展策略》一書。 11月22日〈管理策略—以台灣產業發展策略的分析為例〉，發表於銘傳大學國貿系。（未定稿） 12月16日〈我國產業發展中的政府角色分析〉《空大學訊》189期。 12月〈管理人際〉《流行資訊雜誌》第13期。

1997	1月18日〈話說管理—兼談工作中的人際關係〉，發表於台南縣政府文化中心。 1月〈管理溝通－－企業組織的意見交流〉《流行資訊雜誌》第14期。 2月〈管理資訊－－後工業時代企業的組織與管理〉《流行資訊雜誌》第15期。 3月12日〈戰後台灣政經體制的變遷〉，發表於台灣綜合研究院。 3月〈管理規劃－－以組織犯罪防治條例的制定過程為例〉《流行資訊雜誌》第16期。 4月〈台灣產業發展策略與兩岸關係〉國立空大《空大學訊》194期。 5月〈管理策略－－以台灣產業發展策略的分析為例〉《流行資訊雜誌》第18期。 5月〈台灣政經體制與產業發展的演變〉台灣綜合研究院（未定稿）《台研兩岸前瞻探索》第3期。 5月〈戰後台灣產業發展之研究—政府角色分析〉（未刊稿）。 8月15日〈台灣政經發展略〉，發表於台灣綜合研究院與高雄中小企業協會「中資流入與國家安全系列研討會」。（未刊稿）
1998	6月〈話說管理〉台南縣立文化中心編印《人生贏家》，《南瀛文化叢書72，文化講座專輯第9輯》。 8月27日以書面〈台灣產業發展與政策之探討〉，發表於上海市工業協會「一九九八台滬經濟發展研討會」。（未刊稿） 10月2日〈培根的知識即力量〉（中央廣播電台）。 10月9日〈托佛勒的第三波社會〉（中央廣播電台）。 10月16日〈專訪林志穎《大兵日記》的撰寫與出版〉（中央廣播電台）。 10月23日〈胡適的考證癖〉（中央廣播電台）。 10月30日〈胡適的愛情觀〉（中央廣播電台）。 11月6日〈專訪國家圖書館館長莊芳榮博士〉（中央廣播電台）。 11月13日〈梁啟超的飲冰室〉（中央廣播電台）。 11月20日〈趙麗蓮的鵝媽媽由來〉（中央廣播電台）。 11月27日〈王雲五的終身學習〉（中央廣播電台）。 12月4日〈張大千的百日和尚〉（中央廣播電台）。 12月11日〈專訪國立空中大學校長黃深勳博士〉（中央廣播電台）。 12月18日〈杜拉克的管理世界〉（中央廣播電台）。 12月25日〈杜拉克的知識整合〉（中央廣播電台）。
1999	1月1日〈林語堂的寫作樂趣〉（中央廣播電台）。 1月8日〈林語堂的讀書方法〉（中央廣播電台）。 1月15日〈蘇東坡的世間學問〉（中央廣播電台）。 1月22日〈蘇東坡的哲理故事〉（中央廣播電台）。 1月29日〈富蘭克林的建立第一座公共圖書館〉（中央廣播電台）。 2月5日〈富蘭克林的修身計畫〉（中央廣播電台）。 2月12日〈松下幸之助的電器發明〉（中央廣播電台）。 2月19日〈松下幸之助的自來水庫管理哲學〉（中央廣播電台）。 2月26日〈愛迪生的發明天才〉（中央廣播電台）。 3月5日〈愛迪生的自動表決機〉（中央廣播電台）。 3月12日〈戴明的生命即品管〉（中央廣播電台）。

1999	3月19日〈愛因斯坦的鞋匠工作〉（中央廣播電台）。 3月26日〈愛因斯坦的成功原則〉（中央廣播電台）。 4月2日〈拿破崙的隨身三寶〉（中央廣播電台）。 4月9日〈愛默生的樂觀主義〉（中央廣播電台）。 4月16日〈錢鍾書的免俗為學〉（中央廣播電台）。 4月23日〈梁實秋的翻譯三條件〉（中央廣播電台）。 4月30日〈徐志摩的單純信仰〉（中央廣播電台）。 5月7日〈林肯的信用資本〉（中央廣播電台）。 5月14日〈華盛頓的田園生活〉（中央廣播電台）。 5月21日〈甘地的把握真理〉（中央廣播電台）。 5月28日〈牛頓的飲水思源〉（中央廣播電台）。 6月4日〈諾貝爾的和平願望〉（中央廣播電台）。 6月11日〈傅利曼的自由經濟〉（中央廣播電台）。 6月18日〈袁了凡的命運觀點〉（中央廣播電台）。 6月25日〈史懷哲的人道精神〉（中央廣播電台）。
2000	6月〈台灣產業政策：一九四五至一九九九〉《國立台北商專學報》第54期。 6月〈我國政經體制與產業發展之研究——兼論國家發展策略〉國立空中大學《商學學報》第8期。 12月〈台灣企業與政府間的互動關係〈上〉——一六二四至一九四五〉《國立台北商專學報》第55期。
2001	2月《政治經濟學理論與實例》（未定稿） 5月3日〈兩岸政策不定 企業無所適從〉《台灣新生報》。 5月7日〈加速推動兩岸產業的互補結盟模式〉《台灣新生報》。 5月10日〈從兩岸共同市場邁向經濟整合之路〉《台灣新生報》。 5月15日〈兩岸企業租稅改革面面觀〉《台灣新生報》。 5月21日〈知識經濟時代兩岸產業發展競爭優勢〉《台灣新生報》。 5月23日〈加強兩岸「第三類交流」正是時候〉《台灣新生報》。 5月29日〈論兩岸貿易創造與貿易轉移效果〉《台灣新生報》。 5月〈政策制定——組織犯罪防治條例立法過程之評析〉中央警察大學《警學叢刊》第31卷第6期。 6月5日〈兩岸簽署投資保障協定勢在必行〉《台灣新生報》。 6月13日〈兩岸經貿鐘擺盪向企業的重要時刻〉《台灣新生報》。 6月18日〈兩岸經貿切勿重蹈保護主義之覆轍〉《台灣新生報》。 6月〈戰前台灣企業發展與政治經濟學之研究〉國立空大《商學學報》第9期。 6月〈戰後台灣企業與政府間的互動關係〉《國立台北商專學報》第56期。 12月〈戰前台灣產發展與兩岸經貿關係〉《國立台北商業學院學報》第1期。
2002	6月〈戰後台灣產業發展與兩岸經貿關係〉《國立台北商業學院學報》第2期。 7月〈戰後台灣產業發展的政治經濟分析〉國立空大《商學學報》第10期。 9月〈政經轉型與警察角色變遷之研究〉中央警察大學《警學叢刊》第33卷第2期。

2003	7月〈台灣產業發展的在地化與國際化探討〉國立空大《商學學報》第11期。 9月〈資本主義與台灣產業發展之研究〉佛光大學經濟系與大陸研究中心《華人經濟研究》第2期。
2004	5月25日以〈台灣殖民化經濟警察角色演變之探討（1895-1945）〉，發表於中央警察大學通識教育中心第一屆「通識教育與警察」學術研討會」。 8月台灣殖民體制與資本主義發展（1895-1945）空大《商學學報》第12期。
2005	6月25日以〈全球化與台灣經濟發展策略〉，發表於警大通識中心與開南管理學院公共事務管理研究所共同舉辦的「第三屆國家治理、公民社會與通識教育學術研討會。 6月〈台灣清治時期的經濟政策與發展〉（1683-1895）空大《商學學報》第13期。 9月4日以〈台灣明清時期媽祖文化與市場經濟之探討〉，發表於中華媽祖文化產經慈善發展協會與中國海洋大學「2005年國際媽祖文化」學術研討會。 9月〈台灣明清時期媽祖文化與市場經濟之探討（1662-1895）〉《中國地方自治雜誌》第58卷第9期。 11月22日以〈經濟倫理之意涵：兼論警察在自由市場中的角色〉，發表於中央警察大學通識教育中心「通識教育與警察倫理學術研討會」。
2006	5月30日以〈論經濟學與警察學的整合發展之研究，發表於中央警察大學通識教育中心「通識教育與警察學術」研討會。 7月〈重商主義的中挫:台灣荷鄭時期經濟政策與發展〉空大《商學學報》第14期。 9月立得出版社出版《揭開致富面紗：台灣經濟發展史略》一書。 10月13日以〈媽祖文明經濟圈與兩岸貿易發展〉，發表於上海社學科學院「海峽兩岸媽祖文化」學術研討會。 11月29日以〈經濟發展與國家安全的兩難困境探討—台灣發展安全產業策略之芻議〉，發表於中央警察大學通識教育中心教學觀摩會。
2007	5月22日以〈再論經濟學與警察學的整合發展之研究〉，發表於中央警察大學通識教育中心舉辦的「通識教育與警察學術」研討會。 9月蘭臺公司出版《文化創意與產業發展》一書。 12月4日以〈近代經濟思潮與台灣產業發展〉，發表於中央警察大學通識教育中心教學觀摩會。
2008	5月27日以〈台灣傳統治安與產業發展的歷史變遷之研究（1624-1895）〉，發表於中央警察大學通識教育中心舉辦的「警察通識與專業」研討會。 7月5日以〈台灣近代化改革中政府的產業政策之研究〉，發表於福州閩江學院舉辦的「2008年海峽兩岸學術研討會」。 11月25日以〈個人財務規劃〉，發表於中央警察大學通識教育中心教學觀摩會。 11月28日以〈台灣媽祖信仰與近代企業的形成〉，發表於上海社會科學院舉辦的「第二屆海峽兩岸媽祖文化研討會」。

2008	12月於台灣省諮議會，發表〈近代台灣政經體制與警察關係的演變之探討〉。
2009	2月蘭臺公司出版《台灣經濟發展史》一書。 5月12日以〈警察經濟論〉發表於中央警察大學通識教育中心第五屆通識課程教學觀摩會。 9月蘭臺公司出版《台灣創意產業與策略管理》一書。 11月17日以〈制度變遷：國民政府大陸時期警政發展（1912-1949）〉，發表於中央警察大學通識教育中心「通識教育與警察人才培育學術研討會」。 12月11日以〈媽祖信仰傳播與東亞文化產業園區的建構〉，發表於上海社會科學院在寧波舉行「第三屆海峽兩岸媽祖文化研討會」。
2010	1月27日以〈台灣重商主義文化的形成與轉折〉為題，發表於廈門大學「明清以來傳統文化與中國社會經濟史研究」論壇。 2月蘭臺公司出版《台灣治安制度史—警察與政治經濟的對話》一書。 5月4日以「如何扮演好志工的角色—以媽祖信仰傳播為例」，發表於中華科技大學。 9月26日赴天津以〈發展文化創意產業的政府角色分析—以台灣媽祖信仰為例〉，發表於「中國天津第五屆媽祖文化旅遊節」媽祖文化論壇。 10月15日以「ECFA對台灣經濟發展的影響」為題，發表於「台灣一國兩制研究協會」在高雄舉辦該會例會。 10月26日以〈通識教育的科際性整合思維—以探討台灣治安史的結構與變遷為例〉發表於中央警察大學通識教育中心舉辦的「通識教育課程革新學術研討會」。 12月10日以〈地方文化創意產業與觀光行銷—以北投地區為例〉為題，發表於北台灣科技學院「地方文化創意產業與觀光行銷研討會」。 12月12日以〈文創產業的經營管理之研究—以發展媽祖文創資源的台灣中小企業為中心〉，發表於「中華中小企業研究發展學會年會暨年度論文發表會」。
2011	1月20日以〈21世紀是文創產業的時代—從產業競爭、產業文化到文創產業的發展〉，發表於日本「Hospitality Bank 研究所客製化講座」。 4月17日以〈兩岸城市文創產業發展的趨勢與展望—以台北淡水老街與山東台兒莊古城的比較〉，發表於山東台兒莊「古城兩岸文化論壇」。 5月31日以〈論警察的民主與人文素養—以日治中期台灣設置議會及新文化運動為例（1920~1937）〉，發表於中央警察大學通識教育中心舉辦的「現代警察應有之素養學術研討會」。 7月8日參加由財團法人中華媽祖文化產經慈善發展協會在臺北舉辦的「2011 世界媽祖文化論壇」，發表〈媽祖文化傳播與企業客製型服務之探討〉。 9月13日參加「台灣警政發展史」撰寫小組會議，此構想由前校長顏世錫提出，章光明召集，與章主任負責撰寫〈警察與國家發展篇〉。 11月1日參加「台灣警政發展史學術研討會」，與章光明教授共同發表〈警察與國家發展〉一文，請台大政治系教授、國家政策發展基金會內政組召集人蕭全政擔任評論人。 11月7日參加桃園縣警察之友會辦理「台灣警政回顧」成果發表會，與章光明教授共同發表〈台灣地區警政發展史—警察與國家發展史〉，前中央警大校長暨前警政署長顏世錫擔任講評人。

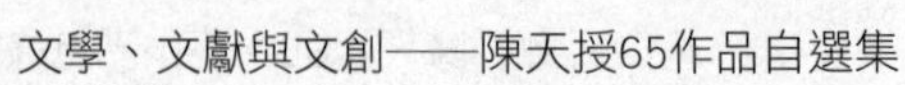

2011	11月24日北台灣科技學院通識教育中心與數位多媒體設計系舉辦「北台灣科學技術學院城市美學研習會」，擔任「全球化語境下如何形塑城市的樣貌」論壇主持人，並發表〈城市美學的形塑與全球化挑戰—比較台灣台南與韓國慶洲的城市樣貌特色〉。 12月〈明清時期漳商與台灣產業結構的關係—以漳商「在台落業」為中心的探討〉，漳州《第二屆海商論壇論文集》，頁9-20。 12月〈紀行台兒莊古城〉刊載於「天下@第一庄2011王謝堂前燕歸來」版，頁32-33。
2012	5月8日中央警察大學通識教育中心舉辦「性別議題與多元文化學術研討會」，發表〈從異質文化到多元文化：台灣隘制、治安與族群關係的變遷（1768~1920）〉。 8月出版《台灣治安史研究—警察與政經體制關係的演變》。 11月18~20日參加「2012閩南跨文化學術研討會」，發表〈閩南文化傳播與台灣發展文化創意產業—地緣經濟的研究途徑〉。
2013	4月19日應台南市政府警察局之邀，發表〈台灣警察法制歷史的省察—從傳統、軍管到警管治安〉。 7月7日~14日赴哈爾濱參加「2013年海峽兩岸檔案暨縮微學術交流會」，發表〈論檔案與文獻的整合應用—以研究台灣治安史為例〉。 9月 出版《文創產業與城市行銷》，蘭臺。 10月14日警大與警政署聯合出版《台灣警政發展史》，與主編章光明教授負責撰寫第一章〈警察與國家發展之關係〉。 11月5日於中央警察大學通識教育中心舉辦的「通識教育教學與人文學術研討會」發表〈歷史警學建立的嘗試：我的「台灣治安史」研究、教學與書寫〉。
2014	2月出刊《警大雙月刊》171期，頁57-58，刊載〈參訪731部隊遺址及其聯想〉。 3月1日出刊《中國地方自治》第67卷第3期，頁5-26，刊載〈台灣地方自治與警政發展〉。 5月25日參加中華檔案暨微縮管理學會主辦「2014年海峽兩岸檔案暨微縮學術交流會」，發表〈清治台灣紀遊文獻中治安性議題之探討—兼論檔案文獻資訊化〉。 6月〈追憶「山東流亡學生」在澎湖的一段史事〉刊於2014年6月《天下@第一庄》第14期，頁32-34。 7月5日《拙耕園瑣記》〈卷首語〉。 7月6日《拙耕園瑣記之1》〈一樣努力兩樣情〉。 7月7日《拙耕園瑣記之2》〈戒嚴大師之死〉。 7月8日《拙耕園瑣記之3》〈七七有兩種〉。 7月9日《拙耕園瑣記之4》〈從庶民經濟到小確幸〉。 7月10日《拙耕園瑣記之5》〈世足賽的政治經濟學〉。 7月11日《拙耕園瑣記之6》〈城市治理與地方產業〉。 7月12日《拙耕園瑣記之7》〈變了色的「台灣長白山」〉。 7月13日《拙耕園瑣記之8》〈電影產業與名聲經濟〉。 7月14日《拙耕園瑣記之9》〈喜見「李榮春文學館」〉。 7月15日《拙耕園瑣記之10》〈為「萬華分局大樓石碑」請命〉。 7月16日《拙耕園瑣記之11》〈預祝阿里山森林鐵路申遺成功〉。 7月17日《拙耕園瑣記之12》〈沈從文與金城武的產業效應〉。

2014	7月18日《拙耕園瑣記之13》〈記一件言論不自由的切身事〉。 7月19日《拙耕園瑣記之14》〈呼籲《蔣中正日記》能保存在台灣〉。 7月20日《拙耕園瑣記之15》〈「牡丹社事件」釋疑〉。 7月21日《拙耕園瑣記之16》〈只有夕陽產業沒有夕陽產品〉。 7月22日《拙耕園瑣記之17》〈台灣新生報與台灣新生〉。 7月23日《拙耕園瑣記之18》〈我家後面有小溪〉。 7月24日《拙耕園瑣記之19》〈澎湖空難話澎湖〉。 7月25日《拙耕園瑣記之20》〈吃水果拜樹頭〉。 7月26日《拙耕園瑣記之21》〈記憶中的那兩大棵老土芒果樹〉。 7月27日《拙耕園瑣記之22》〈宋江陣頭競藝〉。 7月28日《拙耕園瑣記之23》〈再憶老家芒果樹〉。 7月29日《拙耕園瑣記之24》〈溫州街96巷10號那檔事〉。 7月30日《拙耕園瑣記之25》〈「為維護台灣文化的主體性」在哪裡？〉 7月31日《拙耕園瑣記之26》〈蟾蜍山文化景觀的聯想〉。 8月1日《拙耕園瑣記之27》〈豈止 慘 慘 慘 3個字了得〉。 8月2日《拙耕園瑣記之28》〈再為「國土安全部」催生〉。 8月3日《拙耕園瑣記之29》〈請讓港都再度注入活水〉。 8月4日《拙耕園瑣記之30》〈城市的公共安全與治理〉。 8月5日《拙耕園瑣記之31》〈明華園歌仔戲與台灣原聲童聲合唱團〉。 8月6日《拙耕園瑣記之32》〈百年城牆百年希望〉。 8月7日《拙耕園瑣記之33》〈台北刑務所與成立台灣治安史研究中心〉。 8月8日《拙耕園瑣記之34》〈同是民國七年生〉。 8月9日《拙耕園瑣記之35》〈中元普渡與安溪福安宮〉。 8月10日《拙耕園瑣記之36》〈「祈禱」歌聲的思想起〉。 8月11日《拙耕園瑣記之37》〈宛如讀一部《戰後台灣經濟史》〉。 8月12日《拙耕園瑣記之38》〈「博物館法」草案與「蚊子館」之譏〉。 8月13日《拙耕園瑣記39》〈《文訊》雜誌史料數位化的歷史意義〉。 8月14日《拙耕園瑣記之40》〈第一次品嚐日本蘋果〉。 8月15日《拙耕園瑣記之41》〈一個城市的過去與未來〉。 8月16日《拙耕園瑣記之42》〈安溪寮舊事〉。 8月17日《拙耕園瑣記之43》〈靠山吃山靠糖吃糖〉。 8月18日《拙耕園瑣記之44》〈我的「無米樂」故鄉〉。 8月19日《拙耕園瑣記之45》〈記一則感人的真實故事〉。 8月20日《拙耕園瑣記之46》〈拔草時的「一」字型排開〉。 8月21日《拙耕園瑣記之47》〈出外，路生著嘴裡〉。 8月23日《拙耕園瑣記之48》〈冬晨裡的小販叫賣聲〉。 8月24日《拙耕園瑣記之49》〈看「戲尾」〉。 8月25日《拙耕園瑣記之50》〈學校註冊費〉。 8月26日《拙耕園瑣記之51》〈腳踏車與鐵牛車〉。 8月27日《拙耕園瑣記之52》〈不是護士也能做好的事〉。 8月28日《拙耕園瑣記之53》〈一碗肉丸〉。 8月30日《拙耕園瑣記之54》〈設置「總統」圖書館之我見〉。 8月31日《拙耕園瑣記之55》〈每天寫上七百字〉。

2014	8月《警大雙月刊》第174期，登載〈繼《台灣警政發展史》之後—參加「警察通識教育圓桌論壇」有感〉，頁57-59。 9月1日《拙耕園瑣記之56》〈白糖充當零食的妙用〉。 9月2日《拙耕園瑣記之57》〈十分感激十分愧疚〉。 9月3日《拙耕園瑣記之58》〈睹舊作憶親人〉。 9月4日《拙耕園瑣記之59》〈大師風範難尋〉。 9月6日《拙耕園瑣記之60》〈歸鄉—回家的路〉。 9月7日《拙耕園瑣記之61》〈一生懸命〉。 9月8日《拙耕園瑣記之62》〈安溪老家的一些軼事〉。 9月9日《拙耕園瑣記之63》〈「選擇」做會感動人的事〉。 9月10日《拙耕園瑣記之64》〈「非我之意」的衍義〉。 9月11日《拙耕園瑣記之65》〈嗜好閱讀「閒書」的啟蒙〉。 9月12日《拙耕園瑣記之66》〈母親的豬油渣炒空心菜〉。 9月13日《拙耕園瑣記之67》〈海島史觀與我的台灣經濟發展史〉。 9月14日《拙耕園瑣記之68》〈中秋過後的竹筍大菜〉。 9月15日《拙耕園瑣記之69》〈台灣人的日本名字〉。 9月16日《拙耕園瑣記之70》〈唐獎與艾森豪獎的時代意義〉。 9月17日《拙耕園瑣記之71》〈請多給科技大學的莘莘學子掌聲〉。 9月18日《拙耕園瑣記之72》〈「Yes」or「No」的蘇格蘭獨立公投〉。 9月19日《拙耕園瑣記之73》〈百元理髮與小確幸生活〉。 9月20日《拙耕園瑣記之74》〈發展自己的生活方式。 9月21日《拙耕園瑣記之75》〈幽禁歲月與解密檔案〉。 9月22日《拙耕園瑣記之76》〈警察與人民的民主素養〉。 9月24日《拙耕園瑣記之77》〈母親有連續劇《阿信》的身影〉。 9月25日《拙耕園瑣記之78》〈兒時對甕與罈的記憶〉。 9月27日《拙耕園瑣記之79》〈故居與圖書館之間〉。 9月28日《拙耕園瑣記之80》〈教師節憶恩師〉。 9月29日《拙耕園瑣記之81》〈「無米樂」與「池上米」〉。 10月1日《拙耕園瑣記之82》〈記結緣媽祖關渡宮〉。 10月3日《拙耕園瑣記之83》〈大、二膽島的聯想〉。 10月4日《拙耕園瑣記之84》〈盼望這幸運也能同樣來到〉。 10月6日《拙耕園瑣記之85》〈媽祖文化與文創產業。 10月9日《拙耕園瑣記之86》〈我的初次上台表演〉。 10月12日《拙耕園瑣記之87》〈又驚喜又驚豔〉。 10月13日《拙耕園瑣記之88》〈重讀陶淵明詩〉。 10月15日《拙耕園瑣記之89》〈學校的「鼓藝社」與台灣民俗藝術〉。 10月18日《拙耕園瑣記之90》〈記一段我的大學回憶〉。 10月22日《拙耕園瑣記之91》〈惜字亭與草山派出所的不同下場〉。 10月25日《拙耕園瑣記之92》〈雨夜花與流行音樂學程〉。 10月29日《拙耕園瑣記之93》〈試為「文化創意產業的範疇」新解〉。 11月1日《拙耕園瑣記之94》〈孫運璿故居與在地台灣化的聯想〉。 11月5日《拙耕園瑣記之95》〈圖書館的文化創意產業角色〉。 11月9日《拙耕園瑣記之96》〈人民小確幸與政府大作為〉。 11月14日《拙耕園瑣記之97》〈研討會與「文創產業學」〉。 11月18日以〈台灣清治時期地方自治與治安關係之探討〉，發表於中央警察大學通識教育中心舉辦的「執法倫理與通識教育學術研討會」。

2014	11月19日《拙耕園瑣記之98》〈「農村曲」與在地文化產業〉。 11月22日《拙耕園瑣記之99》〈也談《文化與文創》〉。 11月26日《拙耕園瑣記之100》〉文資保存與文創產業〉。 11月30日《拙耕園瑣記之101》〈發展文創產業的兩岸元素〉。 12月3日《拙耕園瑣記之102》〈話說「文化部的第一里路」〉。 12月4日《拙耕園瑣記之103》〈莫休灰了文化部長志氣〉。 12月10日《拙耕園瑣記之104》〈《文獻人生》與文創產業〉。 12月14日《拙耕園瑣記之105》〈《阿娘・唱予你聽》的文創音樂力量〉。 12月17日《拙耕園瑣記之106》〈城市區域化的文創產業發展〉。 12月18日《拙耕園瑣記之107》〈明華園與傳統藝術表演〉。 12月21日《拙耕園瑣記之108》〈台灣發展文創需要有「小確幸」思維〉。 12月24日《拙耕園瑣記之109》〈發展文創產業的經濟因素之外〉。 12月29日《拙耕園瑣記之110》〈荷蘭井與文創特色〉。 12月31日《拙耕園瑣記之111》〈「產業文化化」的難題〉。 12月《警大雙月刊》第176期，登載〈見證台灣政治民主化歷程—「台灣省議會史料總庫」宣導活動紀實〉，頁26-27。
2015	1月5日《拙耕園瑣記之112》〈「白團」和「富士俱樂部」檔案的公開化〉。 1月7日《拙耕園瑣記之113》〈江蕙封麥與文創流行音樂〉。 1月12日《拙耕園瑣記之114》〈馬政府、高鐵與城市區域文創產業的型塑〉。 1月14日《拙耕園瑣記之115》〈清大「月涵堂」代表的文創意涵〉。 1月19日《拙耕園瑣記之116》〈兩岸百年來的百位大師典範〉。 1月21日《拙耕園瑣記之117》〈從推動新文化到發展文創的角色〉。 1月22日《拙耕園瑣記之118》〈出生在大正時期的台灣人宿命〉。 1月23日《拙耕園瑣記之119》〈發展米糖文創產業之我思〉。 1月24日《拙耕園瑣記之120》〈文化部、交通部與鐵道文創產業〉。 1月26日《拙耕園瑣記之121》〈台灣的文學與文創〉。 1月27日《拙耕園瑣記之122》〈「蔣經國圖書館」的在地化文創思維〉。 1月28日《拙耕園瑣記之123》〈借鏡韓國的發展影視文創產業〉。 1月29日《拙耕園瑣記之124》〈繁體漢字鮮明台灣視覺文創的特色〉。 1月30日《拙耕園瑣記之125》〈創意創業與文創〉。 1月31日《拙耕園瑣記之126》〈中影文化城與發展電影文創產業〉。 2月1日《拙耕園瑣記之127》〈台灣殖民地傷痕的文創性產業思考〉。 2月2日《拙耕園瑣記之128》〈台灣流行音樂勾起我的一段回憶〉。 2月4日《拙耕園瑣記之129》〈台灣殖民歷史與「國家檔案館」的省思〉。 2月5日《拙耕園瑣記之130》〈政府應該當「文創平台」〉。 2月6日《拙耕園瑣記之131》〈文學題材的電影文創〉。 2月7日《拙耕園瑣記之132》〈故宮南院要建立在地化文創的模範〉。 2月9日《拙耕園瑣記之133》〈「媽祖文化節」的凸顯台灣傳統工藝文創〉。 2月10日《拙耕園瑣記之134》〈古建築的鄉土文化價值〉。

2015	2月12日《拙耕園瑣記之135》〈書法藝術的文字視覺之美〉。 2月14日《拙耕園瑣記之136》〈三位行政院文化獎的連環想〉。 2月17日《拙耕園瑣記之137》〈郎靜山攝影藝術的視覺文創〉。 2月19日《拙耕園瑣記之138》〈微型城市與媽祖文化園區〉。 2月23日《拙耕園瑣記之139》〈舊居、故居、紀念館的發展文創角色〉。 2月《警大雙月刊》第177期，登載〈平論日治台灣時期治安的檔案與文獻—警察與國家發展的研究途徑〉，頁19-23。 3月5日《拙耕園瑣記之140》〈楊逵子孫的守護「東海花園」故居地〉。 3月7日《拙耕園瑣記之141》〈為保留台北機廠的文化部鼓掌〉。 3月19日《拙耕園瑣記之142》〈明華園傳統藝術表演的創意與傳承〉。 3月30日《拙耕園瑣記之143》〈我家祖厝史小考〉。 4月3日《拙耕園瑣記之144》〈清明時節潤餅的美食文化〉。 4月5日《拙耕園瑣記之145》〈慎終追遠文化的生活美學〉。 4月10日《拙耕園瑣記之146》〈「寡婦樓」被夷平的文化感慨〉。 4月12日《拙耕園瑣記之147》〈吳家舊宅的「府城歷史之窗」〉。 4月15日《拙耕園瑣記之148》〈以流行音樂文創紀念兩位名家〉。 4月18日《拙耕園瑣記之149》〈文創產業政策的政治經濟學省思〉。 4月25日《拙耕園瑣記之150》〈以創意整合生活產業的飲食文化〉。 5月2日《拙耕園瑣記之151》〈《賽德克・巴萊》的在地歷史性電影文創〉。 5月6日《台灣商報》《文創漫談之1》〈文創產業政策的政治經濟學省思〉。 5月8日《拙耕園瑣記之152》〈「古蹟仙」林衡道的在地文創底蘊〉。 5月11日《台灣商報》《文創漫談之2》〈以創意整合生活產業的飲食文化〉。 5月15日《拙耕園瑣記之153》〈詩品文學生命的文創效益〉。 5月18日《台灣商報》《文創漫談之3》〈以流行音樂文創紀念兩位名家〉。 5月22日《拙耕園瑣記之154》〈《有限合夥法》（草案）與社區文創的推展〉。 5月25日《台灣商報》《文創漫談之4》〈「寡婦樓」被夷平的文化感慨〉。 5月30日《拙耕園瑣記之155》〈紀錄片影像文創的歷史文獻意義〉。 6月1日《台灣商報》《文創漫談之5》〈吳家舊宅的「府城歷史之窗」〉。 6月6日《台灣商報》《文創漫談之6》〈「古蹟仙」林衡道的在地文創底蘊〉。 6月7日《拙耕園瑣記之156》〈《藝術家》雜誌與「文化部長」〉。 6月13日《拙耕園瑣記之157》〈文化中心與文創園區〉。 6月16日《台灣商報》《文創漫談之7》〈詩品文學生命的文創效益〉。 6月19日《拙耕園瑣記之158》〈蘆洲李宅祖厝的家族歷史記憶。 6月26日《拙耕園瑣記之159》〈台北二二八紀念館與典藏台灣歷史文物〉。

2015	6月28日《拙耕園瑣記之160》〈金曲獎頒獎與彩色派對粉塵爆的兩樣情〉。 7月1日《台灣商報》《文創漫談之8》〈文化中心與文創園區〉。 7月5日《拙耕園瑣記之161》〈策展平台的締造文創風華〉。 7月7日《台灣商報》《文創漫談之9》〈金曲獎頒獎與彩色派對粉塵爆的兩樣情〉。 7月10日《拙耕園瑣記之162》〈宜蘭之旅的文化紀事〉。 7月11日《拙耕園瑣記之163》〈傳統大木作建築藝術的傳承〉。 7月15日《拙耕園瑣記之164》〈木村拓哉與《華麗一族》影集〉。 7月18日《台灣商報》《文創漫談之10》〈台北二二八紀念館與典藏台灣歷史文物〉。 7月20日《拙耕園瑣記之165》〈後壁區安溪寮頂安里陳氏源流考（一）〉。 7月23日《拙耕園瑣記之166》〈後壁區安溪寮頂安里陳氏源流考（二）〉。 7月24日《拙耕園瑣記之167》〈後壁區安溪寮頂安里陳氏源流考（三）〉。 7月26日《拙耕園瑣記之168》〈後壁區安溪寮頂安里陳氏源流考（四）〉。 7月《台灣學通訊》第88期，登載〈日治時期警察政治及其影響〉，頁4-7。與章光明共同具名發表。 8月1日《拙耕園瑣記之169》〈後壁區安溪寮頂安里陳氏源流考（五）〉。 8月2日《拙耕園瑣記之170》〈後壁區安溪寮頂安里陳氏源流考（六）〉。 8月4日《拙耕園瑣記之171》〈廣播稿1〉培根的知識與紀昀的寶庫。 8月5日《拙耕園瑣記之172》〈廣播稿2〉托佛勒的第三波社會。 8月6日《拙耕園瑣記之173》〈廣播稿3〉專訪林德雄、林志穎父子。 8月7日《拙耕園瑣記之174》〈廣播稿4〉胡適的考證癖。 8月8日《拙耕園瑣記之175》〈父親的退休金〉。 8月9日《拙耕園瑣記之176》〈父親節過後的思念〉。 8月12日《拙耕園瑣記之177》〈廣播稿5〉胡適的夫妻愛。 8月13日《拙耕園瑣記之178》〈曾祖母的小腳與遺畫像〉。 8月14日《拙耕園瑣記之179》〈廣播稿7〉梁啟超的飲冰室。 8月15日《拙耕園瑣記之180》〈廣播稿8〉趙麗蓮的知識傳承。 8月16日《拙耕園瑣記之181》〈廣播稿9〉王雲五的終身學習。 8月17日《拙耕園瑣記之182》〈祖母的纏足解放與生命解脫〉。 8月18日《拙耕園瑣記之183》〈後壁區安溪寮金紫戲院的風華與滄桑〉。 8月19日《拙耕園瑣記之184》〈後壁區安溪國小的百年歷史記憶〉。 8月21日《台灣商報》《文創漫談之11》〈傳統大木作建築藝術的傳承〉。 8月21日《拙耕園瑣記之185》〈《後壁鄉志》補遺〉。 8月29日《拙耕園瑣記之186》〈廣播稿10〉張大千的詩書畫世界。 8月30日《拙耕園瑣記之187》〈羅蘭的廣播小語憶二姊〉。 8月31日《拙耕園瑣記之188》〈廣播稿12〉杜拉克的旁觀者管理特色。

<table>
<tr><td rowspan="1">2015</td><td>9月1日《拙耕園瑣記之189》〈廣播稿13〉杜拉克的知識型社會
9月4日《拙耕園瑣記之190》〈廣播稿14〉林語堂的生活樂趣
9月5日《拙耕園瑣記之191》〈廣播稿15〉林語堂的讀書與創作
9月6日《拙耕園瑣記之192》〈母親熬雞湯的好廚藝〉。
9月9日《拙耕園瑣記之193》〈父親閩南語、日語與國語的習題〉。
9月11日《拙耕園瑣記之194》〈吳新榮與台南縣參議員〉。
9月16日《台灣商報》《文創漫談之12》〈策展平台的締造文創風華〉。
9月21日《拙耕園瑣記之195》〈讀〈記小雅園山房主人〉有感〉。
9月27日《拙耕園瑣記之196》〈中秋節話葉石濤的《從府城到舊城》〉。
10月5日《拙耕園瑣記之197》〈沒有土地，哪有文學〉。
10月9日《拙耕園瑣記之198》〈「葉石濤文學紀念館」的友愛街聯想〉。
10月18日《拙耕園瑣記之199》〈楊逵台灣新文學的土地之愛〉。
10月25日《拙耕園瑣記之200》〈我的文藝青年之夢〉。
10月出刊《警大雙月刊》第181期，〈研究台灣傳統治安時期的時代意義〉，頁43-46。
11月1日《拙耕園瑣記之201》〈北白川宮能久親王的台南後壁區安溪寮遇刺？〉。
11月17日以〈戰後台灣初期治安與文學關係之探討—以1945~1949吳新榮為例〉，發表於中央警察大學通識教育中心舉辦的「警察與通識教育學術研討會」。
11月出版《警察與國家發展—台灣治安史的結構與變遷》。（蘭臺）
12月18日《拙耕園瑣記之202》〈從文學、文獻到文創〉。
12月20《拙耕園瑣記之203》〈林豪《東瀛紀事》的台南後壁區安溪寮記述〉。
12月23日《台灣商報》《文創漫談之13》〈明華園的表演藝術〉。
12月25日《拙耕園瑣記之204》〈下加冬與劉却的起事議題〉。
12月29日《拙耕園瑣記之205》〈下茄苳堡張丙與沈知起事的反思〉。
12月30日《拙耕園瑣記之206》〈店仔口吳志高與白水溪教案事件〉。
12月30日《台灣商報》《文創漫談之14》〈清華大學「月涵堂」的文創意涵〉。
12月出刊《警大雙月刊》第182期，〈淺介清代台灣方志治安記述〉，頁30-32。</td></tr>
</table>

國家圖書館出版品預行編目資料

文學、文獻與文創——陳天授65作品自選集/ 陳添壽 著
--初版-- 臺北市 ： 蘭臺, 2016.2
面； 公分. --
ISBN 978-986-5633-27-1（平裝）
1.言論集
078 105001307

人文小品系列9

文學、文獻與文創——陳天授65作品自選集

作　　者：陳添壽
美　　編：高雅婷
編　　輯：高雅婷
封面設計：塗宇樵
出 版 者：蘭臺出版社
發　　行：博客思出版事業網
地　　址：台北市中正區重慶南路1段121號8樓之14
電　　話：(02)2331-1675或(02)2331-1691
傳　　真：(02)2382-6225
E—MAIL：books5w@yahoo.com.tw或books5w@gmail.com
網路書店：http://bookstv.com.tw 、http://store.pchome.com.tw/yesbooks/、
http://www.5w.com.tw、華文網路書店、三民書局
博客來網路書店 http://www.books.com.tw
總 經 銷：成信文化事業股份有限公司
電　　話：02-2219-2080　　傳 真：02-2219-2180
劃撥戶名：蘭臺出版社　帳號：18995335
香港代理：香港聯合零售有限公司
地　　址：香港新界大蒲汀麗路36號中華商務印刷大樓
C&C Building, 36,Ting, Lai, Road, Tai,Po, New,Territories
電　　話：(852)2150-2100　　傳真：(852)2356-0735
總 經 銷：廈門外圖集團有限公司
地　　址：廈門市湖裡區悅華路8號4樓
電　　話：86-592-2230177　　傳 真：86-592-5365089
出版日期：2016年2月 初版
定　　價：新臺幣350元整（平裝）
ISBN：978-986-5633-27-1